NICHOLAS SPARKS

Współczesny amerykański pisarz, którego książki o łącznym nakładzie przekraczającym 85 milionów egzemplarzy ukazały się w ponad 50 językach. Serca czytelników podbił w 1997 r. swoim debiutem – powieścią **Pamiętnik**. Kolejne – m.in. **Noce w Rodanthe, Anioł Stróż, Ślub, Prawdziwy cud, I wciąż ją kocham, Wybór, Ostatnia piosenka, Szczęściarz, Bezpieczna przystań** oraz **Dla ciebie wszystko** – znajdowały się przez wiele miesięcy w czołówce światowych rankingów sprzedaży. Najnowsza powieść, **Najdłuższa podróż**, wkrótce po ukazaniu się trafiła na pierwsze miejsca list bestsellerów. Większość książek Sparksa została przeniesiona na duży ekran, a w filmowych adaptacjach wystąpiły takie gwiazdy amerykańskiego kina, jak Rachel McAdams i Ryan Gosling (**Pamiętnik**), Diane Lane i Richard Gere (**Noce w Rodanthe**) czy Robin Wright i Kevin Costner (**List w butelce**). W 2015 r. na ekrany kin wchodzi ekranizacja **Najdłuższej podróży**.

NICHOLAS SPARKS

ostatnia piosenka

Z angielskiego przełożyła
MAGDALENA SŁYSZ

ALBATROS

Wydawnictwo
A. Kuryłowicz

Tytuł oryginału:
THE LAST SONG

Polish edition copyright © Wydawnictwo Albatros Andrzej Kuryłowicz s.c. 2014

Polish translation copyright © Magdalena Słysz 2010

Redakcja: Barbara Nowak

Zdjęcie na okładce © Picture Desk/BE&W

Projekt graficzny okładki: Wydawnictwo Albatros Andrzej Kuryłowicz s.c.

Projekt graficzny serii: Andrzej Kuryłowicz

ISBN 978-83-7985-614-5

Wyłączny dystrybutor
Firma Księgarska Olesiejuk sp. z o.o. sp. j.
Poznańska 91, 05-850 Ożarów Mazowiecki
tel. (22) 721 30 00, faks (22) 721 30 01
www.olesiejuk.pl

Wydawca
WYDAWNICTWO ALBATROS ANDRZEJ KURYŁOWICZ S.C.
Hlonda 2A/25, 02-972 Warszawa
www.wydawnictwoalbatros.com

2015. Wydanie XXI (kieszonkowe – V)

Książkę wydrukowano na papierze
Bulky 50 g. vol. 2.4

Druk: Abedik S.A., Poznań

Theresie Park i Gregowi Irikurze,
moim przyjaciołom

Podziękowania

Jak zawsze muszę zacząć od wyrażenia podziękowań Cathy, mojej żonie i mojemu marzeniu. Mamy już za sobą dwadzieścia zadziwiających lat i kiedy budzę się rano, myślę przede wszystkim o tym, jakim jestem szczęściarzem, że spędziłem ten czas z Tobą.

Nasze dzieci — Miles, Ryan, Landon, Lexie i Savannah — są źródłem niekończącej się radości w moim życiu. Kocham was wszystkich.

Jamie Raab, moja redaktorka z Grand Central Publishers, zawsze zasługuje na słowa wdzięczności, nie tylko za wspaniałą pracę nad książką, ale także za dobroć, jaką mi nieodmiennie okazuje. Dziękuję Ci, Jamie.

Denise DiNovi, producentka *Listu w butelce, Szkoły uczuć, Nocy w Rodanthe* i *Szczęściarza*, jest nie tylko geniuszem, ale i jedną z najsympatyczniejszych osób, jakie znam. Dzięki za wszystko.

David Young, prezes zarządu Hachette Book Group, zasługuje na szacunek i wdzięczność od lat, bo tak długo z sobą już współpracujemy. Dziękuję, Davidzie.

Jennifer Romanello i Edna Farley, rzeczniczki prasowe, to nie tylko moje przyjaciółki, ale i cudowne osoby. I Wam dziękuję za wszystko.

Harvey-Jane Kowal i Sonie Vogel jak zwykle należą się podziękowania choćby dlatego, że zawsze spóźniam się z oddaniem tekstu, co znacznie utrudnia im pracę.

Howie Sanders i Keya Khayatian, moi agenci z UTA, są fantastyczni. Jestem Wam wdzięczny!

Scott Schwimer, mój prawnik, jest po prostu najlepszy w tym, co robi. Dziękuję Ci, Scotcie!

Wyrazy wdzięczności winien jestem też Marty'emu Bowenowi (producentowi *Dear John*), jak również Lynn Harris i Markowi Johnsonowi.

Dziękuję Amandzie Cardinale, Abby Koons, Emily Sweet i Sharon Krassney. Doceniam wszystko, co robicie.

Rodzinie Cyrusów muszę podziękować nie tylko za to, że gościła mnie w swoim domu, ale także za wszystko, co zrobiła z myślą o filmie. Szczególnie dziękuję Miley, która wybrała imię dla Ronnie. Gdy tylko je usłyszałem, wiedziałem, że pasuje idealnie!

I na koniec składam podziękowania Jasonowi Reedowi, Jennifer Gipgot i Adamowi Shankmanowi za pracę nad ekranizacją *Ostatniej piosenki*.

PROLOG

Ronnie

Wyglądając przez okno sypialni, Ronnie zastanowiła się, czy pastor Harris jest już w kościele. Uznała, że musi być, i gdy obserwowała fale, które załamywały się na plaży, zadała sobie pytanie, czy był jeszcze w stanie dostrzec grę światła wpadającego przez witraż nad jego głową. Może nie — witraż zamontowano przecież ponad miesiąc temu, a pastor był pewnie zbyt zajęty, aby jeszcze zwracać na niego uwagę. Mimo to miała nadzieję, że ktoś, kto przyjeżdża do miasteczka, zagląda do kościoła i zdumiewa się tak samo jak ona, gdy tamtego zimnego listopadowego dnia pierwszy raz zobaczyła światło zalewające wnętrze. Liczyła też na to, że gość poświęci chwilę uwagi temu witrażowi i będzie podziwiał jego piękno.

Nie spała od godziny, ale nie była jeszcze gotowa, żeby rozpocząć dzień. Święta miały inną atmosferę tego roku. Poprzedniego dnia zabrała młodszego brata, Jonah *, na spacer po plaży. Tu i tam na tarasach domów, które mijali, stały bożonarodzeniowe choinki. O tej porze roku mieli plażę

---

* Jonah wymawia się Dżonna.

prawie wyłącznie dla siebie, ale Jonah nie wykazywał zainteresowania ani falami, ani mewami, które tak go fascynowały jeszcze kilka miesięcy wcześniej. Chciał natomiast pójść do warsztatu i zaprowadziła go tam, chociaż przebywał w środku zaledwie parę minut, a potem wyszedł bez słowa.

Na półce obok niej leżał stos oprawionych w ramki zdjęć, które wraz z innymi przedmiotami zabrała z alkowy tamtego rana. Oglądała je w ciszy, dopóki nie przerwało jej pukanie do drzwi. Mama wetknęła głowę do pokoju.

— Chcesz śniadanie? Znalazłam w kredensie jakieś płatki zbożowe...

— Nie jestem głodna, mamo.

— Musisz jeść, kotku.

Ronnie wciąż spoglądała na fotografie, ale nic nie widziała.

— Nie miałam racji, mamo. I nie wiem, co teraz zrobić.

— Chodzi ci o tatę?

— O wszystko.

— Chcesz o tym porozmawiać?

Ponieważ Ronnie nie odpowiedziała, mama przeszła przez pokój i usiadła przy niej.

— Czasami rozmowa pomaga. Jesteś taka milcząca od kilku dni.

Przez chwilę Ronnie przytłoczyły wspomnienia: pożar i potem odbudowa kościoła, okno witrażowe, piosenka, którą wreszcie skończyła. Pomyślała o Blaze, Scotcie i Marcusie. I o Willu. Miała osiemnaście lat i wspominała lato, podczas którego ją zdradzono i aresztowano, lato, podczas którego się zakochała. To nie było tak dawno temu, a jednak czasami odnosiła wrażenie, że jest już kimś zupełnie innym.

Westchnęła.

— A co z Jonah?

— Nie ma go. Poszedł z Brianem do sklepu z butami. Jest

jak szczeniaczek. Stopy rosną mu szybciej niż reszta ciała — odparła mama.

Ronnie uśmiechnęła się lekko, ale ten uśmiech zniknął z jej twarzy tak szybko, jak się pojawił. W milczeniu, które zapadło, poczuła, że mama zbiera jej długie włosy i wiąże w luźny kucyk na plecach. Robiła to, od kiedy Ronnie była mała. Dziwne, ale wciąż działało to na nią kojąco. Choć nigdy by się do tego nie przyznała.

— Coś ci powiem — ciągnęła mama. Podeszła do szafy i położyła na łóżku walizkę. — Może porozmawiamy, gdy będziesz się pakować?

— Nie wiedziałabym nawet, od czego zacząć.

— Może od początku? Jonah wspomniał coś o żółwiach.

Ronnie splotła ramiona przed sobą; wiedziała, że historia nie zaczęła się od tego.

— Nie. Chociaż nie było mnie tu wtedy, myślę, że lato tak naprawdę zaczęło się od pożaru.

— Jakiego pożaru? — zapytała mama.

Ronnie sięgnęła ręką ku fotografiom na półce i ostrożnie wyjęła pognieciony artykuł z gazety, wetknięty między dwa zdjęcia w ramkach. Podała matce żółknący wycinek.

— Tego pożaru — wyjaśniła. — W kościele.

Nielegalne fajerwerki prawdopodobną przyczyną pożaru kościoła
Ranny pastor

Wrightsville Beach, Karolina Północna. W sylwestra pożar strawił kościół baptystów i policja podejrzewa, że przyczyną były nielegalne fajerwerki.

„Strażacy, wezwani telefonicznie przez anonimową osobę, przyjechali do kościoła przy plaży tuż po północy i zobaczyli, że z zaplecza budynku wydobywają się płomienie i dym" — poinformował Tim Ryan, szef straży pożarnej w Wrightsville Beach. Po ugaszeniu ognia znaleziono pozostałości rakiety butelkowej, rodzaju sztucznych ogni.

Kiedy wybuchł pożar, w kościele przebywał pastor Charlie Harris, który doznał na ramionach i dłoniach poparzeń drugiego stopnia. Przewieziono go do New Hanover Regional Medical Center i obecnie znajduje się na oddziale intensywnej opieki.

Był to już drugi pożar kościoła w New Hanover County w ostatnich miesiącach. W listopadzie całkowitemu zniszczeniu uległ przybytek Kościoła Przymierza Dobrej Nadziei w Wilmington. „Policja ma pewne podejrzenia, uważa, że mogło to być podpalenie" — mówi Ryan.

Świadkowie twierdzą, że niespełna dwadzieścia minut przed wybuchem pożaru widzieli kogoś, kto puszczał sztuczne ognie na plaży za kościołem, prawdopodobnie dla uczczenia Nowego Roku. „Rakiety butelkowe są zakazane w Karolinie Północnej i stanowią szczególne zagrożenie podczas panującej ostatnio suszy — ostrzegał Ryan. — Ten pożar dowodzi dlaczego. W szpitalu leży jego ofiara, a po kościele zostały zgliszcza".

Przeczytawszy artykuł, mama uniosła głowę i napotkała wzrok Ronnie. Ta się zawahała; potem z westchnieniem zaczęła opowiadać historię, która wciąż wydawała jej się zupełnie bez sensu, nawet z perspektywy czasu.

1

Ronnie

Sześć miesięcy wcześniej

Ronnie siedziała zgarbiona na przednim fotelu samochodu i nie mogła zrozumieć, dlaczego rodzice tak jej nienawidzą.

Ponieważ tylko to mogło tłumaczyć, czemu wylądowała tutaj, w odwiedzinach u ojca, w tej zapomnianej przez Boga i ludzi dziurze, zamiast spędzać wakacje z przyjaciółmi w domu na Manhattanie.

Nie, wykreślić to. To nie były zwykłe odwiedziny. Odwiedziny trwają weekend albo dwa, może nawet tydzień. Wizytę jeszcze by chyba wytrzymała. Ale siedzieć tu do końca sierpnia? Przez prawie całe lato? To było zesłanie i przez niemal dziewięć godzin, jakie trwała jazda tutaj, czuła się jak więzień, którego przenoszą do zakładu karnego na prowincji. Nie mieściło jej się w głowie, że mama skazała ją na to.

Była tak pogrążona w swoim nieszczęściu, że dopiero po chwili rozpoznała 16. sonatę C-dur Mozarta. Był to jeden z utworów, które wykonała w Carnegie Hall przed czterema laty, i wiedziała, że mama nastawiła go, gdy Ronnie spała. Niepotrzebnie.

Wyciągnęła rękę i wyłączyła odtwarzacz.

— Dlaczego to robisz? — zapytała mama, marszcząc brwi. — Lubię słuchać, jak grasz.

— A ja nie.

— To może tylko przyciszę?

— Przestań, mamo, dobra? Nie mam nastroju.

Spojrzała za okno; wiedziała doskonale, że mama zacisnęła usta, tak że przypominały teraz kreskę. Ostatnio często to robiła. Jakby jej wargi były namagnetyzowane.

— Chyba widziałam pelikana, gdy przejeżdżaliśmy przez most do Wrightsville Beach — zauważyła mama z wymuszoną wesołością.

— Jezu, to świetnie. Może powinnaś zadzwonić po poskramiacza krokodyli.

— On nie żyje — włączył się Jonah; jego głos dochodził z tylnego siedzenia, zlewał się z dźwiękami konsoli Game Boy. Jej dziesięcioletni męczący brat był od tej gry wręcz uzależniony. — Nie pamiętasz? — ciągnął. — To było naprawdę smutne.

— Oczywiście, że pamiętam.

— Zachowałaś się tak, jakbyś nie pamiętała.

— Pamiętałam.

— To dlaczego powiedziałaś to, co powiedziałaś?

Nie miała ochoty się w to bawić. Brat zawsze musiał mieć ostatnie słowo. Doprowadzało ją to do szału.

— Przespałaś się chociaż trochę? — zapytała mama.

— Dopóki nie wjechałaś na ten wybój. Zresztą wielkie dzięki. Prawie rozbiłam sobie głowę o szybę.

Mama nie spuszczała wzroku z drogi.

— Cieszę się, że drzemka wprawiła cię w lepszy humor.

Ronnie strzeliła z gumy do życia. Wiedziała, że mama tego nie znosi, i głównie dlatego robiła to niemal bez przerwy, gdy jechały I-95. Międzystanowa, jej skromnym zdaniem, była najnudniejszą drogą, jaką kiedykolwiek zbudowano. Chyba że ktoś lubił tłuste żarcie w fast foodach, ohydne kible na parkingach i miliony sosen, które potrafiły każdego uśpić szpetną monotonią.

Dokładnie to samo powiedziała w Delaware, Marylandzie i Wirginii, ale mama za każdym razem ignorowała te komentarze. Chociaż starała się, żeby to była miła podróż, bo miały nie widzieć się przez długi czas, nie przepadała za rozmowami w samochodzie. Nie czuła się dobrze za kierownicą, zresztą trudno się dziwić, bo zwykle jeździły metrem albo taksówkami, gdy musiały dokądś się dostać. Ale w mieszkaniu... to zupełnie co innego. Tam mama lubiła sobie pogadać, tak że w ostatnich paru miesiącach dozorca przychodził dwukrotnie i prosił, żeby zachowywały się ciszej. Mamie pewnie się wydawało, że im głośniej będzie mówić o stopniach Ronnie, jej przyjaciołach czy o tym, że wraca za późno do domu, a zwłaszcza o „zajściu", tym bardziej Ronnie się przejmie.

No dobra, nie była najgorszą matką. Naprawdę nie. I w chwilach łaskawości Ronnie przyznawała nawet, że — jak na mamę — jest całkiem dobra. Utknęła jednak w dziwnej pętli czasowej, w której dzieci nie dorastają, i Ronnie pożałowała po raz setny, że nie urodziła się w maju zamiast w sierpniu. Skończyłaby właśnie osiemnaście lat i mama nie mogłaby jej do niczego zmusić. Pod względem prawnym Ronnie byłaby już na tyle dorosła, żeby decydować o sobie, a powiedzmy, że przyjazd tutaj nie należał do jej priorytetów.

Na razie jednak nie miała w tej sprawie nic do gadania. Ponieważ nie skończyła jeszcze osiemnastu lat. Przez ten głupi kalendarz. Ponieważ mama poczęła ją trzy miesiące wcześniej, niż powinna. Co to oznaczało? Że choćby błagała, krzyczała i wyrzekała na wakacyjne plany, nie mogła nic zrobić. Ronnie i Jonah mieli spędzić wakacje u taty i koniec dyskusji. Żadnych „jeśli", „i", „ale", jak postawiła sprawę mama. Ronnie z biegiem czasu znienawidziła to jej powiedzenie.

Po zjeździe z mostu zaczął się letni korek i samochody wlokły się jeden za drugim. Po jednej stronie między domami Ronnie dostrzegła ocean. Hurra! Jakby to mogło wywrzeć na niej wrażenie.

— Dlaczego nam to robisz? — jęknęła kolejny raz.

— Już o tym rozmawiałyśmy — odpowiedziała mama. — Musisz spędzić trochę czasu z ojcem. On tęskni za tobą.

— Ale dlaczego od razu całe lato? Nie wystarczyłoby parę tygodni?

— Potrzebujecie więcej niż paru tygodni, żeby pobyć razem. Nie widziałaś go od trzech lat.

— Nie moja wina. To on od nas odszedł.

— Tak, ale nie odbierasz jego telefonów. I za każdym razem, gdy przyjeżdżał do Nowego Jorku, żeby spotkać się z tobą i Jonah, ignorowałaś go i umawiałaś się z przyjaciółmi.

Ronnie znowu strzeliła z gumy. Kątem oka zauważyła, że mama się krzywi.

— Nie chcę go widzieć ani z nim rozmawiać — oznajmiła.

— Staram się wam jakoś pomóc, nie widzisz? Twój ojciec to dobry człowiek i cię kocha.

— To dlaczego nas porzucił?

Zamiast odpowiedzieć, mama spojrzała w lusterko wsteczne.

— Ty już nie możesz się doczekać, kiedy przyjedziemy na miejsce, prawda, Jonah? — zapytała.

— Żartujesz? Będzie super!

— Cieszę się, że jesteś dobrze nastawiony. Może siostrze udzieli się trochę twojego entuzjazmu.

Prychnął.

— Może.

— Po prostu nie rozumiem, dlaczego nie mogę spędzić lata z przyjaciółmi — poskarżyła się Ronnie, wracając do tematu. Jeszcze się nie poddała. Choć wiedziała, że szanse są niemal równe zeru, wciąż liczyła, że jeszcze uda jej się nakłonić mamę, aby zawróciła.

— Dlaczego nie powiesz, że wolałabyś spędzać całe noce w klubach? Nie jestem naiwna, Ronnie. Wiem, co się dzieje w takich miejscach.

— Nie robię nic złego, mamo.

— A co z twoimi stopniami? Ze szlabanem na wychodzenie? I...

— Czy możemy porozmawiać o czymś innym? — przerwała Ronnie. — Dlaczego to takie ważne, żebym pobyła z ojcem?

Matka pominęła to milczeniem. Miała powody. Odpowiadała na to pytanie milion razy, chociaż Ronnie nie chciała przyjąć wyjaśnienia do wiadomości.

Samochody wreszcie ruszyły i ujechali pół przecznicy, zanim zatrzymali się znowu. Matka odkręciła szybę i usiłowała spojrzeć na sznur samochodów przed nią.

— Ciekawe, co się stało — mruknęła. — Naprawdę wszystko stoi.

— To przez plażę — podsunął Jonah. — Przed plażą zawsze się korkuje.

— Jest trzecia w niedzielę. Nie powinno być takiego tłoku.

Ronnie podciągnęła nogi, myśląc z niechęcią o swoim życiu. O wszystkim wokół.

— Mamo? — zapytał Jonah. — A tata wie, że Ronnie aresztowano?

— Uhm. Wie — odparła matka.

— I co zrobi?

Tym razem odpowiedziała Ronnie:

— Nic nie zrobi. Zawsze obchodziła go tylko gra na fortepianie.

*

Ronnie nienawidziła fortepianu i przysięgła sobie, że nigdy więcej na nim nie zagra; nawet jej najstarsi przyjaciele uważali to postanowienie za dziwne, bo była związana z tym instrumentem przez większą część życia. Grać na nim uczył ją ojciec, kiedyś nauczyciel w szkole Juilliarda, i przez wiele lat pragnęła nie tylko występować, ale także komponować z nim muzykę.

I dobrze jej szło. Nawet bardzo dobrze, a ponieważ ojciec pracował w konserwatorium Juilliarda, administracja i reszta nauczycieli doskonale o tym wiedzieli. Wieść o jej talencie powoli rozeszła się w małym światku wielbicieli muzyki klasycznej, w którym toczyło się życie ojca. Niebawem w prasie muzycznej pojawiło się o niej kilka wzmianek, potem stosunkowo długi tekst w „New York Timesie" o jej współpracy z ojcem, i w efekcie dostała propozycję występu na koncercie z cyklu *Młodzi wykonawcy* w Carnegie Hall przed czterema laty. Była, jak oceniała, u szczytu kariery. I nie myliła się; zdawała sobie sprawę z tego, co osiągnęła. Wiedziała, jak rzadka trafiła jej się okazja, ale ostatnio zaczęła się zastanawiać, czy ofiary, jakie poniosła, były tego warte. W końcu nikt oprócz rodziców pewnie nawet nie pamiętał jej występu. Czy w ogóle kogoś to obchodziło? Ronnie przekonała się, że jeśli się nie ma popularnego wideo na YouTube ani nie występuje przed tysięczną widownią, talent muzyczny nic nie znaczy.

Czasami żałowała, że ojciec nie posłał jej na lekcje gry na gitarze elektrycznej. Albo chociaż śpiewu. Co dalej miała zrobić z umiejętnością gry na fortepianie? Uczyć muzyki w miejscowej szkole? Czy występować w jakimś holu hotelowym dla gości, którzy się meldują i wymeldowują? A może pójść śladem ojca i wieść równie ciężkie życie jak on? Dokąd zaprowadziła go gra na fortepianie? Rzucił pracę w Juilliardzie, żeby jeździć po kraju jako pianista koncertowy, a skończył w obskurnych salkach, gdzie występował przed publicznością, która ledwie zapełniała kilka pierwszych rzędów. Nie było go w domu przez czterdzieści tygodni w roku, wystarczająco długo, żeby wpłynęło to na jego małżeństwo. Zanim się zorientowała, jak do tego doszło, mama bez przerwy podnosiła głos, a tata jak zwykle zamykał się w sobie, aż któregoś razu po prostu nie wrócił z przedłużonej trasy koncertowej na południe. Z tego, co wiedziała, wcale wtedy nie pracował. Nawet nie udzielał prywatnych lekcji.

Na co ci to było, tato?

Pokręciła głową. Naprawdę nie chciała tu być. Bóg jej świadkiem, że nie zamierzała mieć z tym wszystkim nic wspólnego.

— Hej, mamo! — zawołał Jonah. — Co tam jest? Czy to nie diabelski młyn?

Mama odwróciła się, żeby zobaczyć coś zza minivana, który stał na sąsiednim pasie.

— Chyba tak, kochanie — potwierdziła. — Musi tu być wesołe miasteczko.

— Możemy tam pójść? Gdy już zjemy razem obiad?

— Będziesz musiał zapytać tatę.

— Uhm, a później może posiedzimy przy ognisku i upieczemy prawoślaz — dodała Ronnie. — Jak jedna wielka szczęśliwa rodzina.

Tym razem oboje zostawili to bez komentarza.

— Myślisz, mamo, że można tam się jeszcze na czymś przejechać? — zapytał Jonah.

— Na pewno. A jeśli tata nie zechce się z tobą wybrać, to na pewno siostra nie odmówi.

— Fantastycznie!

Ronnie skuliła się na fotelu. Przypuszczała, że mama wyjedzie z czymś takim. To wszystko było zbyt dobijające, żeby mogło pomieścić się w głowie.

2
Steve

Steve Miller grał na fortepianie w skupieniu, pełnym jednak podniecenia, bo w każdej chwili spodziewał się przyjazdu dzieci.

Fortepian stał w małej alkowie za niedużym salonem w bungalowie przy plaży, który teraz nazywał domem. Za nim znajdowały się przedmioty, które reprezentowały jego dotychczasowe życie. Niewiele ich było. Nie licząc fortepianu, Kim zdołała spakować te rzeczy do jednego pudła, a on w niespełna godzinę poustawiał je w nowym miejscu. Na przykład zdjęcie z ojcem i matką z czasów, gdy był jeszcze mały, oraz zdjęcie jego jako nastolatka grającego na pianinie. Wisiały między dwoma dyplomami, które zdobył, jeden na Chapel Hill, a drugi na Boston University; pod nimi widniały podziękowania za piętnastoletnią pracę w szkole Juilliarda. Obok okna znajdowały się trzy oprawione w ramki programy jego tras koncertowych. Najważniejsze jednak były zdjęcia Jonah i Ronnie — przyklejone do ściany czy stojące w ramkach na fortepianie — i za każdym razem gdy na nie patrzył, przypominał sobie, że mimo jego najlepszych intencji nic nie potoczyło się tak, jak oczekiwał.

Słońce późnego popołudnia przenikało przez okiennice, w pokoju było duszno i Steve czuł, że na czoło występują mu kropelki potu. Na szczęście bóle brzucha trochę mu przeszły od rana, ale denerwował się już od kilku dni i wiedział, że powrócą. Zawsze miał kłopoty z przewodem pokarmowym: po dwudziestce cierpiał na wrzody żołądka i nawet wylądował w szpitalu z powodu zapalenia uchyłka; po trzydziestce usunięto mu wyrostek robaczkowy, który pękł, gdy Kim była w ciąży z Jonah. Jadł antacydy jak cukierki, przez lata brał nexium i chociaż wiedział, że powinien lepiej się odżywiać i więcej ćwiczyć, wątpił, żeby coś z tego mu pomogło. Cała jego rodzina chorowała na żołądek.

Bardzo odmieniła go śmierć ojca przed sześcioma laty i od pogrzebu czuł się tak, jakby zaczęło się dla niego końcowe odliczanie. W pewnym sensie pewnie tak było. Pięć lat temu rzucił posadę w Juilliardzie, a po roku postanowił spróbować szczęścia jako pianista koncertowy. Przed trzema laty oboje z Kim postanowili się rozwieść; niecałe dwanaście miesięcy później propozycje występów stały się rzadsze, aż przestały napływać zupełnie. W zeszłym roku przeprowadził się tutaj, do miasteczka, w którym się wychował, do miejsca, którego nie spodziewał się już zobaczyć. Teraz miał spędzić lato ze swoimi dziećmi i choć próbował sobie wyobrazić, jak będzie jesienią, po powrocie Ronnie i Jonah do Nowego Jorku, wiedział tylko, że pożółkną i poczerwienieją liście i że rano z ust będą wydobywać się obłoczki pary. Już dawno przestał przewidywać przyszłość.

Nie przejmował się tym. Zdawał sobie sprawę, że wszelkie przewidywania są bezcelowe, zresztą ledwie potrafił zrozumieć przeszłość. Ostatnio wiedział na pewno jedynie to, że jest całkiem zwykłym człowiekiem w świecie, który uwielbia niezwykłość, i ta świadomość budziła w nim lekkie rozczarowanie życiem, które dotąd prowadził. Co jednak mógł na to poradzić? W przeciwieństwie do Kim, która była otwarta i towarzyska, zawsze mało mówił i wtapiał się w tło. Mimo że wykazywał pewne zdolności jako muzyk i kompozytor, brakowało mu charyzmy, talentu showmana czy tego czegoś, co wyróżnia wykonawcę spośród innych. Czasami sam nawet przyznawał, że jest raczej obserwatorem życia niż jego uczestnikiem, i w chwilach bolesnej szczerości stwierdzał, że poniósł porażkę we wszystkich ważnych dziedzinach. Miał czterdzieści osiem lat. Jego małżeństwo się rozpadło, córka go unikała, a syn dorastał bez niego. Cofając się myślą, wiedział, że sam jest sobie winien, i nade wszystko pragnął poznać odpowiedź na pytanie, czy ktoś taki jak on może jeszcze doświadczyć obecności Boga.

Nie wyobrażał sobie, że dziesięć lat temu mógłby zastanawiać się nad czymś takim. Czy nawet dwa lata temu. Ale w średnim wieku, jak czasami zauważał, stał się dziwnie refleksyjny. Chociaż kiedyś sądził, że to zasługa muzyki, którą komponował, teraz był zdania, że się mylił. Im dłużej nad tym rozmyślał, tym bardziej uświadamiał sobie, że muzyka zawsze była dla niego raczej ucieczką od świata niż sposobem na głębsze przeżywanie go. Być może przeżywał namiętności i katharsis poprzez muzykę Czajkowskiego albo miał poczucie, że czegoś dokonał, pisząc własne sonaty, ale teraz wiedział, że jego muzyka ma mniej wspólnego z Bogiem niż z egoistycznym pragnieniem ucieczki.

Wydawało mu się, że prawdziwa odpowiedź kryje się w miłości, którą darzył dzieci, i bólu, jaki odczuwał, gdy budził się w cichym domu i uświadamiał sobie, że nie ma ich przy sobie. Ale nawet wtedy wiedział, że jest coś jeszcze.

I liczył, że dzieci pomogą mu to odnaleźć.

*

Kilka minut później zauważył błysk słońca odbijającego się od przedniej szyby zakurzonego kombi, które stanęło przed domem. Oboje z Kim kupili ten wóz przed wieloma laty z myślą o weekendowych wypadach do Costco i innych rodzinnych wycieczkach. Pomyślał przelotnie, czy Kim pamiętała o tym, żeby zmienić olej przed wyjazdem albo w ogóle od czasu, gdy od niej odszedł. Pewnie nie, uznał. Nigdy nie miała głowy do takich spraw, dlatego zwykle on się nimi zajmował.

Jednakże ta część jego życia się skończyła.

Wstał z taboretu i gdy wszedł na ganek, Jonah już wysiadł z samochodu i biegł ku niemu. Był rozczochrany, okulary mu się przekrzywiły, a ręce i nogi miał chude jak patyczki. Steve poczuł, że ściska go w gardle, i przypomniał sobie, jak bardzo tęsknił za synkiem w ciągu ostatnich trzech lat.

— Tato!

— Jonah! — odkrzyknął Steve, przechodząc przez kamienisto-piaszczyste podwórko. Kiedy Jonah wpadł mu w objęcia, z trudem utrzymał równowagę. — Ależ urosłeś! — zauważył.

— A ty się skurczyłeś! — odparł Jonah. — Jesteś chudy.

Steve uściskał syna i postawił go na ziemię.

— Cieszę się, że przyjechałeś.

— Ja też. Mama i Ronnie kłóciły się przez całą drogę.

— To wcale nie jest śmieszne.

— A tam. Nie zwracałem na nie uwagi. Nawet trochę je podjudzałem.

— Aha.

24

Jonah podsunął okulary na nos.

— Dlaczego mama nie chciała, żebyśmy przylecieli samolotem?

— A pytałeś ją o to?

— Nie.

— To może powinieneś.

— Nieważne. Tak się tylko zastanawiałem.

Steve się uśmiechnął. Już zapomniał, jaki gadatliwy bywa syn.

— To twój dom?

— Tak.

— Fantastyczny.

Steve miał wątpliwości, czy Jonah mówi poważnie. Wszystko można by powiedzieć o tym domu, tylko nie to, że jest fantastyczny. Należał do najstarszych budynków w Wrightsville Beach, stał wciśnięty między dwie potężne wille, które w ciągu ostatnich dziesięciu lat wyrosły po obu jego stronach, tak że wydawał się jeszcze mniejszy. Farba, którą był pomalowany, odłaziła, w dachu brakowało coraz więcej gontów, a ganek gnił; nie byłoby w tym nic dziwnego, gdyby rozpadł się w czasie większej burzy, co niewątpliwie ucieszyłoby sąsiadów. Od kiedy Steve tu zamieszkał, nie miał kontaktu z żadnym z nich.

— Tak uważasz? — zapytał synka.

— No! Stoi prawie na plaży. Czego jeszcze można by chcieć? — Jonah wskazał ocean. — Mogę tam pójść?

— Jasne. Tylko uważaj. I zostań za domem. Nie oddalaj się za bardzo.

— Dobra.

Steve patrzył, jak syn odbiega, a potem odwrócił się i zobaczył Kim, która szła już w stronę domu. Ronnie też wysiadła z samochodu, ale stała przy nim.

— Cześć, Kim — rzucił.

— Steve. — Pochyliła się i uścisnęła go szybko. — Wszystko dobrze u ciebie? — zapytała. — Chyba schudłeś.

— Nic mi nie jest.

Steve zauważył nad jej ramieniem, że Ronnie powoli ruszyła ku nim. Uderzyło go, jak bardzo się zmieniła od czasu, gdy widział ją na zdjęciu, które Kim przesłała mu e-mailem. Zniknęła typowa mała Amerykanka, jaką pamiętał, a jej miejsce zajęła młoda kobieta z purpurowymi pasmami w długich brązowych włosach, z polakierowanymi na czarno paznokciami, w ciemnym ubraniu. Zauważył znowu, że mimo ewidentnych oznak nastoletniego buntu jest bardzo podobna do matki. To dobrze, pomyślał. Wyglądała ślicznie jak zawsze.

Odchrząknął.

— Cześć, kochanie. Miło cię widzieć.

Ronnie nie odpowiedziała, więc Kim złajała ją:

— Nie bądź niegrzeczna. Ojciec do ciebie mówi. Odpowiedz coś.

Ronnie założyła ramiona na piersi.

— Dobra. Co powiecie na to? Nie zamierzam grać dla ciebie na fortepianie.

— Ronnie! — Steve usłyszał w głosie Kim zniecierpliwienie.

— No co? — Zadarła głowę. — Pomyślałam, że od razu wyjaśnię sprawę.

Zanim Kim zdążyła odpowiedzieć, Steve pokręcił głową. Nie chciał kłótni.

— W porządku, Kim.

— Właśnie, mamo. Wszystko w porządku — potwierdziła wyzywająco Ronnie. — Muszę rozprostować nogi. Idę na spacer.

Gdy odeszła, Steve zauważył, że Kim walczy z chęcią przywołania jej. W końcu jednak nic nie powiedziała.

— Długa podróż? — zapytał, żeby odwrócić jej uwagę i poprawić nastrój.

— Nawet nie masz pojęcia jak bardzo.

Uśmiechnął się; łatwo było wyobrazić sobie w tej chwili, że wciąż są małżeństwem, że grają w tej samej drużynie, że wciąż się kochają.

Tylko że oczywiście tak nie było.

*

Po wyładowaniu bagaży Steve poszedł do kuchni, gdzie wydobył kostki lodu ze staroświeckiego pojemnika i wrzucił je do szklanek z różnych kompletów, które zastał na miejscu.

Usłyszał, że Kim wchodzi do kuchni. Wziął dzbanek z mrożoną herbatą, napełnił nią dwie szklanki i podał byłej żonie jedną z nich. Jonah na zewnątrz albo gonił fale, albo przed nimi uciekał, podczas gdy w górze krążyły mewy.

— Jonah chyba dobrze się bawi — zauważył.

Kim zrobiła krok w stronę okna.

— Od tygodni cieszył się na ten wyjazd. — Zawahała się. — Tęsknił za tobą.

— Ja za nim też tęskniłem.

— Wiem. — Pociągnęła łyk herbaty i rozejrzała się po kuchni. — Więc to twój dom, co? Ma... charakter.

— Mówiąc o charakterze, masz pewnie na myśli przeciekający dach i brak klimatyzacji.

Zdemaskowana Kim posłała mu lekki uśmiech.

— Wiem, że jest skromny — przyznał. — Ale panuje tu cisza i mogę oglądać wschód słońca.

— I kościół pozwala ci mieszkać w nim za darmo?

Steve pokiwał głową.

— Domek należał do Carsona Johnsona, miejscowego artysty, który przekazał go kościołowi. Pastor Harris pozwolił mi tu zostać do czasu, gdy będą gotowi go sprzedać.

— Jakie to uczucie wrócić do domu? Bo kiedyś mieszkali tutaj twoi rodzice, prawda? Trzy przecznice stąd?

Siedem, pomyślał Steve. Ale blisko.

— Normalne. — Wzruszył ramionami.

— Jest tłoczniej. Zmieniło się od czasu, gdy byłam tu ostatnio.

— Wszystko się zmienia. — Oparł się o blat, krzyżując nogi. — To kiedy ten wielki dzień? — zapytał, żeby zmienić temat. — Dla ciebie i Briana?

— Steve... jeśli chodzi o to...

— Nic nie szkodzi. — Uniósł rękę. — Cieszę się, że znalazłaś sobie kogoś.

Kim popatrzyła na niego; najwyraźniej zastanawiała się, czy ma mu wierzyć, czy uznać to za delikatny temat.

— W styczniu — odpowiedziała w końcu. — I chcę, abyś wiedział, że z dziećmi... Brian nie udaje kogoś, kim nie jest. Polubiłbyś go.

— Na pewno. — Napił się herbaty i odstawił szklankę. — A jaki dzieci mają do niego stosunek?

— Jonah chyba go lubi, ale on lubi wszystkich.

— A Ronnie?

— Dogaduje się z nim, tak jak dogaduje się z tobą.

Zaśmiał się, ale zauważył jej zmartwioną minę.

— Jak ona się czuje?

— Nie wiem. — Westchnęła. — Myślę, że sama też nie wie. Weszła w trudny okres, ma humory. Wraca do domu później, niż się umówiłyśmy, a kiedy próbuję z nią porozmawiać, odpowiada tylko „wszystko jedno", „jak chcesz" i tak dalej. Przypisuję to jej wiekowi, bo pamiętam, jak to było... ale... — Pokręciła głową. — Widziałeś, jak jest ubrana? Te jej włosy, okropny tusz do rzęs?

— Uhm.

— I co?

— Mogłoby być gorzej.

Kim otworzyła usta, żeby coś powiedzieć, ale nic się z nich nie wydobyło i Steve utwierdził się w przekonaniu, że ma rację. Niezależnie od tego, przez jaki okres przechodziła córka i jakie obawy żywiła Kim, Ronnie mimo wszystko była dawną Ronnie.

— Pewnie tak — przyznała Kim, a potem pokręciła głową. — Hm, wiem, że masz słuszność. Tylko ostatnio była taka trudna. Czasami bywa miła jak kiedyś. Na przykład z Jonah. Chociaż żyją z sobą jak pies z kotem, w każdy weekend Ronnie zabiera go do parku. A kiedy miał problemy z matematyką, co wieczór pomagała mu w nauce. Co jest o tyle dziwne, że sama ledwie zalicza swoje przedmioty. I nie mówiłam ci, ale w styczniu posłałam ją na SAT *. Udało jej się odpowiedzieć błędnie na każde pytanie. Wiesz, jakim trzeba być bystrym, żeby źle odpowiedzieć na każde pytanie?

Kiedy Steve się roześmiał, Kim ściągnęła brwi.

— To nie jest śmieszne.

— W pewnym sensie tak.

— To nie ty musiałeś męczyć się z nią przez ostatnie trzy lata.

Zamilkł skarcony.

— Masz rację. Przepraszam. — Znowu wziął do ręki szklankę. — A co powiedział sędzia o tej kradzieży w sklepie?

— Tylko to, co ci mówiłam przez telefon. — Westchnęła

---

* Scholastic Aptitude Test (ang.) — egzamin sprawdzający zdolności naukowe kandydata na studia wyższe.

z rezygnacją. — Jeśli nie wpakuje się w następne kłopoty, usuną to z jej akt. Ale jeżeli znowu popełni jakieś przestępstwo... — Nie dokończyła.

— Martwisz się — zaczął.

Kim się odwróciła.

— To nie pierwszy raz i w tym cały kłopot — wyjaśniła. — Przyznała się, że w zeszłym roku ukradła bransoletkę, a teraz powiedziała, że kupowała dużo rzeczy w drogerii i nie mogła ich utrzymać w rękach, więc wsadziła szminkę do kieszeni. Za resztę zapłaciła i kiedy ogląda się zapis z kamery, rzeczywiście wygląda to na zwykłą pomyłkę, ale...

— Ale nie masz pewności.

Kim nie odpowiedziała i Steve pokręcił głową.

— Przecież nie znajdzie się wśród poszukiwanych listem gończym. Pomyliła się po prostu. Zawsze miała dobre serce.

— To nie znaczy, że teraz nie kłamie.

— Ale nie znaczy też, że skłamała.

— Więc jej wierzysz? — Jej twarz wyrażała jednocześnie nadzieję i sceptycyzm.

Zastanowił się nad swoimi odczuciami wobec tego zdarzenia, jak już z dziesięć razy od czasu, gdy Kim mu o nim powiedziała.

— Uhm — potwierdził. — Wierzę jej.

— Dlaczego?

— Bo to dobry dzieciak.

— Skąd wiesz? — zapytała ostro. Po raz pierwszy sprawiała wrażenie zirytowanej. — Kiedy ostatnio miałeś z nią do czynienia, kończyła podstawówkę. — Odwróciła się od niego i splatając ramiona, spojrzała za okno. Gdy odezwała się znowu, w jej głosie brzmiała gorycz. — Mogłeś wrócić. Mogłeś znowu uczyć w Nowym Jorku. Nie musiałeś jeździć po całym kraju, przeprowadzać się tutaj... byłbyś częścią ich życia.

Jej słowa go dotknęły i wiedział, że ma rację. Ale to nie było takie proste z powodów, które oboje rozumieli, choć żadne z nich nie chciało się do tego przyznać.

W końcu chrząknął, przerywając ciężką ciszę.

— Chciałem tylko powiedzieć, że Ronnie potrafi odróżnić dobro od zła. Gdy już zaznaczy swoją niezależność, stanie się tą samą osobą, którą zawsze była, tak sądzę. Pod zasadniczymi względami tak naprawdę się nie zmieniła.

Zanim Kim zdążyła się zastanowić, jak i czy w ogóle ma się do tego odnieść, przez drzwi frontowe wpadł Jonah. Policzki mu płonęły.

— Tato! Znalazłem naprawdę świetny warsztat! Chodźcie! Pokażę go wam!

Kim uniosła brew.

— Tam, za domem — wyjaśnił Steve. — Chcesz go zobaczyć?

— Jest fantastyczny, mamo!

Kim odwróciła się od nich obu, a chwilę potem znowu okręciła na pięcie.

— Nie, dziękuję — odpowiedziała. — Tata się bardziej do tego nadaje. A zresztą muszę już jechać.

— Już? — zapytał Jonah.

Steve wiedział, jakie to trudne dla Kim, więc odparł za nią:

— Twoją mamę czeka długa jazda z powrotem. A poza tym wieczorem chcę was zabrać do wesołego miasteczka. Nie wolisz tego, zamiast pójść do warsztatu?

Chłopcu nieznacznie opadły ramiona.

— Niech będzie — odrzekł.

*

Gdy Jonah pożegnał się z mamą — Ronnie nie było w pobliżu i według Kim raczej nie należało jej się szybko spodziewać — Steve poszedł z nim do warsztatu, zapadającego się, krytego blachą budynku gospodarczego, który stał na tej samej działce.

Przez ostatnie trzy miesiące Steve spędzał tutaj większość popołudni, otoczony ołowianym złomem i małymi taflami kolorowego szkła, które oglądał teraz Jonah. Pośrodku warsztatu stał duży stół, na którym leżał rozpoczęty witraż, ale chłopca bardziej zainteresowała dziwna kolekcja wypchanych zwierząt, pozostałość po poprzednim właścicielu. Trudno było nie ulec fascynacji pół wiewiórką, pół okoniem czy łbem oposa przytwierdzonym do korpusu kurczaka.

— Co to ma być? — zapytał Jonah.

— Sztuka.

— Myślałem, że sztuka to malarstwo i tak dalej.

— Owszem. Ale czasami sztuka to też inne rzeczy.

Jonah zmarszczył nos, patrząc na królikowęża.

— To nie wygląda na sztukę.

Kiedy Steve się uśmiechnął, Jonah wskazał okno witrażowe na stole.

— To też jego dzieło? — zapytał.

— Nie, moje. Robię to dla kościoła, który stoi tu niedaleko. W zeszłym roku spłonął i stary witraż został zniszczony.

— Nie wiedziałem, że umiesz robić witraże.

— Wierz albo nie, nauczył mnie tego artysta, który tu poprzednio mieszkał.

— Ten facet, który wypychał zwierzęta?

— Ten sam.

— I znałeś go?

Steve podszedł do stołu i stanął obok syna.

— Jako chłopiec wkradałem się tutaj, zamiast chodzić na religię. Robił witraże dla większości kościołów w okolicy. Widzisz to zdjęcie na ścianie? — Wskazał małą fotografię zmartwychwstałego Chrystusa, przypiętą do jednej z półek i trudną do zauważenia wśród innych rzeczy. — Mam nadzieję, że kiedy skończę, tak to będzie wyglądało.

— Fantastyczne — skomentował Jonah i Steve się uśmiechnął. Najwyraźniej było to ulubione słowo synka; spodziewał się, że usłyszy je tego lata jeszcze mnóstwo razy.

— Chcesz mi pomóc? — zapytał.

— A mogę?

— Liczyłem na to. — Steve dźgnął go lekko łokciem. — Potrzebuję kompetentnego asystenta.

— To trudne?

— Kiedy się tego uczyłem, byłem w twoim wieku. Na pewno sobie poradzisz.

Jonah skwapliwie wziął kawałek szkła i mu się przyjrzał. Z poważną miną zbliżył go do światła.

— Ja też jestem pewny, że sobie poradzę.

Steve'a znowu to rozśmieszyło.

— Chodzisz do kościoła? — zapytał.

— Uhm. Ale nie do tego, do którego chodziliśmy kiedyś. Tylko do tego, który lubi Brian. I Ronnie nie zawsze jedzie z nami. Siedzi w swoim pokoju i nie chce wyjść, ale gdy tylko zamykają się za nami drzwi, wyłazi i idzie z koleżankami do Starbucksa.

— Tak bywa, gdy dzieci wyrastają na nastolatki. Wystawiają rodziców na próbę.

Jonah odłożył szkło na stół.

— Ja taki nie będę — oświadczył. — Zawsze będę dobry. Ale nie przepadam za tym nowym kościołem. Nudzę się w nim. Więc mógłbym tam nie wchodzić.

— Słuszne rozumowanie. — Steve zamilkł na chwilę. — Słyszałem, że będziesz grał w nogę tej jesieni?

— Nie jestem w tym za dobry.

— Co z tego? To frajda, nie?

— Nie, jeśli jest się pośmiewiskiem.

— Ktoś się z ciebie śmieje?

— Nieważne. Mam to gdzieś.

— Aha.

Jonah przestąpił z nogi na nogę. Coś chodziło mu po głowie.

— Ronnie nie przeczytała ani jednego listu z tych, które od ciebie dostała, tato. I nie chce już grać na fortepianie.

— Wiem — odparł Steve.

— Mama mówi, że to wszystko przez napięcie przedmiesiączkowe.

Steve niemal zakrztusił się ze śmiechu, ale szybko odzyskał panowanie nad sobą.

— A wiesz w ogóle, co to znaczy?

Jonah poprawił okulary na nosie.

— Nie jestem już dzieckiem. To znaczy, że ma syndrom niechęci do facetów.

Steve parsknął śmiechem i zmierzwił synowi włosy.

— Może poszukamy twojej siostry? Chyba widziałem, że idzie w kierunku wesołego miasteczka.

— Przejedziemy się na diabelskim kole?

— Jeśli tylko masz ochotę.

— Fantastycznie.

3

Ronnie

Na jarmarku panował tłok. Czy raczej, poprawiła się Ronnie, na Festiwalu Owoców Morza Wrightsville Beach. Płacąc za lemoniadę w jednym ze stoisk, zauważyła, że oba pobocza drogi prowadzącej na molo zastawione są samochodami, które stoją zderzak w zderzak, a kilku przedsiębiorczych nastolatków za opłatą udostępnia miejsca na podjazdach okolicznych domów.

Jak dotąd, pomyślała, nic ciekawego tutaj nie ma. Liczyła, że diabelski młyn jest tu na stałe i że na molo znajdują się sklepy i stoiska jak na deptaku w Atlantic City. Innymi słowy, miała nadzieję, że będzie to miejsce, w którym spędzi lato. Niestety. Wesołe miasteczko zajmowało parking na końcu molo i przypominało mały wiejski jarmark. Oferowano na nim głównie przejażdżki rozwalającymi się karuzelami. Wszędzie stały tandetne strzelnice i budki z tłustym żarciem. Wszystko to było... obciachowe.

Nie wyglądało jednak na to, żeby ktoś podzielał jej opinię. Prawie nie dało się tu wcisnąć szpilki. Starzy i młodzi, całe rodziny, grupki gimnazjalistów gapiące się na siebie nawzajem, mnóstwo ludzi. Bez względu na to, w którą stronę by poszła, zawsze wpadała na strumień ciał. Spoconych ciał. Wielkich, spoconych ciał, z których dwa sprasowały ją między sobą, gdy kolejka ludzi nie wiadomo dlaczego nagle się zatrzymała. Tak śmierdziały, że musiały pochłonąć smażonego hot doga i smażonego snickersa, które widziała na stoiskach. Zmarszczyła nos. Ale obciach.

Dostrzegła wyjście, wymknęła się spomiędzy karuzel, strzelnic i budek z jedzeniem, i ruszyła w stronę molo. Na szczęście tłum się przerzedzał, w miarę jak szła po molo, mijając stoiska z rękodziełem. Nie wyobrażała sobie, że mogłaby coś tu kupić — kto, u licha, chciałby krasnala z muszelek? Ale widocznie ktoś kupował to badziewie, bo inaczej te budki by nie istniały.

Roztargniona wpadła na stolik, przy którym na składanym krześle siedziała starsza pani. Ubrana była w T-shirt z emblematem SPCA*, miała siwe włosy i życzliwą, pogodną twarz — typ babci, która pewnie przed Bożym Narodzeniem całymi dniami piecze ciastka, pomyślała Ronnie. Na blacie przed nią leżały ulotki, a obok stał słój na datki i duże kartonowe pudło. W pudle siedziały cztery szare szczeniaki, z których jeden podskakiwał na tylnych łapach, żeby wyjrzeć na zewnątrz.

— Hej, mały — powiedziała do niego.

Starsza pani się uśmiechnęła.

— Chcesz go potrzymać? Jest najzabawniejszy. Nazwałam go Seinfeld.

Szczeniak zaskowyczał.

— Nie, dziękuję.

* Society for the Prevention of Cruelty to Animals (ang.) — Towarzystwo Zapobiegania Okrucieństwu wobec Zwierząt.

Był śliczny. Naprawdę śliczny, mimo że zdaniem Ronnie to imię do niego nie pasowało. I rzeczywiście chyba miała ochotę go potrzymać. Wiedziała jednak, że nie będzie chciała oddać szczeniaczka, gdy już weźmie go na ręce. Bardzo lubiła zwierzęta, rozczulały ją zwłaszcza te bezpańskie, porzucone. Jak te maluchy.

— Nic im się nie stanie, prawda? Nie uśpi ich pani?

— Ależ skąd — odparła kobieta. — Dlatego rozstawiliśmy ten stolik. Żeby ludzie je wzięli. W zeszłym roku znaleźliśmy domy dla ponad trzydziestu zwierząt, a te cztery już rozdałam. Czekam tylko na ich nowych właścicieli, żeby je zabrali, gdy będą wychodzić. Ale mamy ich więcej, gdybyś była zainteresowana.

— Jestem tu tylko z wizytą — wyjaśniła Ronnie, gdy nagle z plaży dobiegł jakiś ryk. Wyciągnęła szyję, żeby zobaczyć. — Co się dzieje? Koncert?

Kobieta pokręciła przecząco głową.

— Siatkówka plażowa. Grają od wielu godzin... to jakieś zawody. Powinnaś pójść i popatrzeć. Słyszę krzyki przez cały dzień, więc te rozgrywki muszą być emocjonujące.

Ronnie zastanowiła się nad tym. Czemu nie? Nie będzie gorzej niż tutaj. Zanim ruszyła ku schodom, wrzuciła kilka dolarów do słoja na datki.

Zachodziło słońce i ocean w jego świetle połyskiwał jak płynne złoto. Kilka pozostałych jeszcze na plaży rodzin leżało na ręcznikach w pobliżu wody, obok paru zamków z piasku, które miał niebawem zagarnąć przypływ. Rybitwy wznosiły się i opadały w powietrzu, polując na kraby.

Wkrótce doszła do miejsca, w którym rozgrywał się turniej. Zbliżyła się do skraju boiska i zauważyła, że inne dziewczyny wśród publiczności interesują się dwoma zawodnikami po prawej stronie. I nic dziwnego. Obaj — w jej wieku? starsi? —

należeli do rodzaju, który jej przyjaciółka Kayla nazywała „ciachem". Chociaż żaden z nich nie był w typie Ronnie, nie mogła pozostać obojętna na ich szczupłe, muskularne sylwetki i płynne ruchy na piasku.

Zwłaszcza ten wyższy, z ciemnymi brązowymi włosami i plecioną bransoletą na nadgarstku. Kayla na pewno by go namierzyła — zawsze lubiła wysokich — tak jak blondynka w bikini po drugiej stronie boiska. Ronnie od razu dostrzegła ją i jej przyjaciółkę. Obie były szczupłe i ładne, miały olśniewająco białe zęby i najwyraźniej przyzwyczaiły się, że przyciągają uwagę i że chłopcy ślinią się na ich widok. Trzymały się z dala od reszty widzów i kibicowały powściągliwie, pewnie żeby nie potargać sobie włosów. Równie dobrze mogły być billboardami, na które patrzy się z daleka, nie podchodząc zbyt blisko. Ronnie nie znała ich, ale już za nimi nie przepadała.

Ponownie skupiła uwagę na meczu, akurat gdy ci śliczni zdobyli następny punkt. I następny. I jeszcze jeden. Nie wiedziała, jaki jest wynik, ale wyraźnie byli lepszą drużyną. Mimo to, obserwując grę, zaczęła przyglądać się także innym zawodnikom. Wynikało to nie tyle z tego, że zawsze miała słabość do przegranych — bo tak było — ile z tego, że para czempionów przypominała jej zepsutych chłopaków z prywatnych szkół, których spotykała w klubach, zarozumialców z Upper East Side, którzy chodzili do Dalton albo Buckley i uważali się za lepszych od reszty tylko dlatego, że ich tatusiowie zarządzali papierami wartościowymi. Tak często widywała złotą młodzież, że potrafiła rozpoznać jej przedstawicieli, i dałaby głowę, że ci dwaj właśnie dlatego cieszyli się takim powodzeniem. Jej przypuszczenia się potwierdziły, kiedy po zdobyciu przez drużynę następnego punktu kolega ciemnowłosego mrugnął do koleżanki blond Wenus, dziewczyny w typie lalki Barbie, przygotowując się do serwu. W tym miasteczku ładni ludzie najwyraźniej znali się nawzajem.

Dlaczego jej to nie dziwiło?

Mecz stał się nagle mniej ciekawy i już odwróciła się, aby odejść, gdy nad siatką przeleciał następny serw. Dotarło do niej, że ktoś krzyczy, gdy drużyna przeciwna odbiła piłkę, ale zanim zrobiła ze dwa kroki, poczuła, że widzowie wokół niej zaczynają się przepychać, tak że na chwilę straciła równowagę.

Na zbyt długą chwilę.

Odwróciła się i zobaczyła jeszcze, że jeden z graczy biegnie w jej stronę, skręcając głowę, żeby nie spuścić z oka zabłąkanej piłki. Nie zdążyła usunąć się z drogi, gdy wpadł na nią z impetem. Chwycił ją za ramiona, aby złapać równowagę i nie przewrócić jej. Poczuła szarpnięcie i niemal z fascynacją patrzyła, jak ze styropianowego kubka, który trzymała w ręku, spada pokrywka, a lemoniada szybuje łukiem w powietrzu, po czym oblewa jej twarz i koszulkę.

Chwilę później było po wszystkim, tak po prostu. Uniosła głowę i zobaczyła, że ciemnowłosy chłopak patrzy na nią szeroko otwartymi oczami.

— Nic ci nie jest? — wydyszał.

Czuła, że lemoniada cieknie jej po twarzy i przesiąka przez koszulkę. Usłyszała, że ktoś w tłumie się śmieje. Bo dlaczego nie? To był taki świetny dzień.

— W porządku — burknęła.

— Na pewno? — sapnął chłopak. Sprawiał wrażenie naprawdę skruszonego. — Mocno cię walnąłem.

— Po prostu... puść mnie — wycedziła przez zaciśnięte zęby.

Chyba nie uświadamiał sobie, że wciąż trzyma ją za ramiona, i natychmiast zabrał ręce. Cofnął się szybko i odruchowo dotknął bransoletki. Obracał ją z roztargnieniem.

— Naprawdę przepraszam. Biegłem za piłką i...

— Wiem, co robiłeś — rzuciła. — Przeżyłam, tak?

Po tych słowach odwróciła się na pięcie; niczego bardziej nie pragnęła, tylko jak najszybciej oddalić się z tego miejsca. Usłyszała, że ktoś z tyłu woła:

— No, Will! Wracajmy do gry!

Ale gdy przepychała się przez tłum, czuła na sobie jego spojrzenie, dopóki nie zniknęła z widoku.

*

Koszulce nic się nie stało, ale Ronnie nie poprawiło to samopoczucia. Lubiła ją, była to pamiątka z koncertu Fall Out Boy, na który wybrała się w zeszłym roku z Rickiem. Mama się wściekła, i to nie tylko dlatego, że Rick miał wytatuowaną pajęczynę na plecach i więcej kolczyków w uszach niż Kayla; głównie dlatego, że Ronnie nie powiedziała jej, dokąd idą, i wróciła do domu dopiero następnego popołudnia, bo w końcu wylądowali u brata Ricka w Filadelfii. Zabroniła jej widywać się, a nawet rozmawiać z Rickiem, ale Ronnie złamała ten zakaz już następnego dnia.

Nie żeby była zakochana w Ricku; szczerze mówiąc, nawet nie lubiła go za bardzo. Tylko wkurzyła się na mamę i chciała jej zrobić na przekór. Kiedy jednak pojechała do niego, był znowu naćpany i pijany, tak jak na koncercie, i uświadomiła sobie, że jeśli nie przestanie się z nim spotykać, wciąż będzie ją namawiał, żeby spróbowała tego, co sam brał, jak poprzedniego wieczoru. Była więc u niego tylko kilka minut, a potem poszła na Union Square, gdzie spędziła resztę popołudnia. Wiedziała, że wszystko między nimi skończone.

Nie była naiwna, jeśli chodzi o narkotyki. Niektórzy z jej znajomych popalali trawkę, kilkoro brało kokainę albo ecstasy, a jeden nawet był uzależniony od metamfetaminy. Wszyscy oprócz niej pili w weekendy. W każdym klubie i na każdej imprezie można było dostać każdą z tych używek. Ale miała wrażenie, że zawsze, gdy jej koleżanki paliły, piły albo łykały coś, po czym podobno czuły się fantastycznie, przez resztę wieczoru bełkotały, chwiały się na nogach, rzygały albo zupełnie traciły kontrolę i robiły prawdziwe głupoty. Przeważnie z facetami.

Ronnie nie chciała, żeby coś takiego ją spotkało. Nie po tym, co zeszłej zimy przydarzyło się Kayli. Ktoś — Kayla do dziś nie wie kto — wrzucił jej do drinka pigułkę gwałtu i choć niewiele pamiętała z tego, co działo się potem, miała wrażenie, że znalazła się w jakimś pomieszczeniu z trzema facetami, których widziała tej nocy pierwszy raz. Kiedy obudziła się następnego ranka, jej ciuchy leżały rozrzucone wokół. Kayla nie mówiła nic więcej — wolała udawać, że to nigdy się nie zdarzyło, i żałowała, że w ogóle zwierzyła się Ronnie — ale nietrudno było skojarzyć fakty.

Dotarłszy na koniec molo, Ronnie odstawiła do połowy opróżniony kubek i usiłowała osuszyć koszulkę serwetką. Coś to dało, ale po zawilgoconej serwetce zostawały maleńkie białe płatki przypominające łupież.

Super.

Szkoda, że facet nie wpadł na kogoś innego. Stała tam... ile, dziesięć minut? Jakie było prawdopodobieństwo, że gdy się odwróci, nadleci piłka? I że będzie tkwiła z kubkiem w ręku wśród ludzi oglądających mecz siatkówki, którego wcale nie chciała oglądać, w miejscu, w którym wcale nie chciała być? Coś takiego nie zdarzy się ponownie w ciągu miliona lat. Przy takim farcie powinna kupić bilet na loterię.

I ten chłopak, który to zrobił. Ciemnowłosy, brązowooki przystojniak. Z bliska, uświadomiła sobie, był jeszcze atrakcyjniejszy, zwłaszcza z tą... skruchą na twarzy. Być może należał do elity, ale w tej nanosekundzie, gdy ich spojrzenia się spotkały, miała bardzo dziwne wrażenie, że jest całkiem normalny.

Pokręciła głową, żeby otrząsnąć się z takich głupich myśli. Najwyraźniej słońce przygrzało jej w głowę. Uznała, że zrobiła, co może, przy użyciu serwetki, i wzięła kubek. Zamierzała go wyrzucić, ale gdy się odwróciła, poczuła, że utknął pomiędzy nią a kimś innym. Tym razem nie stało się to w zwolnionym tempie; lemoniada natychmiast znowu zalała przód jej koszulki.

Ronnie zastygła w bezruchu i spojrzała z niedowierzaniem na swój T-shirt. To chyba żarty.

Przed nią stała dziewczyna w jej wieku, która trzymała w dłoni shake'a i sprawiała wrażenie równie zaskoczonej jak Ronnie. Była ubrana na czarno, a jej ciemne włosy wiły się niesfornie wokół twarzy. Podobnie jak Kayla miała w każdym uchu po kilka kolczyków na sztyftach i jedną parę wiszących z miniaturowymi trupimi czaszkami, a jej gotycki styl podkreślały jeszcze ciemny cień do powiek i eye-liner. Gdy resztki lemoniady wsiąkały w koszulę Ronnie, gotka wskazała kubkiem rozprzestrzeniającą się plamę.

— Chrzań to — powiedziała.

— Myślisz?

— Przynajmniej masz teraz symetryczne zacieki.

— Och, rozumiem. To miało być śmieszne.

— Raczej dowcipne.

— To trzeba było powiedzieć coś w tym stylu: „Może powinnaś trzymać się kubków dla niemowląt".

Gotka się zaśmiała, co zabrzmiało zaskakująco dziewczęco.

— Nie jesteś stąd, co?

— Nie, z Nowego Jorku. Przyjechałam do ojca.

— Na weekend?

— Na całe lato.

— Chrzań to.

Tym razem to Ronnie się roześmiała.

— Jestem Ronnie. To skrót od Veronica.

— Mów do mnie Blaze.

— Blaze?

— Naprawdę mam na imię Galadriel. To z *Władcy pierścieni*. Pomysł mojej mamy.

— Przynajmniej nie nazwała cię Gollum.

— Albo Ronnie. — Odchylając głowę do tyłu, powiedziała: — Jeśli chcesz coś suchego, tam w budce sprzedają koszulki z Nemo.

— Nemo?

— Uhm. Z tego filmu. Pomarańczowo-biała rybka z felerną płetwą. Ta, która wylądowała w akwarium, a tata wyrusza jej na ratunek. Kojarzysz?

— Nie chcę koszulki z Nemo, jasne?

— Nemo jest cool.

— Może gdy się ma sześć lat — odcięła się Ronnie.

— Jak chcesz.

Zanim Ronnie zdążyła odpowiedzieć, jej uwagę zwrócili trzej faceci przepychający się przez tłum. Wyróżniali się spośród plażowiczów, bo mieli postrzępione szorty i tatuaże, a spod ciężkich skórzanych kurtek wystawały im gołe torsy. Jeden, z kolczykiem w brwi, niósł duży magnetofon starego typu; drugi, w odbarwionym T-shircie Mohawk, miał całe wytatuowane ramiona, trzeci — jak Blaze — długie czarne włosy kontrastujące z mlecznobiałą cerą. Ronnie instynktownie zwróciła się do Blaze, ale zobaczyła, że ta zniknęła. Na jej miejscu stał Jonah.

— Czym się oblałaś? — zapytał. — Jesteś cała mokra i się kleisz.

Ronnie rozejrzała się za Blaze, ciekawa, gdzie dziewczyna się ulotniła. I dlaczego.

— Idź sobie, dobra?

— Nie mogę. Tata cię szuka. Chyba chciałby, żebyś wróciła do domu.

— Gdzie on jest?

— Wstąpił do toalety, ale zaraz powinien tu być.

— Nie mów mu, że mnie widziałeś.

Jonah rozważał tę prośbę przez chwilę.

— Pięć dolców — rzucił.

— Słucham?

— Daj mi pięć dolców, to zapomnę, że tu byłaś.

— Mówisz poważnie?

— Tracisz tylko czas — zauważył. — Stawka wzrosła do dziesięciu dolarów.

Nad głową Jonah zauważyła ojca, który rozglądał się wśród ludzi. Skuliła się odruchowo, choć wiedziała, że nie uda jej się przed nim umknąć. Spojrzała na brata szantażystę, który najwyraźniej też zdawał sobie z tego sprawę. Był bystry, kochała go i doceniała jego umiejętności szantażu, lecz młodszy brat to młodszy brat. W idealnym świecie stałby po jej stronie. Ale tu, w realu? Oczywiście, że nie.

— Nienawidzę cię, wiesz?

— Wzajemnie. To będzie cię kosztować dziesięć dolarów.

— Może pięć?

— Przegapiłaś okazję. Ale umiem dochowywać sekretów.

Ojciec w dalszym ciągu jej nie widział, był jednak coraz bliżej.

— Dobra — syknęła, szperając po kieszeniach.

Wyciągnęła zgnieciony banknot i Jonah schował go do kieszonki. Zerknąwszy przez ramię, zobaczyła, że ojciec idzie w jej stronę, wciąż się rozglądając, i dała nura za budkę. Ku swojemu zaskoczeniu zobaczyła tam Blaze, która opierała się o ścianę i paliła papierosa.

Dziewczyna uśmiechnęła się złośliwie.

— Kłopoty z tatusiem?

— Jak stąd zwiać?

— Zwyczajnie. — Blaze wzruszyła ramionami. — I tak cię rozpozna po koszulce.

*

Godzinę później Ronnie siedziała obok Blaze na jednej z ławek przy końcu molo, wciąż znudzona, ale już nie tak bardzo jak wcześniej. Okazało się, że Blaze umie słuchać i ma specyficzne poczucie humoru — a co najważniejsze, tak jak Ronnie uwielbia Nowy Jork, chociaż nigdy w nim nie była. Zadawała jej podstawowe pytania: o Times Square, Empire State Building i Statuę Wolności — atrakcje turystyczne, których Ronnie starła się za wszelką cenę unikać. Rozbawiła jednak Blaze, opowiadając o prawdziwym Nowym Jorku: o klubach w Chelsea, scenach muzycznych na Brooklynie, ulicznych sprzedawcach w Chinatown, gdzie można było kupić pirackie płyty, podróbki Prady i wszystko inne za kilka dolarów.

Gdy tak mówiła o tych miejscach, zapragnęła znaleźć się tam z powrotem. Gdziekolwiek, tylko nie tu.

— Ja też bym nie chciała tutaj przyjechać — przyznała Blaze. — Wierz mi. Strasznie tu nudno.

— Długo tu mieszkasz?

— Całe życie. Ale przynajmniej jestem ubrana jak trzeba.

Ronnie w końcu kupiła ten głupi T-shirt z Nemo i wiedziała, że wygląda w nim śmiesznie. Był tylko jeden rozmiar na składzie, XL, i koszulka sięgała jej do kolan. Zdecydowała się na nią tylko dlatego, że po jej włożeniu mogła umknąć niezauważona przed ojcem. Co do tego Blaze miała rację.

— Ktoś mi powiedział, że Nemo jest cool.

— Wciskał ci kit.

— Co my tu robimy? Mój ojciec już pewnie sobie poszedł. Blaze odwróciła się do niej.

— A co? Chcesz wracać do lunaparku? Może wejść do nawiedzonego domu?

— Nie. Ale gdzieś chyba można pójść.

— Jeszcze nie. Później tak. Na razie musimy poczekać.

— Na co?

Blaze nie odpowiedziała. Wstała i obróciła się ku ciemniejącej wodzie. Włosy rozwiał jej wiatr i zapatrzyła się w księżyc.

— Widziałam cię już wcześniej.

— Kiedy?

— Na meczu siatkówki. — Wskazała molo. — Stałam tam.

— I co?

— Wydawałaś się nie na miejscu.

— Tak jak ty.

— Dlatego stałam na molo. — Wspięła się na balustradę i usiadła na niej, zwrócona ku Ronnie. — Wiem, że wolałabyś być gdzieś indziej, ale co takiego zrobił twój ojciec, że jesteś na niego taka cięta?

Ronnie otarła dłonie o spodnie.

— To długa historia.

— Mieszka ze swoją dziewczyną?

— Chyba nie ma dziewczyny. A co?

— To szczęściara z ciebie.

— O czym ty mówisz?

— Mój ojciec mieszka z dziewczyną. Zresztą trzecią od rozwodu i jak na razie najgorszą. Zdzira ma zaledwie kilka lat więcej ode mnie i ubiera się jak striptizerka. Zresztą z tego, co wiem, jest striptizerką. Niedobrze mi się robi za każdym razem, gdy muszę do nich iść. Ona chyba nie wie, jak ma się wobec mnie zachowywać. W jednej chwili próbuje mi udzielać rad, jakby była moją matką, a w następnej stara się być moją najlepszą przyjaciółką. Nie znoszę jej.

— Mieszkasz z mamą?

— Uhm. Tylko że teraz ma faceta, który cały czas siedzi w domu. To też dupek. Nosi taki śmieszny tupecik, bo wyłysiał, gdy miał ze dwadzieścia lat czy coś takiego, i wciąż mi mówi, że powinnam pójść do college'u. Jakby obchodziło mnie jego zdanie. To wszystko jest popieprzone, nie sądzisz?

Zanim Ronnie odpowiedziała, Blaze zeskoczyła z barierki.

— Chodźmy. Chyba się zaczyna. Musisz to zobaczyć.

Ronnie ruszyła za Blaze w stronę gęstniejącego tłumu, który oglądał jakiś występ uliczny. Ze zdziwieniem uświadomiła sobie, że wykonawcami byli trzej żule, których widziała wcześniej. Dwaj z nich prezentowali breakdance do muzyki z magnetofonu, podczas gdy trzeci, ten z długimi włosami, stał w środku i żonglował czymś, co wyglądało jak płonące piłeczki golfowe. Co jakiś czas przerywał i po prostu trzymał którąś piłkę, obracając ją między palcami i tocząc po wierzchu dłoni, następnie po jednym ramieniu i po drugim. Dwa razy zaciskał płonącą kulę w ręce, tak że prawie gasił ogień, ale zaraz potem rozwierał palce i przez szparę obok kciuka strzelał płomień.

— Znasz go? — zapytała Ronnie.

Blaze kiwnęła głową.

— To Marcus.

— Ma na rękach jakąś warstwę ochronną?

— Nie.

— Czy to boli?

— Nie, jeśli odpowiednio trzyma się piłkę. Ale wygląda niesamowicie, co?

Ronnie musiała się z nią zgodzić. Marcus zgasił dwie piłki, a potem znowu zapalił je od trzeciej. Na ziemi leżał odwrócony kapelusz i Ronnie widziała, że ludzie zaczęli wrzucać do niego pieniądze.

— Skąd on bierze te piłki?

— Robi je. Pokażę ci jak. To nietrudne. Potrzebne są tylko bawełniana koszulka, igła z nitką i trochę benzyny z zapalniczki.

Do wtóru głośnej muzyki, która płynęła z magnetofonu, Marcus rzucił trzy płonące piłki facetowi w T-shircie z Mohawkiem i zapalił dwie następne. Żonglowali nimi jak cyrkowi klowni kręglami, coraz szybciej i szybciej, nie przerywając, dopóki któryś rzut się nie uda.

Tylko że im się udawały. W końcu facet z kolczykiem w brwi złapał jedną piłkę i zaczął odbijać ją stopami jak w futbolu. Pozostali dwaj ugasili trzy piłki, dołączyli do niego i potem we trzech podawali sobie dwie ostatnie. Widzowie klaskali i do kapelusza posypały się pieniądze, podczas gdy muzyka osiągnęła crescendo. Kiedy piosenka się skończyła, płonące piłki zostały złapane i zgaszone.

Ronnie musiała przyznać, że nigdy dotąd nie widziała czegoś takiego. Marcus podszedł do Blaze, objął ją i pocałował namiętnie, co wydawało się nader niestosowne w miejscu publicznym. Powoli otworzył oczy i spojrzał prosto na Ronnie, a potem wypuścił Blaze z uścisku.

— Kto to? — zapytał.

— To Ronnie — wyjaśniła Blaze. — Jest z Nowego Jorku. Właśnie się poznałyśmy.

Mohawk i Kolczyk w Brwi dołączyli do Marcusa i Blaze, lustrując Ronnie, która poczuła się bardzo skrępowana.

— Z Nowego Jorku, tak? — Marcus wyjął z kieszeni zapalniczkę i podpalił jedną z piłek. Trzymał płonącą kulę między kciukiem a palcem wskazującym, tak że Ronnie znowu zaczęła się zastanawiać, jak mógł się nie oparzyć. — Lubisz ogień? — zapytał głośno.

Nie czekając na odpowiedź, rzucił piłkę w jej stronę. Ronnie odskoczyła do tyłu. Piłka upadła przed nią, gdy z tłumu wyszedł policjant i zgasił ogień.

— Wy trzej! — wykrzyknął, wskazując ręką. — Zabierajcie się stąd. Już. Mówiłem wam, że nie możecie występować na molo, i następnym razem was zgarnę.

Marcus podniósł ręce i cofnął się o krok.

— Już stąd idziemy.

Chłopcy wzięli kurtki i odeszli w stronę wesołego miasteczka. Blaze ruszyła za nimi, zostawiając Ronnie. Ta poczuła, że policjant na nią patrzy, ale zignorowała go. Zawahała się przez chwilę i poszła za nimi.

4

Marcus

Wiedział, że ona pójdzie za nimi. Wszystkie tak robiły. Zwłaszcza te nowe w miasteczku. Tak jest z dziewczynami: im gorzej je traktował, tym bardziej im na nim zależało. Takie głupie. Przewidywalne, ale głupie.

Oparł się o donicę, która stała przed hotelem, a Blaze uwiesiła się jego ramienia. Ronnie siedziała naprzeciwko nich na jednej z ławek; Teddy i Lance z boku rzucali głośne zaczepki, próbując zwrócić uwagę przechodzących obok nich dziewczyn. Byli już podpici — golnęli sobie jeszcze przed widowiskiem, do cholery — i jak zwykle ignorowały ich prawie wszystkie baby oprócz tych najbrzydszych. Sam ich przez większość czasu olewał.

Blaze tymczasem lizała go po szyi, ale ją też olewał. Miał już dość tego lepienia się do niego w miejscach publicznych. Jej samej miał dość. Gdyby nie była taka dobra w łóżku, gdyby nie znała sztuczek, które naprawę na niego działały, rzuciłby ją już miesiąc temu dla jednej z trzech, czterech czy pięciu innych dziewczyn, z którymi sypiał regularnie. Ale w tej chwili one też go nie interesowały. Patrzył natomiast na Ronnie; podobały mu się te purpurowe pasma w jej włosach, jędrne szczupłe ciało, lśniący cień do powiek. Był to wypracowany, luzacki styl, mimo tej głupiej koszulki, którą miała na sobie. Tak, podobało mu się to wszystko. I to bardzo.

Odepchnął Blaze; chciał, żeby sobie poszła.

— Idź, skocz po frytki — polecił. — Jestem trochę głodny.

Blaze odchyliła się do tyłu.

— Zostało mi tylko parę dolców.

Usłyszał skargę w jej głosie.

— No i co z tego? Powinno wystarczyć. I nie wyżeraj fryt po drodze.

Mówił poważnie. Blaze robiła się trochę tłusta tu i tam, i na twarzy. Nic dziwnego, przecież ostatnio tankowała prawie tyle co Teddy i Lance.

Blaze demonstracyjnie wydęła wargi, ale Marcus pchnął ją lekko i wreszcie ruszyła do jednej z budek z żarciem. W kolejce stało z sześć czy siedem osób i gdy ustawiła się za nimi, Marcus podszedł wolnym krokiem do Ronnie, a potem usiadł obok niej. Blisko, ale nie za blisko. Blaze była zazdrośnicą i nie chciał, żeby przepędziła Ronnie, zanim będzie miał szansę na to, by lepiej ją poznać.

— Co myślisz? — zapytał.

— O czym?

— O naszym występie. Widziałaś coś takiego w Nowym Jorku?

— Nie — przyznała. — Nie widziałam.

— Gdzie mieszkasz?

— Kawałek drogi stąd, przy plaży. — Zorientował się, że jest skrępowana, pewnie dlatego, że nie było z nimi Blaze.

— Blaze mówi, że zwiałaś ojcu.

W odpowiedzi wzruszyła tylko ramionami.

— Co? Nie chcesz o tym gadać?

— Nie ma o czym.

Opadł na oparcie.

— Może nie masz do mnie zaufania.

— O czym ty mówisz?

— Z Blaze gadałaś, a ze mną nie chcesz.

— Nawet cię nie znam.

— Blaze też nie znasz. Dopiero co ją poznałaś.

Ronnie jakby nie doceniała jego dowcipnych ripost.

— Po prostu nie mam ochoty o nim rozmawiać, rozumiesz? I nie mam ochoty tkwić tu przez całe lato.

Odsunął pasemko włosów z jej oczu.

— To wyjedź.

— Uhm. Dokąd mam jechać?

— Jedź ze mną na Florydę.

Zamrugała powiekami.

— Co takiego?

— Znam gościa, który ma chałupę pod Tampą. Jeśli chcesz, zabiorę cię z sobą. Możemy zostać, jak długo zechcesz. Mam tam wóz.

Popatrzyła na niego zaszokowana.

— Nie mogę pojechać z tobą na Florydę. Dopiero... dopiero cię poznałam. A co z Blaze?

— A co ma być?

— Chodzicie z sobą.

— No i? — Starał się zachować kamienną minę.

— To dziwne. — Pokręciła głową i wstała. — Chyba pójdę zobaczyć, co robi Blaze.

Marcus wsadził rękę do kieszeni i wyjął jedną z piłek.

— Wiesz, że żartowałem, prawda?

Wcale nie żartował. Powiedział tak z tego samego powodu, dla którego rzucił w nią piłką. Żeby zobaczyć, jak daleko może się posunąć.

— Uhm, w porządku. Nie ma sprawy. Ale pójdę i pogadam z nią.

Marcus patrzył, jak odchodzi. Podobało mu się jej jędrne ciałko, nie wiedział jednak, co ma o niej sądzić. Ubierała się jak trzeba, ale w przeciwieństwie do Blaze nie paliła ani nie wykazywała zainteresowania imprezami, poza tym miał wrażenie, że jest w niej coś, do czego nie chciała się przyznać. Zaczął się zastanawiać, czy jest dziana. To by pasowało, nie? Mieszkanie w Nowym Jorku, dom na plaży? Rodzice muszą mieć forsę, żeby stać ich było na takie rzeczy. Ale... czy wtedy nie trzymałaby się z takimi jak ona, tymi, którzy mają kasę, przynajmniej z tymi, których znał? Więc jak to z nią jest? I dlaczego to go interesowało?

Bo nie lubił ludzi z forsą, nie podobało mu się, że się z nią obnoszą i z jej powodu uważają za lepszych od reszty. Kiedyś, gdy jeszcze chodził do szkoły, słyszał, jak jeden bogaty smarkacz mówił, że dostał na urodziny nową łódź; był to boston whaler długości dwudziestu jeden stóp, z GPS-em i sonarem; chłopak chwalił się, że będzie nią pływał przez całe lato i cumował pod Country Clubem.

Trzy dni później Marcus podpalił łódź i zza magnolii na szesnastym polu patrzył, jak płonie.

Oczywiście nikomu nie powiedział o tym, co zrobił. Piśnij słówko jednej osobie, a równie dobrze mógłbyś powiedzieć glinom. Na przykład taki Teddy czy Lance; wsadzić ich do celi i zaczną sypać, gdy tylko zamkną się za nimi drzwi. Dlatego nalegał, żeby to oni odwalali brudną robotę. Najlepszy sposób, aby powstrzymać ich przed gadaniem, to dopilnować, żeby bardziej ubabrali sobie ręce niż on. Teraz to oni kradli gorzałę, to oni stłukli do nieprzytomności łysego faceta na lotnisku, zanim zabrali mu portfel, to oni wymalowali swastyki na synagodze. Nie ufał im za bardzo, nie za bardzo ich lubił, ale przynajmniej go słuchali. Byli użyteczni.

Za jego plecami Teddy i Lance wciąż robili z siebie idiotów i gdy Ronnie odeszła, Marcus nie mógł sobie znaleźć miejsca. Nie zamierzał kiblować tu przez całą noc, siedzieć bezczynnie. Gdy Blaze wróci, zje frytki i udadzą się gdzieś. Coś się będzie działo. Nigdy nie wiadomo, co się wydarzy w takim miejscu, w taki wieczór, w takim tłumie. Jedno było pewne: po występie zawsze potrzebował czegoś... więcej. Cokolwiek to znaczyło.

Zerknąwszy na budkę z żarciem, zobaczył, że Blaze płaci za frytki, a Ronnie stoi tuż za nią. Popatrzył na Ronnie, chciał, żeby się odwróciła, i w końcu tak się stało. Nic wielkiego, tylko szybko spojrzała za siebie, ale to wystarczyło, żeby znowu zaczął się zastanawiać, jaka jest w łóżku.

Pewnie dzika, pomyślał. Jak większość z nich, gdy odpowiednio się je podkręci.

5
Will

Cokolwiek by robił, Willowi stale ciążyła ta tajemnica. Z pozoru było normalnie: w ciągu ostatnich sześciu miesięcy chodził na lekcje, grał w kosza, był na balu dla absolwentów, ukończył szkołę, miał iść do college'u. Oczywiście nie wszystko układało się idealnie. Przed sześcioma tygodniami zerwał z Ashley, choć nie miało to nic wspólnego ze zdarzeniami tamtej nocy, nocy, o której nie mógł zapomnieć. Przeważnie udawało mu się odsuwać od siebie to wspomnienie, ale od czasu do czasu, w najdziwniejszych momentach, powracało do niego z całą siłą. Obrazy nie zmieniały się ani nie bladły, nie zacierały. Jakby patrzył na to oczami kogoś innego, widział siebie, jak biegnie plażą i chwyta Scotta, gdy wybuchł ten straszliwy pożar. Pamiętał, że krzyknął:

— Co, do cholery, zrobiłeś?!

— To nie moja wina! — wrzasnął Scott.

I wtedy Will uświadomił sobie, że nie są sami. W pewnej odległości zauważył Marcusa, Blaze, Teddy'ego i Lance'a, którzy na nich patrzyli, i od razu się zorientował, że wszystko widzieli.

Że wiedzą...

Gdy wyjął telefon komórkowy, Scott go powstrzymał.

— Nie dzwoń na policję! Powiedziałem ci, że to był wypadek! — Miał błagalny wyraz twarzy. — No, stary! Jesteś mi to winien!

W pierwszych dniach dużo pisano o tym w prasie i mówiono w telewizji, i za każdym razem, gdy Will oglądał wiadomości albo czytał artykuły w gazetach, ściskało go w żołądku. Czym innym było ukrywanie faktów związanych z przypadkowym pożarem. Może to mógłby jakoś przetrwać. Ale tej nocy ktoś został ranny i Willa zawsze ogarniało mdlące poczucie winy, gdy przejeżdżał obok tego miejsca. Nieważne, że kościół odbudowano i że pastor już dawno wyszedł ze szpitala; ważne było to, że wiedział, co się stało, i nic w tej sprawie nie zrobił.

„Jesteś mi to winien...".

Te słowa prześladowały go najbardziej.

Nie tylko dlatego, że on i Scott byli najlepszymi przyjaciółmi od przedszkola, ale z innego, istotniejszego powodu. Leżał więc w środku nocy bezsennie, myślał z nienawiścią o tych słowach i żałował, że nie może wszystkiego naprawić.

*

O dziwo, tego dnia to wspomnienie przywołał wypadek na meczu siatkówki. Czy raczej dziewczyna, na którą wpadł. Nie interesowały jej jego przeprosiny i w przeciwieństwie do większości tutejszych dziewczyn nie próbowała ukryć złości. Nie mizdrzyła się ani nie piszczała; panowała nad sobą, co natychmiast wydało mu się nietypowe, inne.

Gdy gniewnie odeszła, dokończyli seta i musiał przyznać, że stracił kilka piłek, które normalnie by odebrał. Scott patrzył na niego i — może za sprawą gry świateł — wyglądał dokładnie tak jak tamtej nocy podczas pożaru, gdy Will chciał zadzwonić po policję. I to wystarczyło, żeby znowu mu się wszystko przypomniało.

Był w stanie odsuwać od siebie to wspomnienie, dopóki nie wygrali meczu, ale potem, gdy skończyły się zawody, musiał pobyć jakiś czas sam. Przeszedł się więc po wesołym miasteczku i przystanął przy jednej z tych budek, w których nie sposób było coś wygrać. Właśnie przygotowywał się do rzutu zbyt nadmuchaną piłką do za wysoko umieszczonej obręczy, kiedy usłyszał za sobą czyjś głos.

— Tu jesteś — zaczepiła go Ashley. — Czyżbyś nas unikał?

Tak, pomyślał. Właściwie tak.

— Nie — odparł. — Po prostu nie rzucałem od czasu, gdy zakończył się sezon, i chciałem sprawdzić, czy nie zardzewiałem.

Ashley się uśmiechnęła. Biały top w kształcie tuby, sandały i wiszące kolczyki podkreślały jej niebieskie oczy i blond włosy. Przebrała się po finałowym meczu zawodów. Typowe; była jedyną znaną mu dziewczyną, która zawsze miała z sobą komplet ciuchów na zmianę, nawet gdy szła na plażę. Podczas balu na zakończenie szkoły, w maju, przebierała się trzy razy; raz na kolację, drugi raz na tańce i trzeci — na afterparty. Właściwie wzięła z sobą walizkę, którą musiał zataszczyć do samochodu, gdy już przypięła do sukienki bukiecik kwiatów i zapozowała do zdjęć. Jej matka nie widziała nic niezwykłego w tym, że Ashley pakuje się, jakby wyjeżdżała na wakacje, a nie wybierała się na potańcówkę. Ale może na tym także polegał problem. Ashley kiedyś zaprowadziła go do pokoju matki i pokazała mu jej szafę; kobieta musi mieć kilkaset par butów i tysiąc różnych strojów, oświadczyła. Ta szafa stanowiła równowartość buicka.

— Nie przeszkadzaj sobie. Nie chciałabym, żebyś stracił dolara.

Will odwrócił się i wycelowawszy, posłał piłkę łukiem. Odbiła się od obręczy i tablicy, a potem wpadła do kosza. To jeden trafiony. Jeszcze dwa i zdobędzie nagrodę.

Odrzucając piłkę, właściciel budki zerknął na Ashley. Ona jednak jakby w ogóle nie zauważyła jego obecności.

Gdy Will złapał piłkę, spojrzał na faceta.

— Czy ktoś dzisiaj wygrał?

— Oczywiście. Codziennie wygrywa mnóstwo ludzi. — Odpowiadając, patrzył wciąż na Ashley. Nie było w tym nic dziwnego. Wszyscy się na nią gapili. Była jak błyskający neon dla każdego, kto miał choć odrobinę testosteronu.

Ashley zbliżyła się o kolejny krok, obróciła na pięcie i oparła o budkę. Ponownie uśmiechnęła się do Willa. Nigdy nie należała do subtelnych. Gdy została królową balu, chodziła w koronie do samego rana.

— Dobrze dziś grałeś — zauważyła. — Znacznie lepiej serwujesz.

— Dzięki — rzucił.

— Myślę, że jesteś już równie dobry jak Scott.

— To niemożliwe — odparł. Scott grał w siatkówkę od szóstego roku życia, a Will zaczął dopiero po pierwszej klasie szkoły średniej. — Jestem szybki i umiem skakać, ale nie rozgrywam tak dobrze jak on.

— Mówię ci tylko, co widziałam.

Skupiając wzrok na obręczy, Will wciągnął powietrze i spróbował się odprężyć. Tak zawsze przed rzutami osobistymi radził mu trener; choć nigdy nie poprawiło to jego wyników. Tym razem jednak piłka wpadła do kosza. Dwa trafienia na dwa rzuty.

— Co zrobisz z tym pluszakiem, którego wygrasz? — zapytała.

— Nie wiem. Chcesz go?

— Tylko jeśli sam masz ochotę mi go dać.

Miał świadomość, że chciała, aby jej to zaproponował. Po dwóch latach chodzenia z sobą niewiele było rzeczy, których by o niej nie wiedział. Ujął piłkę, znowu odetchnął głęboko i rzucił po raz trzeci. Tym razem jednak zrobił to trochę za mocno i piłka odbiła się od obręczy.

— Było blisko — skomentował właściciel. — Powinieneś spróbować jeszcze raz.

— Wiem, kiedy się wycofać.

— Coś ci powiem. Opuszczę stawkę o dolara. Dwa dolary za trzy rzuty.

— Nie trzeba.

— Dwa dolary i oboje dostajecie po trzy rzuty. — Podniósł piłkę i podał ją Ashley. — Chciałbym zobaczyć, jak rzucasz.

Ashley spojrzała na piłkę z taką miną, jakby w ogóle nie brała tego pod uwagę. I pewnie nie brała.

— Nie, raczej nie — skwitował Will. — Ale dzięki za propozycję. — Zwrócił się do Ashley: — Nie wiesz, czy jest tu gdzieś Scott?

— Siedzi przy stole z Cassie. A przynajmniej byli tam, gdy poszłam cię szukać. Ona chyba mu się podoba.

Will ruszył we wskazanym kierunku, a Ashley podreptała obok niego.

— Właśnie tak rozmawialiśmy — zaczęła jak gdyby nigdy nic — i Scott z Cassie uznali, że byłoby fajnie, gdybyśmy pojechali do mnie. Moi rodzice są w Raleigh na jakiejś imprezie u gubernatora, więc mielibyśmy cały dom dla siebie.

Will wiedział, na co się zanosi.

— Nie, raczej nie — odmówił.

— Dlaczego nie? Tu nic ciekawego się nie dzieje.

— Nie wydaje mi się, żeby to był dobry pomysł.

— Dlatego że zerwaliśmy z sobą? Nie myśl, że chcę, abyśmy do siebie wrócili.

Dlatego właśnie przyszłaś na zawody, pomyślał. I przebrałaś się wieczorem. I odszukałaś mnie. I zaproponowałaś, żebyśmy pojechali do ciebie, bo nie ma rodziców.

Ale nie powiedział tego. Nie miał nastroju do kłótni, zresztą nie chciał zaogniać sprawy jeszcze bardziej. Nie miał nic przeciwko niej; po prostu nie była dziewczyną dla niego.

— Jutro wcześnie rano muszę być w pracy, a przez cały dzień grałem na słońcu w siatkówkę — wyjaśnił. — Chciałbym iść spać.

Chwyciła go za ramię, tak że musiał się zatrzymać.

— Dlaczego nie odbierasz moich telefonów?

Milczał. Nie miał nic do powiedzenia.

— Chcę wiedzieć, co zrobiłam nie tak — rzuciła.

— Nic nie zrobiłaś nie tak.

— No to o co chodzi?

Ponieważ i tym razem nie odpowiedział, uśmiechnęła się do niego prosząco.

— Pojedźmy do mnie i porozmawiajmy o tym, dobrze?

Wiedział, że zasługiwała na wyjaśnienie. Problem jednak w tym, że było to wyjaśnienie, którego nie przyjęłaby do wiadomości.

— Tak jak powiedziałem, jestem zmęczony.

*

— Jesteś zmęczony! — zawołał Scott. — Powiedziałeś jej, że jesteś zmęczony i że chcesz pójść spać?

— Coś w tym rodzaju.

— Jesteś nienormalny?

Scott popatrzył na niego zza stołu. Cassie i Ashley poszły na molo, żeby pogadać, na pewno omówić szczegółowo wszystko, co Will powiedział Ashley, niepotrzebnie dodając dramatyzmu sprawie, która powinna pozostać między nimi dwojgiem. Ale z Ashley wszystko było dramatyczne, pomyślał. Nagle ogarnęło go przeczucie, że będzie to długie lato.

— Jestem zmęczony — powtórzył Will. — A ty nie?

— Może nie dosłyszałeś, co sugerowała. Ja i Cassie, ty i Ashley? W domu jej starych, na plaży?

— Wspomniała o tym.

— I tkwimy tu wciąż, bo...

— Już ci mówiłem.

Scott pokręcił głową.

— Nie... wiesz, ręce mi opadają. „Jestem zmęczony", mówi się rodzicom, kiedy chcą, żebyś umył samochód, albo gdy każą ci wstawać i iść do kościoła. Ale nie, gdy trafia się taka okazja.

Will nic nie powiedział. Choć Scott był od niego tylko rok młodszy — jesienią przechodził do ostatniej klasy w Laney High School — często zachowywał się jak jego starszy, mądrzejszy brat.

Oprócz tamtej nocy przy kościele...

— Widzisz tego faceta przy budce z koszem? Jego rozumiem. Sterczy tu przez cały dzień i namawia ludzi, żeby zagrali u niego, bo chce zarobić trochę forsy i kupić sobie piwo czy papierosy po robocie. Proste. Nieskomplikowane. Inny styl życia niż mój, ale potrafię to zrozumieć. Natomiast ciebie nie rozumiem. No bo... widziałeś, jak wygląda dziś Ashley? Jest boska. Wygląda jak panienka z „Maxima".

— No i?

— Jest napalona.

— Wiem. Chodziłem z nią parę lat, pamiętasz?

— Nie twierdzę, że masz do niej wrócić. Proponuję tylko, żebyśmy pojechali do jej chałupy we czwórkę, zabawili się i zobaczyli, co z tego wyniknie. — Scott odchylił się na krześle. — A tak przy okazji. Przede wszystkim nie rozumiem, dlaczego w ogóle z nią zerwałeś. Wciąż jest wyraźnie w tobie zabujana i świetnie do siebie pasujecie.

Will pokręcił przecząco głową.

— Wcale do siebie nie pasujemy.

— Już mówiłeś, ale co to znaczy? Czy ona zamienia się w... jakąś psychopatkę, gdy jesteście sami? Co się stało? Przyłapałeś ją na tym, że stała za tobą z nożem rzeźnickim albo wyła do księżyca, gdy poszliście na plażę?

— Nie, nic z tych rzeczy. Po prostu nam nie wyszło i już.

— Po prostu nie wyszło — powtórzył Scott. — Słyszysz, co mówisz?

Ponieważ nic nie wskazywało, że Will ustąpi, Scott pochylił się nad stołem.

— No, stary. Skoro tak, zrób to dla mnie. Pożyjmy trochę. Są wakacje. Bądźmy drużyną.

— Teraz już wpadasz w desperację.

— Jestem zdesperowany. Jeśli nie zgodzisz się pojechać z Ashley, Cassie nie pojedzie ze mną. Laska ma ochotę na amory. Jest gotowa pójść na całość. *Nagi instynkt* i te rzeczy.

— Przykro mi. Ale nie mogę ci pomóc.

— Świetnie. Zrujnuj mi życie. Kto by się przejmował?

— Przeżyjesz. — Zmienił temat: — Jesteś głodny?

— Trochę — wymamrotał Scott.

— No to chodź. Kupimy sobie cheeseburgery.

Will wstał zza stołu, ale Scott wciąż się dąsał.

— Musisz poćwiczyć jeszcze odbicia od dołu — oświadczył, mając na myśli siatkówkę. — Posyłałeś piłkę we wszystkie strony. Wygraliśmy tylko dzięki mnie.

— Ashley twierdzi, że byłem równie dobry jak ty.

Scott sarknął i wstał od stołu.

— Nie ma pojęcia, o czym mówi.

*

Odstawszy swoje w kolejce, Will i Scott podeszli do stoiska z przyprawami, gdzie Scott obficie oblał swojego cheeseburgera keczupem. Wyciśnięta plastikowa butelka wróciła do dawnego kształtu, dopiero gdy ją odstawił.

— Obrzydlistwo — zauważył Will.

— No to posłuchaj. Był sobie taki facet, który nazywał się Ray Kroc, założył firmę o nazwie McDonald's. Słyszałeś może o niej? W każdym razie gość uważał, że jego oryginalny hamburger... pod wieloma względami oryginalny amerykański hamburger... powinien być podawany z keczupem. Co ci chyba uzmysławia, jaki to ważny dodatek smakowy.

— Mów dalej. To fascynujące. Idę po coś do picia.

— Kup mi butelkę wody, dobra?

Gdy Will się oddalał, przeleciało przed nim coś białego, coś wymierzonego w Scotta; Scott też to zauważył i instynktownie uskoczył, upuszczając swojego cheeseburgera.

— Co ty sobie wyobrażasz? — zapytał ostro, obracając się. Na ziemi leżało zgniecione pudełko po frytkach. Za nim stali Teddy i Lance z rękami w kieszeniach. Między nich wkroczył Marcus, który udawał — bez powodzenia — niewiniątko.

— Nie wiem, o co ci chodzi — rzucił.

— O to! — warknął Scott, kopiąc w ich stronę pudełko.

Słysząc ten ton, wszyscy wokół nich stężeli. Will poczuł, że pod wpływem niemal namacalnego napięcia w powietrzu, zwiastującego rozróbę, jeżą mu się włoski na karku.

Rozróbę, do której Marcus najwyraźniej dążył.

Jakby go prowokował.

Will zauważył, że ojciec z synkiem wstają i odchodzą, podczas gdy Ashley i Cassie, które wracały ze spaceru po molo, zatrzymały się w pewnej odległości. Z boku nadchodziła Galadriel, która ostatnio kazała do siebie mówić Blaze.

Scott spojrzał na Marcusa, zaciskając szczęki.

— Mam już dość tych waszych zabaw.

— I co zrobisz? — Marcus uśmiechnął się złośliwie. — Rzucisz we mnie rakietą butelkową?

To wystarczyło. Gdy Scott zrobił krok do przodu, Will zaczął przepychać się gorączkowo przez tłum, żeby dobiec do przyjaciela.

Marcus nie ruszył się z miejsca. Niedobrze. Nie ulegało wątpliwości, że on i jego kumple są zdolni do wszystkiego... a najgorsze, że wiedzieli, co zrobił Scott...

W napadzie furii Scott jakby zupełnie się tym nie przejmował. Gdy Will rzucił się przed siebie, Teddy i Lance stanęli półkolem, otaczając Scotta z dwóch stron. Próbował wbiec między nich, ale Scott zareagował za szybko i nagle wszystko wydarzyło się naraz. Marcus cofnął się o pół kroku, a Teddy kopnął krzesło Scottowi pod nogi, zmuszając go, żeby uskoczył. Ten wpadł na stół i przewrócił go. Odzyskał równowagę i zacisnął pięści. Lance zaszedł go z boku. Will, pędząc przed siebie, usłyszał, że płacze jakieś dziecko. Wypadł z tłumu i ruszył na Lance'a, gdy w sam środek bójki wkroczyła dziewczyna.

— Przestańcie! — zawołała, podnosząc ręce. — Dajcie spokój! Wszyscy!

Jej głos zabrzmiał tak zaskakująco głośno i autorytatywnie, że Will się zatrzymał. Wszyscy inni też znieruchomieli i w tej niespodziewanej ciszy rozległ się przenikliwy płacz dziecka.

Dziewczyna obróciła się i popatrzyła kolejno na wszystkich uczestników awantury, a Will, zauważywszy purpurowe pasma w jej włosach, przypomniał sobie, gdzie ją widział. Tylko że teraz miała na sobie za dużą koszulkę z rybką z przodu.

— Koniec z tym! Nie będziecie się bić! Nie widzicie, że temu dziecku coś się stało?

Jakby ich prowokując, przeszła między Scottem a Marcusem i pochyliła się nad płaczącym dzieckiem, które upadło w zamieszaniu. Chłopczyk miał trzy lub cztery lata i był w pomarańczowej koszulce o odcieniu dyni. Dziewczyna odezwała się do niego łagodnym głosem i posłała mu uspokajający uśmiech.

— Wszystko w porządku, mały? Gdzie twoja mamusia? Chodź, poszukamy jej, dobrze?

Dzieciak natychmiast skupił wzrok na jej koszulce.

— To Nemo — zauważył. — Też się zgubił. Lubisz Nemo?

Przejęta strachem kobieta z niemowlęciem na ręku przebiła się z boku przez tłum, najwyraźniej nieświadoma napięcia.

— Jason? Gdzie jesteś? Widzieli państwo chłopczyka? Z jasnymi włosami, w pomarańczowej koszulce?

Gdy zobaczyła chłopca, na jej twarzy pojawiła się ulga. Poprawiła dziecko na biodrze i podbiegła do synka.

— Nie możesz się tak oddalać, Jason! — zawołała. — Napędziłeś mi strachu. Nic ci nie jest?

— Nemo — powtórzył, wskazując dziewczynę.

Matka odwróciła się ku niej, bo dopiero teraz ją zauważyła.

— Dziękuję ci... Odbiegł, gdy zmieniałam małej pieluchę...

— W porządku — odparła dziewczyna. — Jest cały i zdrowy.

Will patrzył, jak matka zabiera chłopca, a potem zwrócił się ponownie ku dziewczynie i zauważył, że uśmiechnęła się, odprowadzając wzrokiem małego. Jednakże kiedy odeszli, nagle uświadomiła sobie, że wszyscy na nią patrzą. Skrępowana skrzyżowała ramiona przed sobą, gdy ludzie zaczęli się rozstępować, żeby przepuścić szybko nadchodzącego policjanta.

Marcus pospiesznie mruknął coś do Scotta i zniknął w tłumie. Teddy i Lance poszli za jego przykładem. Blaze obróciła się, żeby zrobić to samo, ale ku zdziwieniu Willa dziewczyna z purpurowymi pasmami we włosach chwyciła ją za ramię.

— Poczekaj! Dokąd idziesz?! — zawołała.

Blaze wyrwała jej się i cofnęła.

— Do Bower's Point.

— Gdzie to jest?

— Na końcu plaży. Łatwo trafić. — Odwróciła się i pobiegła za Marcusem.

Dziewczyna jakby nie wiedziała, co zrobić. Napięcie, jeszcze przed chwilą aż gęste, opadło tak szybko, jak wzrosło. Scott ustawił stół i ruszył w stronę Willa, gdy do dziewczyny podszedł mężczyzna, który musiał być jej ojcem.

— Jesteś! — zawołał z ulgą i jednocześnie zniecierpliwieniem. — Szukałem cię. Wracamy?

Spojrzała na oddalającą się Blaze, najwyraźniej niezbyt zachwycona, że go widzi.

— Nie — odparła po prostu. Potem wmieszała się w tłum, zmierzając w kierunku plaży. Do mężczyzny podszedł chłopiec.

— Chyba nie jest głodna — powiedział.

Facet położył rękę na jego ramieniu i patrzył, jak córka idzie po schodach na plażę, nawet się nie obejrzawszy.

— Chyba nie — potwierdził.

— Możesz w to uwierzyć? — pieklił się Scott, odciągając Willa od sceny, którą ten uważnie obserwował. Wciąż był nabuzowany adrenaliną. — Już miałem przyłożyć temu czubkowi.

— Uhm... tak — Will mruknął w odpowiedzi. Pokręcił głową. — Nie jestem pewien, czy Teddy i Lance by ci na to pozwolili.

— Nic by nie zrobili. Oni się tylko popisują.

Will nie dałby za to głowy, ale nic nie powiedział.

Scott wciągnął powietrze.

— Poczekaj. Idzie glina.

Policjant podszedł do nich powoli, najwyraźniej próbował zorientować się w sytuacji.

— Co się tu dzieje? — zapytał.

— Nic, panie posterunkowy — odparł spokojnie Scott.

— Słyszałem, że była tu bójka.

— Nie, proszę pana.

Policjant ze sceptyczną miną czekał na dalsze wyjaśnienia. Ale ani Scott, ani Will mu ich nie udzielili. Wokół stoiska z przyprawami zaczęli kręcić się ludzie. Gliniarz rozejrzał się wokół, żeby sprawdzić, czy nic nie uszło jego uwagi, i nagle jego twarz rozjaśniła się na widok kogoś, kto stał za Willem.

— To ty, Steve?! — zawołał i podszedł do ojca dziewczyny.

Tymczasem zjawiły się Ashley i Cassie. Cassie była zarumieniona.

— Nic ci nie jest? — zapytała Scotta słodkim głosem.

— Nie — odparł.

— Ten facet to szajbus. Co się stało? Nie widziałam początku.

— Rzucił czymś we mnie, a ja nie zamierzałem puścić mu tego płazem. Mam już dość jego zagrań. Myśli, że wszyscy się go boją i że może robić, co chce, ale następnym razem, gdy spróbuje, nie będzie miło...

Will go nie słuchał. Scott zawsze lubił się popisywać; zachowywał się tak samo podczas meczów w siatkówkę i Will dawno temu nauczył się puszczać jego przechwałki mimo uszu.

Odwrócił się i spojrzał w stronę posterunkowego, który gawędził z ojcem dziewczyny. Ciekaw był, dlaczego tak jej zależało, żeby zniknąć. I dlaczego szwenda się z Marcusem. Nie była taka jak oni i miał wątpliwości, czy jest świadoma, z kim się zadaje. Gdy Scott tokował dalej, zapewniając Cassie, że bez trudu dałby radę całej tamtej trójce, Will przyłapał się na tym, że nadstawia uszu, próbując podsłuchać rozmowę policjanta z ojcem dziewczyny.

— O! Pete — rzucił mężczyzna. — Co u ciebie?

— To samo co zwykle — odparł tamten. — Staram się utrzymać porządek. Jak idzie robota nad witrażem?

— Powoli.

— To samo mówiłeś, gdy ostatnio pytałem.

— Tak, ale teraz mam sekretną broń. To mój syn, Jonah. Będzie mi pomagał tego lata.

— Tak? Szczęściarz z ciebie, młody człowieku... A nie miała też przyjechać twoja córka, Steve?

— Jest tutaj — wyjaśnił ojciec.

— Uhm, tylko znowu sobie poszła — dodał chłopiec. Jest wściekła na tatę.

— Przykro to słyszeć.

Will zobaczył, że ojciec wskazuje w stronę plaży.

— Wiesz, dokąd mogli pójść?

Posterunkowy zmrużył oczy, przesuwając wzrokiem po linii wody.

— Wszędzie. Ale kilkoro z nich to nieciekawe typki. Zwłaszcza Marcus. Wierz mi, lepiej, żeby się z nimi nie prowadzała.

Scott wciąż chwalił się przed Cassie i Ashley, które słuchały jak urzeczone. Will, starając się od tego odciąć, nagle poczuł, że ma ochotę zawołać policjanta. Wiedział, że nie powinien się wtrącać. Nie znał tej dziewczyny, przede wszystkim nie wiedział, dlaczego tak nagle się zmyła. Może miała powód. Ale gdy zauważył niepokój na twarzy jej ojca, przypomniał sobie cierpliwość i dobroć, jaką okazała dziecku, i wyrwało mu się, zanim zdążył ugryźć się w język:

— Poszła do Bower's Point.

Scott urwał w połowie zdania, a Ashley odwróciła się ze zmarszczonym czołem. Wszyscy troje przyjrzeli mu się niepewnie.

— Pana córka, prawda? — Kiedy mężczyzna lekko skinął głową, powtórzył: — Poszła do Bower's Point.

Policjant przez chwilę patrzył na niego, a potem odwrócił się do ojca dziewczyny.

— Kiedy tu skończę, pójdę i pogadam z nią, może uda mi się ją przekonać, żeby wróciła do domu, dobra?

— Nie musisz tego robić, Pete.

Ten w milczeniu przypatrywał się grupie w oddali.

— Myślę, że w tym wypadku powinienem.

Nie wiadomo dlaczego Will poczuł ulgę. Musiało to być widoczne, bo gdy zwrócił się znowu do przyjaciół, każde z nich spojrzało na niego uważnie.

— O co w tym wszystkim chodzi? — zapytał Scott.

Will nie odpowiedział. Nie mógł, ponieważ sam tego nie rozumiał.

6

Ronnie

W normalnych okolicznościach Ronnie pewnie cieszyłaby się takim wieczorem jak ten. W Nowym Jorku z powodu blasku świateł nie można było zobaczyć wielu gwiazd, a tu — przeciwnie. Mimo mgiełki unoszącej się nad morzem dostrzegła Drogę Mleczną, a na południu świecącą jasno Wenus. Fale raz po raz rozbijały się o brzeg, na horyzoncie błyskały światełka kilku łodzi do połowu krewetek.

Okoliczności jednak nie były normalne. Stała na ganku i patrzyła gniewnie na policjanta, aż sina ze złości.

Nie, poprawka. Nie sina ze złości. Po prostu wściekła. To, co się stało... było już wyrazem takiej nadopiekuńczości, taką przesadą, że wciąż nie mogła dojść do siebie. Jej pierwszą myślą było, żeby podjechać okazją na dworzec autobusowy i kupić sobie bilet powrotny do Nowego Jorku. Nie powiedziałaby ani mamie, ani tacie, tylko zadzwoniła do Kayli. Po przyjeździe wymyśliłyby, co dalej. Gorzej niż tu być nie mogło.

Niestety, to było niemożliwe. Przez tego posterunkowego Pete'a. Stał za nią, aby mieć pewność, że weszła do środka.

Wciąż nie potrafiła w to uwierzyć. Jak jej tata — jej rodzony ojciec — mógł posunąć się do czegoś takiego? Była już prawie dorosła, nie robiła nic złego i nawet nie minęła jeszcze północ. O co chodzi? Dlaczego musiał rozpętać taką aferę? O tak, jasne, posterunkowy Pete zachowywał się, jakby to był zwyczajny, rutynowy nakaz opuszczenia Bower's Point — co nie zdziwiło innych — ale potem zwrócił się do niej. Do niej konkretnie.

— Zabieram cię do domu — oświadczył, jakby miała osiem lat.

— Nie, dzięki — odparła.

— W takim razie będę musiał zatrzymać cię za włóczęgostwo i zadzwonić po twojego ojca, żeby zabrał cię do domu.

Wtedy zaświtało jej w głowie, że to tata wysłał po nią policję, i oniemiała ze wstydu.

Owszem, miała problemy z matką i rzeczywiście od czasu do czasu wracała do domu po wyznaczonej godzinie. Ale nigdy, ani razu, mama nie napuściła na nią policji.

Posterunkowy wciął się w jej myśli.

— No, wejdź do środka — ponaglił ją, dając wyraźnie do zrozumienia, że jeśli ona nie otworzy drzwi, sam to zrobi.

Usłyszała dochodzące ze środka ciche dźwięki fortepianu i rozpoznała sonatę e-moll Griega. Głęboko zaczerpnęła powietrza, otworzyła drzwi, a potem zatrzasnęła je za sobą.

Ojciec przerwał grę i uniósł głowę, gdy na niego patrzyła.

— Wysłałeś po mnie gliny?

Tata nie odpowiedział, ale wystarczyło jej jego milczenie.

— Dlaczego to zrobiłeś? — zapytała. — Jak mogłeś?

W dalszym ciągu się nie odzywał.

— O co chodzi? Chciałeś zepsuć mi zabawę? Nie masz do mnie zaufania? Nie dotarło do ciebie, że nie chcę tu być?

Ojciec splótł ręce na kolanach.

— Wiem, że nie chcesz tu być...

Zrobiła krok do przodu, wciąż na niego patrząc.

— Więc jeszcze postanowiłeś zrujnować mi życie?

— Kto to jest Marcus?

— A kogo to obchodzi! — wykrzyknęła. — To nie ma nic do rzeczy! Chyba nie zamierzasz prześwietlać każdego, z kim rozmawiam, więc daruj sobie!

— Wcale nie próbuję...

— Nienawidzę tego miejsca! Nie rozumiesz? Ciebie też nienawidzę!

Tata nic nie odpowiedział, jak zwykle. Nie cierpiała tego rodzaju słabości. W furii przeszła przez pokój w stronę alkowy, chwyciła zdjęcie przedstawiające ją przy fortepianie — to z ojcem, który siedzi przy niej na taborecie — i rzuciła nim o przeciwległą ścianę. Ojciec skrzywił się na dźwięk rozbijanego szkła, ale milczał.

— Co?! Nic nie powiesz?

Odchrząknął.

— Twój pokój to pierwsze drzwi po prawej.

Nie miała ochoty nawet odpowiedzieć, więc ruszyła szybko przez hol, żeby nie patrzeć na ojca.

— Dobranoc, kochanie! — zawołał. — Kocham cię.

Przez chwilę, jedną chwilę, pożałowała tego, co mu powiedziała; ale ten żal zniknął równie szybko, jak się pojawił. To było tak, jakby nie zdawała sobie sprawy, że jest głodna: usłyszała, że powrócił do gry na fortepianie, dokładnie w miejscu, gdzie skończył.

*

W swoim pokoju — który znalazła bez trudu, zwłaszcza że w holu było tylko troje drzwi, w tym jedne do łazienki, a drugie do sypialni taty — zapaliła światło. Wzdychając z frustracją, zrzuciła z siebie tę śmieszną koszulkę z Nemo — już prawie zapomniała, że ma ją na sobie.

To był najgorszy dzień w jej życiu.

Och, wiedziała, że robi z całej sprawy melodramat. Nie była głupia. Mimo to dzień nie zaliczał się do najlepszych. Jedyną korzyścią, jaka z niego wynikła, było to, że poznała Blaze, co dawało jej nadzieję, że będzie miała z kim spędzić to lato.

Zakładając, oczywiście, że Blaze zechce się z nią jeszcze zadawać. Po numerze, który wyciął jej ojciec, nawet to stanęło pod znakiem zapytania. Blaze i reszta pewnie długo jeszcze o tym mówili. Pewnie śmiali się z niej. Coś takiego Kayla pamiętałaby przez lata.

Zrobiło jej się niedobrze. Rzuciła koszulkę z Nemo w kąt — jeśli jeszcze kiedykolwiek ją włoży, to nieprędko — i zaczęła ściągać T-shirt z logo zespołu.

— Powinnaś wiedzieć, że tu jestem, zanim się porzygam.

Ronnie podskoczyła na dźwięk tego głosu i obróciwszy się, zobaczyła Jonah, który gapił się na nią.

— Zjeżdżaj stąd! — zawołała. — Co tu robisz? To mój pokój!

— Nie, nasz — poprawił ją. Machnął ręką. — Widzisz? Dwa łóżka.

— Nie będę mieszkała z tobą w jednym pokoju!

Przechylił głowę na bok.

— Zamierzasz mieszkać z tatą?

Otworzyła usta, żeby odpowiedzieć, jednocześnie rozważając możliwość przeniesienia się do salonu, ale ponieważ wiedziała, że tam nie wróci, bez słowa je zamknęła. Podeszła do swojej walizki i otworzyła ją, rozsuwając zamek błyskawiczny. Na wierzchu leżała *Anna Karenina*. Odrzuciła ją na bok, szukając piżamy.

— Przejechałem się na diabelskim młynie — pochwalił się Jonah. — Na górze było cool. Tata cię stamtąd wypatrzył.

— Super.

— Dziwnie się czułem. Jeździłaś kiedyś na diabelskim młynie?

— Nie.

— To powinnaś spróbować. Widać było wszystko aż do samego Nowego Jorku.

— Wątpię.

— Naprawdę. Widzę bardzo daleko. To znaczy w okularach. Tata powiedział, że mam sokoli wzrok.

— Uhm, na pewno.

Jonah zamilkł. Sięgnął po pluszowego misia, którego przywiózł z domu. Zawsze przytulał go, gdy się zdenerwował, i Ronnie, krzywiąc usta, pożałowała tego, co powiedziała. Czasami mówił jak dorosły, ale kiedy przycisnął do siebie misia, pomyślała, że nie powinna być taka ostra. Chociaż nad wiek rozwinięty i czasami irytująco wygadany, był niski, wzrostu sześcio- czy siedmiolatka, a miał przecież dziesięć lat. Jak dotąd ciężko mu się żyło. Był wcześniakiem, urodził się w siódmym miesiącu, cierpiał na astmę i zaburzenia koordynacji ruchowej, miał kłopoty ze wzrokiem. A Ronnie wiedziała, jak okrutne bywają dzieci w jego wieku.

— Nie chciałam tego powiedzieć. W okularach rzeczywiście masz sokoli wzrok.

— Tak, niezły — wymamrotał, ale kiedy odwrócił się do ściany, skrzywiła się znowu. Był przemiłym dzieciakiem. Czasami upierdliwym, ale wiedziała, że nie stać by go było na żadną podłość.

Podeszła do jego łóżka i usiadła na nim.

— Hej — zaczęła — przepraszam. Nie chciałam sprawić ci przykrości. Miałam kiepski wieczór.

— Wiem — odparł.

— Przejechałeś się na czymś jeszcze?

— Tak, prawie na wszystkim. Z tatą. Niemal się pochorował, ale ja nie. I wcale się nie bałem w nawiedzonym domu. Wiedziałem, że te duchy to kit.

Poklepała go po biodrze.

— Zawsze byłeś dzielny.

— Uhm — przyznał. — Jak wtedy, gdy w mieszkaniu wysiadło światło? Ty się bałaś. A ja nie.

— Pamiętam.

Sprawiał wrażenie usatysfakcjonowanego jej odpowiedzią. Ale potem zamilkł, a gdy odezwał się znowu, jego głos brzmiał jak szept.

— Tęsknisz za mamą?

Ronnie ujęła kołdrę.

— Uhm.

— Ja też trochę. I nie lubię być sam.

— Tata był w sąsiednim pokoju — uspokoiła go.

— Wiem. Ale cieszę się, że już wróciłaś.

— Ja też.

Uśmiechnął się, a potem znowu zrobił smutną minę.

— Myślisz, że u mamy wszystko dobrze?

— O tak — zapewniła. Przykryła brata kołdrą. — Ale na pewno też za tobą tęskni.

*

Rano, widząc słońce przeświecające przez zasłony, Ronnie przez chwilę nie mogła się zorientować, gdzie jest. Zamrugała powiekami i spojrzała na zegar. To chyba jakieś żarty, pomyślała.

Ósma? Rano? W lecie?

Opadła z powrotem na poduszkę, a po chwili zdała sobie sprawę, że gapi się w sufit, wiedząc, że już nie zaśnie. Nie przy tym słońcu padającym snopami przez okna. Nie przy tym bębnieniu na fortepianie, które dochodziło z salonu. Gdy nagle przypomniała sobie wydarzenia poprzedniego wieczoru, gniew na ojca powrócił.

Super, kolejny dzień w raju.

Usłyszała za oknem odległy warkot samochodów. Wstała z łóżka i odsłoniła okna, ale zaraz odskoczyła w tył, przestraszona widokiem szopa pracza, który siedział na rozdartym worku śmieci. Worek był ohydny, ale szop śliczny, więc postukała w szybę, żeby zwrócić jego uwagę.

Wtedy zauważyła kratę w oknie.

Krata. W oknie.

Była uwięziona.

Zacisnęła zęby, obróciła się na pięcie i pomaszerowała do salonu. Jonah oglądał kreskówki i jadł płatki śniadaniowe; tata uniósł głowę, ale grał dalej.

Oparła ręce na biodrach, czekając, żeby przerwał. Nie zrobił tego. Zauważyła, że zdjęcie, którym rzuciła, stało z powrotem na fortepianie, choć bez szkła.

— Nie będziesz trzymać mnie w zamknięciu przez całe lato — oświadczyła. — Nie ma mowy.

Tata spojrzał na nią, ale nie przerywał gry.

— O czym ty mówisz?

— Wstawiłeś kraty w oknie! Mam być twoim więźniem?

Jonah nie odrywał wzroku od telewizora.

— Mówiłem ci, że jest szurnięta — skomentował.

Steve pokręcił głową, jego dłonie przebiegały po klawiaturze.

— To nie ja je wstawiłem. Już tu były.

— Nie wierzę ci.

— Naprawdę — potwierdził Jonah. — Miały chronić sztukę.

— Nie z tobą rozmawiam, Jonah! — Odwróciła się do ojca. — Wyjaśnijmy sobie coś. Nie będziesz mnie traktował tego lata jak małą dziewczynkę. Mam osiemnaście lat!

— Dopiero dwudziestego sierpnia będziesz miała osiemnaście lat — odezwał się zza jej pleców Jonah.

— Nie mieszaj się do tego, bardzo proszę! — Okręciła się i spojrzała na niego. — To sprawa między mną a tatą.

Jonah ściągnął brwi.

— Ale jeszcze nie masz osiemnastki.

— Nie o to chodzi.

— Myślałem, że zapomniałaś.

— Nie zapomniałam! Nie jestem głupia.

— Ale powiedziałaś...

— Mógłbyś przymknąć się na chwilę? — warknęła, nie mogąc ukryć rozdrażnienia. Zwróciła znowu wzrok na ojca, który grał dalej, nie pomijając ani jednej nuty. — To, co zrobiłeś wczoraj wieczorem... — Urwała, bo nie mogła ująć w słowa tego, co się działo, co się zdarzyło. — Jestem wystarczająco dorosła, żeby decydować o sobie. Nie dociera to do ciebie? Gdy odszedłeś, straciłeś prawo do mówienia mi, co mam robić. I bądź łaskaw mnie posłuchać!

Ojciec nagle przestał grać.

— Nie podobają mi się te twoje gierki! — zawołała.

Wydawał się zdezorientowany.

— Jakie gierki?

— Te! To, że bez przerwy w mojej obecności bębnisz na fortepianie! Nie obchodzi mnie, że chcesz, abym grała! Nigdy już nie zagram na fortepianie! A zwłaszcza dla ciebie.

— Dobrze.

Czekała na dalszy ciąg, ale nic więcej nie padło.

— To wszystko? — zapytała. — To wszystko, co masz mi do powiedzenia?

Ojciec jakby zastanawiał się nad odpowiedzią.

— Masz ochotę na śniadanie? Usmażyłem bekon.

— Bekon? — zapytała ostro. — Usmażyłeś bekon?

— Auć — rzucił Jonah.

Ojciec zerknął na niego.

— Ona jest wegetarianką, tato — wyjaśnił.

— Naprawdę? — Ojciec był wyraźnie zdziwiony.

Jonah odpowiedział za nią:

— Od trzech lat. Ale ponieważ czasami jej odbija, wszystko to do siebie pasuje.

Ronnie patrzyła na nich ze zdumieniem, zastanawiając się, o czym właściwie rozmawiają. Przecież nie chodziło o bekon, tylko o to, co stało się zeszłego wieczoru.

— Coś ci powiem — wróciła do tematu. — Jeśli jeszcze raz wyślesz policję, żeby sprowadziła mnie do domu, nie tylko odmówię gry na fortepianie. Po prostu nie wrócę tu. Nigdy, nigdy już nie odezwę się do ciebie. Jeśli nie wierzysz, przekonaj się. Przez trzy lata obywałam się bez rozmów z tobą i przyszło mi to bez najmniejszego trudu.

Po tych słowach wróciła do swojego pokoju. Szybko wzięła prysznic, ubrała się i dwadzieścia minut później zniknęła za drzwiami.

*

Brnąc przez piach, myślała przede wszystkim o tym, że powinna była włożyć szorty.

Robiło się naprawdę gorąco, a w powietrzu panowała jeszcze wilgoć. Na plaży ludzie leżeli już na ręcznikach albo pluskali się przy brzegu w wodzie. W pobliżu molo zobaczyła kilku surferów, którzy unosili się na deskach i czekali na odpowiednią falę.

Za nimi, na molo, nie było już lunaparku. Karuzele zostały

rozebrane, budki odjechały, a na placu poniewierały się tylko śmieci i resztki jedzenia. Poszła dalej i zawędrowała do małej dzielnicy handlowej w miasteczku. Sklepy były jeszcze zamknięte, ale w większości z nich i tak nie postawiłaby stopy — butiki ze sprzętem do plażowania, kilka z ciuchami: spódnicami i bluzkami odpowiednimi raczej dla jej mamy, do tego Burger King i McDonald, dwa fast foody, do których nie chodziła z zasady. A także hotel, kilka ekskluzywnych restauracji i barów, i to było mniej więcej wszystko. W sumie jedyne ciekawe miejsca stanowiły sklep ze sprzętem do surfingu, sklep muzyczny i oldskulowa knajpka, gdzie mogłaby posiedzieć ze znajomymi... jeśli w ogóle uda jej się nawiązać tu jakieś znajomości.

Zawróciła w stronę plaży i ruszyła wzdłuż wydm, zauważając, że ludzi przybyło. Był piękny dzień z lekką bryzą; bezchmurne niebo miało głęboką barwę błękitu. Gdyby była tu Kayla, może rozłożyłyby się na słońcu, ale Kayla została w Nowym Jorku, a Ronnie nie zamierzała przebrać się w kostium kąpielowy i siedzieć na plaży sama. Ale co innego można było tu robić?

A gdyby rozejrzała się za pracą? To dałoby jej pretekst, żeby znikać z domu na większość dnia. Wprawdzie nie widziała w centrum ogłoszeń „Przyjmę pracownika", ale przecież ludzie do roboty byli potrzebni.

— Dotarłaś do domu bezpiecznie? Czy ten gliniarz przystawiał się do ciebie?

Obejrzawszy się, Ronnie zobaczyła, że Blaze patrzy na nią z wydmy, mrużąc oczy. Pogrążona w myślach, nawet jej nie zauważyła.

— Nie, nie przystawiał się do mnie.

— Więc może ty przystawiałaś się do niego?

Ronnie splotła ręce przed sobą.

— Skończyłaś?

Blaze wzruszyła ramionami z łobuzerską miną i Ronnie się uśmiechnęła.

— Coś się działo, gdy odeszłam? Coś ciekawego?

— Nie. Faceci się zabrali, ale nie wiem, dokąd poszli. Zostałam przy Bower's Point i umierałam z nudów.

— Nie wróciłaś do domu?

— Nie. — Wstała i otrzepała dżinsy z piasku. — Masz jakąś forsę?

— Dlaczego pytasz?

Blaze się wyprostowała.

— Bo od wczoraj rano nic nie jadłam. Trochę jestem głodna.

7

Will

Ubrany w kombinezon stał w kanale pod fordem explorerem i patrzył na wyciekający olej; robił wszystko, byle tylko nie słuchać Scotta, choć nie było to takie łatwe, jak mogło się wydawać. Od czasu gdy przyjechali rano do pracy, Scott prawił mu kazanie na temat tego, co wydarzyło się poprzedniego wieczoru.

— Widzisz, źle do tego podszedłeś — ciągnął, próbując z innej strony. Wziął trzy puszki oleju i postawił je na półce obok siebie. — Bo jest różnica między powrotem do kogoś a zejściem się na chwilę.

— Nie skończyliśmy z tym jeszcze?

— Skończylibyśmy, gdybyś miał trochę rozumu. Moim zdaniem coś ci się poplątało. Ashley wcale nie chce, żebyś do niej wrócił.

— Nic mi się nie poplątało — odparł stanowczo Will. Wytarł ręce w ręcznik. — O to właśnie jej chodziło.

— Cassie mówiła mi co innego.

Will odłożył ręcznik i sięgnął po butelkę wody. Warsztat specjalizował się w naprawie hamulców, wymianie oleju, regulacjach, osiowaniu kół i tak dalej, i ojciec zawsze wymagał, żeby panowała tu nieskazitelna czystość, żeby wszystko wyglądało jak na początku, zaraz po otwarciu biznesu. Niestety, klimatyzacja nie była już dla niego taka ważna, więc latem panowała tu temperatura jak na pustyni Mojave albo na Saharze. Will pociągnął duży łyk i wykończył butelkę. Nie próbował już przekonywać Scotta. Scott był największym uparciuchem, jakiego znał. Facet czasami naprawdę doprowadzał go do szału.

— Nie znasz Ashley tak jak ja. — Westchnął. — Zresztą sprawa jest zamknięta. Nie wiem, dlaczego wciąż o tym gadasz.

— Poza tym, że zeszłego wieczoru Harry wcale nie spotkał Sally? Bo jestem twoim kumplem i mam na względzie twoje dobro. Chcę, żebyś się zabawił tego lata. Sam chcę się zabawić. Chcę się zabawić z Cassie.

— No to już.

— Gdyby to było takie łatwe! Zaproponowałem jej to wczoraj. Ale Ashley była zdołowana i Cassie nie chciała jej zostawić.

— Naprawdę mi przykro, że nic z tego nie wyszło.

Scott miał wątpliwości.

— Uhm, już to widzę.

Cały olej wyciekł. Will wziął puszki i ruszył po schodkach na górę, podczas gdy Scott został na dole, żeby zakręcić korek i wlać zużyty olej do beczki recyklingowej. Will otworzył jedną z puszek i wyciągnął lejek, a potem zerknął na Scotta.

— Hej, a tak przy okazji, widziałeś tę dziewczynę, która przerwała rozróbę? — zapytał. — Tę, która pomogła odnaleźć małemu matkę?

Chwilę trwało, zanim do Scotta dotarło to pytanie.

— Masz na myśli tę wampirzycę w koszulce z kreskówki?

— To nie wampirzyca.

— Uhm, już ją widziałem. Niska, ohydne purpurowe pasma we włosach, pomalowane na czarno paznokcie? Wylałeś na nią lemoniadę, pamiętasz? Chyba uznała, że śmierdzisz.

— Co?

— Tak tylko mówię. — Wyciągnął rękę po panewkę. — Nie widziałeś jej miny, kiedy na nią wpadłeś? Bo ja widziałem. Już szybciej nie mogła zwiać. Dlatego pomyślałem, że nieźle od ciebie zalatuje.

— Musiała kupić nową koszulkę.

— No i co z tego?

Will wziął następną puszkę.

— Nie wiem. Zaskoczyła mnie. A wcześniej jej tu nie widziałem.

— Powtarzam: no i co z tego?

Chodzi o to, że Will sam nie bardzo rozumiał, dlaczego myśli o tej dziewczynie. Szczególnie że tak mało o niej wiedział. Owszem, była ładna — od razu zauważył mimo tych purpurowych pasemek i czarnego tuszu do rzęs — ale na plaży nie brakowało ładnych dziewczyn. Nieistotne było też to, że wmieszała się w bójkę. Zaintrygowało go jej zachowanie wobec tamtego chłopca, który upadł. Dostrzegł zaskakującą wrażliwość pod powierzchownością buntowniczki i to obudziło jego ciekawość.

Zupełnie nie przypominała Ashley. Nie żeby Ashley była złym człowiekiem, bo nie była. Ale wydawała się płytka, nawet jeśli Scott nie chciał w to wierzyć. W świecie Ashley wszystko miało etykietki: modne albo niemodne, drogie albo tanie, ładne albo brzydkie. I w końcu zmęczyły go te jej powierzchowne oceny, niedostrzeganie i niedocenianie tego, co znajdowało się pomiędzy...

Natomiast ta dziewczyna z purpurowymi pasemkami we włosach...

Wiedział intuicyjnie, że jest inna. Oczywiście nie miał absolutnej pewności, ale gotów był się założyć. Na pewno nie przyklejała innym etykietek, bo sama wymykała się ocenie, co wydało mu się odświeżające i atrakcyjne, szczególnie w porównaniu z dziewczynami z Laney, tymi, które znał. A zwłaszcza z Ashley.

Chociaż w garażu było co robić, zbyt często wracał myślami do tej nieznajomej.

Nie cały czas. Ale wystarczająco często, aby uświadomić sobie, że ma ochotę poznać ją lepiej. Ciekaw był, czy jeszcze się zobaczą.

8

Ronnie

Blaze zaprowadziła ją do knajpki, którą Ronnie widziała podczas spaceru po dzielnicy handlowej. Trzeba przyznać, że to miejsce miało pewien urok, zwłaszcza jeśli lubiło się lata pięćdziesiąte. Były tam tradycyjny bar ze stołkami, podłoga w czarno-białe płytki i obite popękanym już winylem boksy pod ścianami. Za barem widniało menu wypisane kredą na tablicy i Ronnie się zorientowała, że w ciągu ostatnich trzydziestu lat zmieniły się w nim tylko ceny.

Blaze zamówiła cheeseburgera, czekoladowego shake'a i frytki; Ronnie nie mogła się na nic zdecydować i w końcu poprosiła tylko o dietetyczną colę. Była głodna, ale nie wiedziała, na jakim oleju smażą tu frytki, i zdaje się, że nikt tego nie wiedział. Jako wegetarianka nie miała łatwego życia i czasami zastanawiała się, czy z tym nie skończyć.

Zwłaszcza gdy burczało jej w brzuchu. Tak jak teraz.

Zdecydowała jednak, że nie będzie nic tu jeść. Nie mogła, ale nie dlatego, że była wegetarianką ze względów ideologicznych; po prostu wegetariańskie jedzenie bardziej jej służyło. Nie dbała o to, co jedzą inni; tylko za każdym razem, gdy myślała o tym, skąd bierze się mięso, miała przed oczami krowę na łące albo świnkę Babe i czuła, że robi jej się niedobrze.

Blaze natomiast wydawała się zadowolona. Po złożeniu zamówienia opadła na oparcie boksu.

— Co myślisz o tym miejscu? — zapytała.

— Przyzwoite. Inne.

— Przychodzę tu od dziecka. Tata przyprowadzał mnie co niedziela po kościele na czekoladowego shake'a. Jest pyszny. Lody sprowadzają z jakiejś dziury w Georgii, ale są niesamowite. Powinnaś spróbować.

— Nie jestem głodna.

— Kłamiesz — powiedziała Blaze. — Słyszę, że burczy ci w brzuchu. Twoja strata. Ale dzięki za to.

— Nie ma sprawy.

Blaze się uśmiechnęła.

— Co to było wczoraj wieczorem? Jesteś... sławna czy co?

— Dlaczego pytasz?

— Przez tego gliniarza, od razu cię wyłuskał. Musiał mieć powód.

Ronnie się skrzywiła.

— Chyba mój ojciec poprosił go, żeby mnie odnalazł, bo facet wiedział, gdzie mieszkam.

— No to masz przerąbane.

Kiedy Ronnie się zaśmiała, Blaze wzięła do ręki solniczkę. Otworzyła ją i wysypała sól na stół, palcem usypując kopczyk.

— Co sądzisz o Marcusie? — zapytała.

— Prawie z nim nie rozmawiałam. A co?

Odniosła wrażenie, że Blaze starannie dobiera słowa.

— Marcus nigdy za mną nie przepadał — wyjaśniła. — To znaczy, gdy dorastałam. Nie mogę powiedzieć, żebym ja za nim szczególnie przepadała. Zawsze był... podły, no wiesz.

Ale kilka lat temu to się zmieniło. I gdy naprawdę kogoś potrzebowałam, był przy mnie.

Ronnie patrzyła, jak rośnie kopczyk soli.

— I?

— Po prostu chciałam, żebyś wiedziała.

— W porządku. Jak sobie życzysz.

— Ty też.

— O czym ty mówisz?

Blaze zdrapała kawałek czarnego lakieru z paznokci.

— Kiedyś trenowałam gimnastykę i przez cztery czy pięć lat było to dla mnie najważniejsze w życiu. Ale rzuciłam to z powodu trenera. Był z niego naprawdę okropny dupek, zawsze krzyczał na mnie, gdy coś robiłam źle, a nigdy nie chwalił, gdy robiłam dobrze. W każdym razie któregoś dnia wykonywałam nowy skok z równoważni, a on podszedł i zaczął z wrzaskiem mnie instruować, jak powinnam zeskoczyć, stanąć w bezruchu i tak dalej, jak miliony razy wcześniej. Byłam już zmęczona słuchaniem tego, rozumiesz? Więc powiedziałam: „Jak sobie życzysz", a wtedy on chwycił mnie za ramię tak mocno, że zrobiły mi się siniaki. I mówi do mnie: „Wiesz, co znaczy takie »jak sobie życzysz«? To tak, jakbyś powiedziała słowo na »p« z »się« na końcu. A jesteś za młoda, żeby zwracać się tak do kogokolwiek". — Blaze znowu odchyliła się na oparcie. — Więc teraz, gdy ktoś tak mówi do mnie, odpowiadam po prostu: „Ty też".

W tym momencie kelnerka przyniosła to, co zamówiły, i postawiła przed nimi zamaszystym gestem. Po jej odejściu Ronnie wzięła kubek z colą.

— Dzięki za pouczającą historyjkę.

— Do usług.

Ronnie zaśmiała się ponownie, bo podobało jej się poczucie humoru Blaze.

Dziewczyna pochyliła się nad stołem.

— No to powiedz, jaką najgorszą rzecz zrobiłaś w życiu?

— Słucham?

— Poważnie. Zawsze zadaję ludziom to pytanie. To mnie ciekawi.

— A co ty zrobiłaś w życiu najgorszego? — odparowała Ronnie.

— Mogę powiedzieć. Kiedy byłam mała, mieliśmy sąsiadkę... panią Banderson. Nie była najsympatyczniejsza, ale nie była też wredna. To znaczy, w Halloween nie zamykała nam drzwi przed nosem ani nic takiego. Bardzo lubiła swój ogródek. I trawnik. Gdy w drodze do szkoły przechodziliśmy przez niego, wybiegała z domu i krzyczała, że depczemy trawę. Nieważne. Którejś wiosny zasadziła w ogrodzie kwiaty. Całe setki kwiatów. Wyglądało to super. A po drugiej stronie ulicy mieszkał chłopak, miał na imię Billy, który też nie przepadał za panią Banderson, bo kiedyś rzucił piłką do baseballa na jej podwórko i nie chciała mu jej oddać. Więc pewnego dnia wkradliśmy się do jej komórki w ogrodzie i znaleźliśmy pojemnik z jakimś preparatem. Środek na chwasty? Hm, więc oboje wymknęliśmy się w nocy z domu i spryskaliśmy tym środkiem wszystkie jej kwiaty. Nie pytaj, dlaczego to zrobiliśmy. Chyba wtedy wydawało nam się, że będzie śmiesznie. To nie było nic strasznego. Po prostu kupiłaby nowe, no nie? Na początku nic nie było widać, oczywiście. Musiało minąć kilka dni, żeby środek zadziałał. Pani Banderson codziennie pracowała w ogródku, podlewała rośliny, pieliła chwasty, aż wreszcie zauważyła, że kwiaty po kolei zaczynają więdnąć. Początkowo Billy i ja śmialiśmy się z tego, ale potem zauważyliśmy, że wychodzi rano do ogródka i zastanawia się, co jest nie tak. Gdy wracałam ze szkoły, wciąż tam siedziała. A pod koniec tygodnia wszystkie kwiaty padły zupełnie.

— To okropne! — zawołała Ronnie, chichocząc mimo woli.

— Wiem. I wciąż czynię sobie wyrzuty. To jedna z tych rzeczy, które chciałabym wymazać.

— Powiedziałaś jej kiedykolwiek? Albo zaproponowałaś, że odkupisz kwiaty?

— Rodzice by mnie zabili. Ale nigdy, już nigdy nie przeszłam przez jej trawnik.

— O rany.

— Mówiłam, że to była najgorsza rzecz, jaką zrobiłam. Teraz kolej na ciebie.

Ronnie zastanowiła się przez moment.

— Nie rozmawiałam z tatą przez trzy lata.

— To już wiem. Nie ma w tym nic strasznego. Ja też staram się jak najmniej rozmawiać z ojcem. A mama przez większość czasu nie ma pojęcia, gdzie się podziewam.

Ronnie umknęła wzrokiem. Nad szafą grającą wisiał plakat przedstawiający grupę Bill Haley and His Comets.

— Kiedyś kradłam w sklepach — wyznała z niechęcią. — Całkiem często. Cokolwiek. Bardziej dla wrażeń.

— Kiedyś?

— Już tego nie robię. Złapali mnie. Właściwie nawet wpadłam dwa razy, za drugim razem to był przypadek. Miałam sprawę w sądzie, ale na razie jestem tylko pod nadzorem. To znaczy, że jeśli nie narozrabiam, usuną to z moich akt.

Blaze opuściła cheeseburgera.

— To wszystko? To ma być najgorsza rzecz, jaką zrobiłaś?

— Nie wykończyłam cudzych kwiatów, jeśli o to ci chodzi. Ani niczego nie zdewastowałam.

— Nigdy nie wetknęłaś bratu głowy do kibla? Nie rozbiłaś samochodu? Nie ogoliłaś kota ani nic takiego?

Ronnie uśmiechnęła się blado.

— Nie.

— Jesteś chyba najnudniejszą nastolatką na świecie.

Ronnie parsknęła śmiechem, a potem pociągnęła łyk coli.

— Mogę ci zadać pytanie?

— Wal.

— Dlaczego nie wróciłaś do domu zeszłej nocy?

Blaze wzięła szczyptę soli z kopczyka, który usypała, i posoliła frytki.

— Nie miałam ochoty.

— A co z twoją mamą? Nie wściekła się?

— Pewnie tak — odparła Blaze.

Drzwi do baru się otworzyły. Zerknąwszy przez ramię, Ronnie zobaczyła Marcusa, Teddy'ego i Lance'a, którzy szli w ich stronę. Marcus był w T-shircie z trupią czaszką i przez szlufki dżinsów miał przeciągnięty łańcuch.

Blaze odsunęła się na bok, ale, o dziwo, to Teddy zajął miejsce przy niej, podczas gdy Marcus wcisnął się obok Ronnie, a Lance wziął sobie krzesło stojące przy sąsiednim stoliku i obrócił je, zanim usiadł. Marcus przysunął sobie talerz Blaze. Teddy i Lance automatycznie sięgnęli po frytki.

— To jedzenie Blaze! — zawołała Ronnie, próbując ich powstrzymać. — Kupcie sobie własne.

Marcus zwrócił się do niej.

— Co ty powiesz.

— W porządku — rzuciła Blaze i pchnęła ku niemu talerz. — Naprawdę. I tak nie zjadłabym wszystkiego.

Marcus wziął keczup gestem triumfatora.

— O czym rozmawiałyście? Zza okna wyglądało, że o czymś poważnym.

— O niczym — odparła Blaze.

— Niech zgadnę. Opowiadała ci o seksownym facecie swojej mamusi i ich numerach na trapezie późną nocą, co?

Blaze poruszyła się nerwowo.

— Nie bądź chamski.

Marcus posłał Ronnie szczere spojrzenie.

— Nie opowiadała ci, jak którejś nocy jeden z fagasów mamusi zapuścił się do jej pokoju? „Masz piętnaście minut, żeby się stąd wynieść!".

— Przymknij się, co? To nie jest śmieszne. Wcale o tym nie rozmawiałyśmy.

— Jak sobie życzysz — odparł, uśmiechając się krzywo.

Blaze wzięła shake'a, podczas gdy Marcus wgryzł się w jej cheeseburgera. Teddy i Lance zajadali się frytkami i w ciągu kilku minut wszyscy trzej pochłonęli większość tego, co znajdowało się na talerzu. Ku oburzeniu Ronnie Blaze nic nie powiedziała na ten temat; to ją zastanowiło.

Choć właściwie sprawa była jasna. Blaze nie chciała denerwować Marcusa i pewnie dlatego pozwalała mu robić, co chciał. Ronnie już nieraz spotykała się z czymś takim: Kayla, chociaż zgrywała twardą, zachowywała się tak samo wobec facetów. A ci przeważnie traktowali ją jak śmiecia.

Oczywiście nie powiedziałaby tego głośno. Miała świadomość, że tylko pogorszyłaby sprawę.

Blaze wypiła shake'a i odstawiła kubek na stół.

— To co, chłopaki, zamierzacie teraz robić?

— Spadamy — mruknął Teddy. — Nasz stary chce, żebyśmy dziś popracowali.

— Są braćmi — wyjaśniła Blaze.

Ronnie przyjrzała im się, ale nie dostrzegła podobieństwa.

— Naprawdę?

Marcus skończył cheeseburgera i odsunął talerz na środek stolika.

— Wiem. Trudno uwierzyć, żeby jedni rodzice mieli dwoje aż tak paskudnych dzieciaków, co? W każdym razie ich starzy prowadzą taki gówniany motel za mostem. Rury mają ze sto lat, więc Teddy przepycha kible, kiedy się zatkają.

Ronnie zmarszczyła nos, usiłując to sobie wyobrazić.

— Naprawdę?

Marcus pokiwał głową.

— Ohyda, nie? Ale nie martw się o Teddy'ego. Jest w tym świetny. Prawdziwa złota rączka. Nawet to lubi. A Lance... on pierze pościel, gdy już przewalą się popołudniowi goście.

— Tak? — Ronnie lekko się wzdrygnęła.

— No. Obrzydliwość — potwierdziła Blaze. — A powinnaś zobaczyć, kto zatrzymuje się tam na godziny. Można coś złapać już od samego wejścia do pokoju.

Ronnie nie bardzo wiedziała, co na to odpowiedzieć, więc zwróciła się do Marcusa.

— A ty co robisz? — zapytała.

— Co chcę — rzucił.

— To znaczy? — zaryzykowała Ronnie.

— Dlaczego cię to interesuje?

— Nie interesuje — odparła, starając się, żeby zabrzmiało to spokojnie. — Tylko pytam.

Teddy wziął ostatnie frytki z talerza Blaze.

— To znaczy, że siedzi w motelu razem z nami. W swoim pokoju — rzekł.

— Masz tam pokój? — zdziwiła się.

— Mieszkam tam — wyjaśnił Marcus.

Oczywiste pytanie brzmiało „dlaczego?" i Ronnie czekała na dalsze wyjaśnienia, ale Marcus milczał. Przypuszczała, że chciał, aby sama spróbowała uzyskać tę informację od niego. Może za dużo się w tym dopatrywała, ale nagle pomyślała, że próbował wzbudzić jej zainteresowanie, zrobić na niej wrażenie. Tuż pod okiem Blaze.

Jej podejrzenia się potwierdziły, gdy sięgnął po papierosa. Zapalił go, wydmuchnął dym w kierunku Blaze i odwrócił się do Ronnie.

— Co robisz wieczorem? — zapytał.

Poruszyła się niespokojnie nagle skrępowana. Wyglądało na to, że wszyscy czekają na jej odpowiedź, włącznie z Blaze.

— Dlaczego pytasz?

— Mamy spotkanko przy Bower's Point. Nie tylko my. Będzie kupa ludzi. Chcę, żebyś przyszła. Ale tym razem bez glin.

Blaze wbiła wzrok w blat i zaczęła grzebać w kopczyku soli. Ronnie nie odpowiedziała, a wtedy Marcus wstał od stołu i ruszył do drzwi, nie oglądając się.

9

Steve

— Hej, tato! — zawołał Jonah.

Stał za fortepianem w alkowie, gdy Steve stawiał na stół talerze ze spaghetti.

— Czy to ty jesteś na zdjęciu z babcią i dziadkiem?

— Tak, ja z rodzicami.

— Nie pamiętam tego zdjęcia. To znaczy z mieszkania.

— Bo przez długi czas stało w moim gabinecie w szkole.

— Aha. — Jonah nachylił się nad fotografią, żeby jej się lepiej przyjrzeć. — Jesteś chyba podobny do dziadka.

Steve nie wiedział, co ma o tym myśleć.

— Może trochę.

— Tęsknisz za nim?

— Był moim tatą. A jak ci się wydaje?

— Bo ja tęsknię za tobą.

Gdy Jonah podszedł do stołu, Steve uświadomił sobie, że był to przyjemny dzień, nawet jeśli niewiele się w nim działo. Przedpołudnie spędzili w warsztacie, gdzie Steve uczył syna ciąć szkło; zjedli kanapki na ganku, a późnym popołudniem poszli zbierać muszelki. Steve obiecał, że gdy tylko się ściemni, zabierze Jonah na spacer plażą, żeby przy świetle latarek poobserwować kraby długonogie wychodzące ze swoich kryjówek w piasku.

Jonah wysunął krzesło i usiadł na nim. Napił się mleka i na jego buzi zostały wąsy.

— Myślisz, że Ronnie wróci niedługo do domu? — zapytał.

— Mam nadzieję.

Chłopiec otarł usta wierzchem dłoni.

— Czasami szwenda się do późna.

— Wiem.

— Ten policjant znowu ją przyprowadzi?

Steve spojrzał za okno; zapadał zmierzch i morze stawało się ciemne. Zaczął się zastanawiać, gdzie Ronnie może być i co robi.

— Nie — odparł. — Dziś wieczorem nie.

*

Po spacerze plażą Jonah wziął prysznic i położył się do łóżka. Steve zaciągnął zasłony i pocałował go w policzek.

— Dzięki za wspaniały dzień — szepnął.

— Proszę bardzo.

— Dobranoc, Jonah. Kocham cię.

— Ja ciebie też, tato.

Steve wstał i ruszył do drzwi.

— Tato?

Odwrócił się.

— Tak?

— Czy twój tata zabierał cię nad morze, żeby szukać krabów?

— Nie — odparł Steve.

— Dlaczego nie? To było fantastyczne.

— Nie był tego rodzaju ojcem.

— A jakim?

Steve zastanawiał się przez chwilę.

— Skomplikowanym — powiedział w końcu.

*

Przy fortepianie Steve przypomniał sobie popołudnie sprzed sześciu lat, kiedy po raz pierwszy w życiu wziął swojego ojca za rękę. Powiedział mu, że wie, iż starał się go wychować najlepiej, jak mógł, że o nic nie ma do niego pretensji i — przede wszystkim — że go kocha.

Ojciec odwrócił się do niego. Oczy miał przytomne i mimo dużych dawek morfiny, które mu podawano, myślał jasno. Popatrzył na Steve'a długo, a potem cofnął rękę.

— Mówisz jak kobieta — podsumował.

Byli w półprywatnym pokoju na trzecim piętrze szpitala. Ojciec leżał tu od trzech dni. Do ramienia podłączono mu kroplówkę i nie jadł stałych pokarmów od ponad miesiąca. Miał zapadnięte policzki, skóra zrobiła się przezroczysta. Zbliżywszy się, Steve pomyślał, że oddech ojca zalatuje rozkładem; był to kolejny znak, że rak triumfuje.

Odwrócił się do okna. Na zewnątrz widać było tylko błękitne niebo, jasny, pogodny bąbel otaczający pokój. Żadnych ptaków, chmur, drzew. Za sobą słyszał miarowy sygnał kardiomonitora. Brzmiał wyraźnie i spokojnie, powtarzał się regularnie, jakby ojciec miał żyć jeszcze dwadzieścia lat. Ale to nie serce go zabijało.

— Jak on się ma? — zapytała Kim tego wieczoru, gdy rozmawiali przez telefon.

— Niedobrze — odparł. — Nie wiem, ile mu jeszcze zostało, ale...

Nie dokończył. Wyobrażał sobie Kim po drugiej stronie łącza, stojącą przy kuchni, mieszającą makaron albo krojącą pomidory ze słuchawką między uchem a ramieniem. Nie potrafiła usiedzieć w miejscu, gdy rozmawiała przez telefon.

— Czy przyszedł ktoś jeszcze?

— Nie. — Nie powiedział jej, że według pielęgniarek nikt poza nim ojca nie odwiedzał.

— Mogłeś z nim porozmawiać?

— Tak, ale niedługo. Przez większość dnia tracił świadomość.

— Powiedziałeś mu, co ci radziłam?

— Tak.

— I co on na to? — zapytała. — Że też cię kocha?

Steve wiedział, co chciała usłyszeć. Był w domu ojca, oglądał zdjęcia stojące na kominku: cała rodzina po chrzcie Steve'a, jego ślubna fotografia z Kim, Ronnie i Jonah jako małe dzieci. Ramki pokrył kurz, nikt ich nie dotykał od lat. To jego matka postawiła je tutaj, był tego pewny, i zastanawiał się, co ojciec myślał, gdy na nie patrzył, czy w ogóle je widział, czy zdawał sobie sprawę, że tam są.

— Tak — odrzekł w końcu. — Powiedział, że mnie kocha.

— Cieszę się. — W głosie Kim zabrzmiały ulga i zadowolenie, jakby jego odpowiedź potwierdziła jej wizję świata. — Wiem, jakie to było dla was ważne.

Steve wychował się w białym parterowym domu w stylu rancho w sąsiedztwie innych białych parterowych domów w stylu rancho, leżącym w pewnym oddaleniu od wybrzeża wyspy. Był to mały budynek z dwiema sypialniami, jedną łazienką i oddzielnym garażem, w którym ojciec trzymał narzędzia i w którym stale pachniało trocinami. Na podwórku ocienionym sękatym dębem o wiecznie zielonych liściach nie było wiele słońca, więc matka urządziła tam ogród warzywny. Uprawiała w nim pomidory i cebulę, rzepę i fasolę, kapustę i kukurydzę, tak że latem nie dało się z salonu zobaczyć drogi, która biegła przed domem. Czasami Steve słyszał ciche głosy sąsiadów, którzy skarżyli się, że obniża to wartość posesji, ale każdej wiosny ogród odżywał i nikt nigdy nie powiedział słowa ojcu na ten temat. Wszyscy wiedzieli tak samo jak on, że nic by to nie dało. Zresztą lubili jego żonę i mieli świadomość, że któregoś dnia będą potrzebowali jego usług.

Ojciec był z zawodu stolarzem, ale umiał zreperować wszystko. Steve widział, jak naprawiał radia, telewizory, samochody i silniki kosiarek, przeciekające rury, dziurawe rynny, a kiedyś nawet prasę hydrauliczną w małym zakładzie produkującym narzędzia w pobliżu granicy stanu. Miał tylko podstawowe wykształcenie, ale od dziecka znał się na mechanice i budownictwie. Kiedy w nocy dzwonił telefon, zawsze odbierał ojciec, bo zazwyczaj był do niego. Niewiele wtedy mówił, tylko słuchał opisu tej czy innej awarii, a potem starannie notował adres na skrawkach papieru oderwanych ze starej gazety. Odłożywszy słuchawkę, szedł do garażu, pakował narzędzia do skrzynki i wyjeżdżał, zwykle nie mówiąc, dokąd jedzie ani kiedy wróci do domu. Rankiem pod popiersiem Roberta E. Lee, które wyciął z wyrzuconego na brzeg drewna, tkwił starannie złożony czek, a gdy ojciec jadł śniadanie, matka masowała mu kark i obiecywała, że złoży pieniądze w banku. To był jedyny przejaw uczucia między nimi. Przeważnie się nie kłócili i unikali konfliktów. Steve'owi się wydawało, że lubią z sobą przebywać, a kiedyś zauważył, że gdy oglądali telewizję, trzymali się za ręce; ale w ciągu osiemnastu lat, które Steve przeżył w domu, nigdy nie widział, żeby rodzice się pocałowali.

Jeśli ojciec miał jakąś pasję w życiu, był nią poker. W te wieczory, gdy telefon nie dzwonił, wybierał się do siedziby którejś loży, żeby zagrać. Należał do tych lóż nie z powodu przekonań, tylko żeby mieć partnerów do gry. Zasiadał tam przy stole z innymi masonami, elkami, shrinerami czy weteranami i godzinami grał w teksańskiego klincza. Ta gra go fascynowała; uwielbiał kalkulować prawdopodobieństwo uzyskania strita po wymianie jednej karty albo decydować, czy uciec się do blefu, gdy miał tylko parę szóstek. Traktował pokera jak dziedzinę nauki, jakby szczęśliwy układ kart nie miał nic wspólnego z wygraną. „Cała tajemnica tkwi w tym, żeby umieć kłamać — mawiał — i żeby wiedzieć, kiedy ktoś okłamuje ciebie". Steve uznał w końcu, że ojciec musi umieć kłamać. Po pięćdziesiątce, gdy ręce miał już prawie niesprawne po ponad trzydziestu latach parania się stolarką, skończył z instalowaniem listew profilowych czy ościeżnic w szeregowych domkach nad oceanem, które zaczęły wyrastać na wyspie; przestał też wieczorami odbierać telefony. Jakimś cudem opłacał jednak rachunki, a pod koniec życia miał na koncie bankowym więcej, niż potrzebował na koszty leczenia, których nie pokrywało ubezpieczenie.

Nigdy nie grał w pokera w soboty ani niedziele. Soboty były zarezerwowane na prace domowe i choć ogród od frontu irytował sąsiadów, wnętrze domu prezentowało się wzorowo. Przez lata ojciec dodał listwy profilowe i boazerię; z dwóch kawałków drewna klonowego wyrzeźbił kroksztyn kominka. Wykonał szafki kuchenne i położył podłogę z klepek, prostą jak stół bilardowy. Odremontował łazienkę i po trzech latach przerobił ją znowu. W sobotnie wieczory wkładał marynarkę i krawat i zabierał żonę na kolację. Niedziele rezerwował dla siebie. Po kościele pracował w warsztacie, podczas gdy żona piekła placki albo robiła weki w kuchni.

Od poniedziałku wszystko zaczynało się od nowa.

Ojciec nie uczył syna grać w pokera. Steve był na tyle

bystry, że samodzielnie podłapał podstawy, i lubił myśleć, że potrafi wyczuć, gdy ktoś blefuje. Grał kilkakrotnie z kolegami w college'u i zorientował się, że jest w tym przeciętny, ani lepszy, ani gorszy od innych. Po ukończeniu studiów i przeprowadzce do Nowego Jorku rzadko odwiedzał rodziców. Gdy po dwóch latach przyjechał do nich po raz pierwszy i stanął w drzwiach, mama uścisnęła go mocno i ucałowała w policzek. Ojciec podał mu rękę i powiedział: „Matka tęskniła za tobą". Gdy zjedli szarlotkę i wypili kawę, ojciec wstał, wziął kurtkę i kluczyki od samochodu. Był wtorek, a to oznaczało, że jechał na spotkanie loży elków. Gra kończyła się o dziesiątej, tak że piętnaście minut później miał być z powrotem w domu.

— Nie jedź... nie jedź dzisiaj — poprosiła mama, jak zwykle z wyraźnym europejskim akcentem. — Steve dopiero co przyjechał.

Pierwszy raz słyszał, żeby matka prosiła ojca; jeśli ojciec był zdziwiony, nie okazał tego. Przystanął w drzwiach, a kiedy się odwrócił, z jego twarzy nie dało się nic wyczytać.

— Albo weź go z sobą — nalegała.

Zarzucił sobie kurtkę na ramię.

— Chcesz jechać ze mną?

— Jasne. — Steve zabębnił palcami po stole. — Czemu nie? Brzmi ciekawie.

Po chwili kąciki ust ojca uniosły się w nieznacznym, przelotnym uśmiechu. Steve wątpił, czy gdyby siedzieli przy stole do pokera, ojciec pokazałby aż tyle po sobie.

— Kłamiesz — rzekł.

*

Mama umarła nagle kilka lat po tym spotkaniu wskutek wylewu krwi do mózgu. Steve myślał w szpitalu o jej niezachwianej dobroci, gdy ojciec obudził się z cichym świstem w płucach. Odwrócił głowę i zobaczył Steve'a w kącie. W tej pozycji, z cieniami na twarzy o wyostrzonych rysach wyglądał jak szkielet.

— Jesteś tu jeszcze.

Steve odłożył nuty i przysunął się z krzesłem bliżej.

— Uhm, jeszcze jestem.

— Po co?

— Jak to „po co"? Ponieważ leżysz w szpitalu.

— Leżę w szpitalu, bo umieram. A umrę, czy będziesz tu, czy nie. Powinieneś wrócić do domu. Masz żonę i dzieci. Nic nie możesz dla mnie zrobić.

— Chcę z tobą być — odparł Steve. — Jesteś moim ojcem. Dlaczego tak mówisz? Wolisz, żeby mnie tu nie było?

— Może nie chcę, żebyś widział, jak umieram.

— Odejdę, jeśli sobie życzysz.

Ojciec wydał odgłos przypominający prychnięcie.

— Widzisz, na tym polega twój problem. Chcesz, żebym podjął decyzję za ciebie. Zawsze tak było.

— Może chcę pobyć z tobą?

— Naprawdę? Czy twoja żona tego chce?

— Ma to jakieś znaczenie?

Ojciec usiłował się uśmiechnąć, ale wyszedł z tego grymas.

— Nie wiem. A ma?

*

Z miejsca przy fortepianie Steve usłyszał, że przyjechał samochód. W oknach błysnęło światło reflektorów, które przesunęło się po ścianach, i przez moment pomyślał, że ktoś podwiózł Ronnie do domu. Ale światła zaraz zgasły, a Ronnie wciąż nie było.

Minęła północ. Zaczął się zastanawiać, czy powinien ją odszukać.

Przed kilkoma laty, zanim Ronnie przestała z nim rozmawiać, on i Kim poszli do poradni małżeńskiej w odnowionym budynku przy Gramercy Park. Steve pamiętał, że siedział obok Kim na kanapie naprzeciwko chudej, kościstej kobiety po trzydziestce, w szarych spodniach, która miała zwyczaj stykać z sobą czubki palców obu dłoni. Kiedy to robiła, zauważył, że nie miała obrączki.

Czuł się skrępowany; na pomysł, żeby zwrócić się do psychologa, wpadła Kim, zresztą przyszła tu już wcześniej sama. To była ich pierwsza wspólna wizyta i na wstępie Kim powiedziała, że Steve nie umie okazywać uczuć, ale nie z własnej winy. Żadne z jego rodziców nie należało do wylewnych, wyjaśniła. Nie wyrósł w rodzinie, w której dyskutowałoby się o problemach. Muzyka była dla niego ucieczką i tylko przy fortepianie wyrażał uczucia.

— To prawda? — zapytała pani psycholog.

— Moi rodzice byli dobrymi ludźmi — odparł.

— To nie jest odpowiedź na pytanie.

— Nie wiem, co mam powiedzieć.

Psycholożka westchnęła.

— Dobrze, to co pan powie na to? Wszyscy wiemy, co się stało i dlaczego są państwo tutaj. Kim chyba pragnie, aby powiedział jej pan, co pan czuje.

Steve zastanowił się nad tym. Miał ochotę odrzec, że cała ta gadanina o uczuciach nie ma sensu. Że uczucia się pojawiają i znikają, że się nad nimi nie panuje, dlatego nie ma powodu się nimi zamartwiać. Że ludzi należy oceniać po tym, co robią, bo w końcu określa ich właśnie postępowanie.

Jednakże nie powiedział tego wszystkiego. Splótł natomiast palce.

— Mam wyjawić, co czuję.

— Tak. Ale nie mnie.   Wskazała Kim.   Niech pan powie to żonie.

Zwrócił się do Kim, świadom jej wyczekiwania.

— Czułem...

Znajdował się w gabinecie z żoną i obcą kobietą, uczestniczył w rozmowie, która nie mogła do niczego doprowadzić, w każdym razie nie wyobrażał sobie tego. Minęła dziesiąta rano i wrócił do Nowego Jorku tylko na kilka dni. Objechał podczas trasy koncertowej dwadzieścia parę miast, podczas gdy Kim pracowała w firmie prawniczej na Wall Street.

— Czułem... — powtórzył.

*

Kiedy zegar wybił pierwszą, Steve wyszedł na tylny ganek. Ciemności nocy rozjaśniał purpurowy blask księżyca, tak że widać było plażę w obu kierunkach. Nie widział córki od szesnastu godzin i trochę się niepokoił, choć może nie martwił. Wierzył, że jest na tyle bystra i przezorna, żeby zadbać o siebie.

No dobra, może się martwił.

I mimowolnie zaczął się zastanawiać, czy nazajutrz Ronnie też zniknie. I czy tak będzie przez całe lato, dzień w dzień.

Czas spędzany z Jonah był jak odnalezienie cennego skarbu, z nią też chciał trochę pobyć. Odwrócił się i wszedł z powrotem do pokoju.

Zasiadłszy znowu przy fortepianie, poczuł to samo, o czym powiedział psycholożce z poradni małżeńskiej, wtedy gdy siedział u niej na kanapie.

Poczuł pustkę.

10

Ronnie

Początkowo przy Bower's Point zebrała się większa grupa, która później rozchodziła się stopniowo, aż pozostało tylko pięcioro stałych bywalców. Niektórzy z tamtej reszty byli w porządku, dwójka wydawała się nawet ciekawa, ale potem alkohol zrobił swoje i wszyscy, z wyjątkiem Ronnie, uważali, że są o wiele zabawniejsi, niż byli naprawdę. Po jakimś czasie stało się nudno i tak jak zwykle.

Ronnie stała samotnie na brzegu oceanu. Za nią przy ognisku kręcili się Teddy i Lance, którzy palili papierosy, pili i od czasu do czasu rzucali w siebie płonącymi piłkami, Blaze bełkotała i kleiła się do Marcusa. Było już późno. Nie według obyczajów nowojorskich — Ronnie nie wracała z klubów przed północą — ale biorąc pod uwagę, o której tego dnia wstała, miała za sobą długi dzień. Czuła zmęczenie.

Następnego dnia zamierzała sobie pospać. Po powrocie do domu zarzuci ręczniki albo koc na karnisz; do diabła, przybije je do ściany, jeśli będzie trzeba. Nie miała ochoty przez całe lato wstawać z kurami, nawet jeśli planowała od rana do wieczora leżeć z Blaze na plaży. To, że Blaze wyszła z tą propozycją, zaskoczyło ją, ale się ucieszyła. Poza tym co tu można było robić innego? Wcześniej, po wyjściu z baru, zrobiły rundkę po sklepach — łącznie ze sklepem muzycznym, ten był super — a potem poszły do Blaze, żeby obejrzeć *Klub winowajców*, bo jej mama była w pracy. Jasne, film pochodził z lat osiemdziesiątych, ale Ronnie miała do niego sentyment i oglądała go co najmniej dziesięć razy. Mimo że trącił myszką, wydawał jej się zadziwiająco prawdziwy. Bardziej prawdziwy, niż to, co działo się wieczorem — zwłaszcza gdy Blaze się upiła i ignorując Ronnie, coraz nachalniej wieszała się na Marcusie.

Ronnie ani nie polubiła Marcusa, ani mu nie ufała. Miała niezłą intuicję, jeśli chodzi o facetów, i czuła, że coś jest z nim nie tak. Kiedy z nią rozmawiał, w jego oczach jakby czegoś brakowało. Mówił sensownie — przynajmniej nie wracał do szalonych propozycji w stylu wyjazdu na Florydę, a swoją drogą, czy to nie było dziwaczne? — ale im dłużej z nim przebywała, tym bardziej budził jej lęk. Nie przepadała też za Teddym ani Lance'em, ale Marcus... miała przeczucie, że jego „normalne" zachowanie to gra, która pozwala mu manipulować ludźmi.

A Blaze...

Dziwnie się czuła u niej w domu, bo wydawał się całkiem zwyczajny. Stał w ślepej uliczce i miał jaskrawoniebieskie okiennice, na ganku wisiała amerykańska flaga. Ściany wewnątrz pomalowane były na wesołe kolory, na stole w jadalni stał wazon ze świeżymi kwiatami. Wszędzie panowała czystość, ale nie maniacka. W kuchni na stole leżało trochę pieniędzy i liścik do Blaze. Ronnie zauważyła, że dziewczyna wsunęła kilka banknotów do kieszeni i przeczytała kartkę, a potem wyjaśniła, że matka zawsze zostawia jej trochę forsy.

Dzięki temu jej mama nie martwiła się, gdy Blaze nie wracała do domu.

Dziwne.

Tak naprawdę miała ochotę porozmawiać z Blaze o Marcusie, ale wiedziała, że nie odniosłoby to efektu. Przekonała się o tym na przykładzie Kayli — Kayla stale się wszystkiego wypierała. Marcus był nieciekawym typem i Blaze zrobiłaby lepiej, gdyby trzymała się od niego z daleka. Ronnie nie mogła zrozumieć, dlaczego dziewczyna tego nie widzi. Może nazajutrz pogadają o tym na plaży, pomyślała.

— Nudzisz się z nami?

Odwróciwszy się, zobaczyła, że stoi za nią Marcus. Trzymał płonącą piłkę, przetaczał ją po wierzchu dłoni.

— Po prostu miałam ochotę zejść nad wodę.

— Przynieść ci piwo?

Z jego tonu zorientowała się, że znał odpowiedź.

— Nie piję.

— Dlaczego?

Bo po alkoholu ludzie zachowują się idiotycznie — miała na końcu języka. Ale wiedziała, że każde wyjaśnienie tylko przedłuży rozmowę.

— Bo nie. I już.

— Nie wystarczy powiedzieć „nie, dziękuję"? — rzucił szyderczo.

— Jeśli tak wolisz.

W ciemnościach przywołał na twarz cień uśmiechu, ale jego oczy pozostały mroczne.

— Uważasz się za kogoś lepszego od nas?

— Nie.

— No to chodź. — Wskazał ognisko. — Usiądź z nami.

— Dobrze mi tutaj.

Obejrzał się przez ramię. Ronnie zauważyła, że Blaze

grzebie w przenośnej lodówce, żeby wyjąć kolejną puszkę piwa, a była to ostatnia rzecz, jakiej potrzebowała. I bez tego chwiała się na nogach.

Marcus nagle zbliżył się do Ronnie. Objął ją w pasie i przyciągnął do siebie.

— Przejdźmy się po plaży — zaproponował.

— Nie — syknęła. — Nie jestem w nastroju. I zabierz ręce.

Nie zrobił tego. Widziała, że dobrze się bawił.

— Martwisz się o to, co pomyśli Blaze?

— Po prostu nie mam ochoty, rozumiesz?

— Jej to nie będzie przeszkadzać.

Cofnęła się, zwiększając dystans między nimi.

— Ale mnie przeszkadza. I muszę już iść.

Wciąż jej się przyglądał.

— Dobra, idź. — A potem, po chwili, powiedział głośno, żeby inni słyszeli: — Nie, zostanę tutaj. Ale dzięki za propozycję.

Była tak zaskoczona, że w żaden sposób się do tego nie odniosła. Odeszła plażą, wiedząc, że Blaze patrzy za nią, i nagle pożałowała, że nie może oddalić się szybciej.

*

Ojciec w domu grał na fortepianie i gdy weszła, spojrzał na zegar. Po tym, co się właśnie wydarzyło, nie miała chęci z nim rozmawiać, więc bez słowa ruszyła w głąb holu. Musiał jednak dostrzec coś w jej twarzy, bo zawołał:

— Wszystko w porządku?!

Zawahała się.

— Tak, w porządku — odparła.

— Na pewno?

— Nie chcę o tym rozmawiać.

Przyjrzał jej się, zanim odpowiedział krótko:

— Dobrze.

— Coś jeszcze?

— Jest prawie druga w nocy — zauważył.

— No i?

Pochylił się nad klawiaturą.

— W lodówce znajdziesz trochę spaghetti, jeśli jesteś głodna.

Musiała przyznać, że zaskoczył ją tym. Żadnych kazań, gróźb, narzucania zasad. Zupełnie inaczej, niż zachowałaby się mama. Pokręciła tylko głową i poszła do sypialni, zastanawiając się, czy wszystko jest tutaj takie nienormalne.

*

Zapomniała powiesić w oknach koce i słońce wpadło do pokoju, tak że obudziła się po niespełna sześciu godzinach snu.

Z jękiem przetoczyła się po łóżku i nakryła głowę poduszką, gdy przypomniała sobie, co się stało na plaży poprzedniego wieczoru.

Marcus zdecydowanie budził w niej strach.

Pomyślała przede wszystkim, że powinna była powiedzieć coś wczoraj, gdy rzucił tę uwagę. Coś w rodzaju: „O czym ty, do diabła, mówisz?" albo: „Jeśli ci się wydaje, że pójdę z tobą dokądś, to chyba zwariowałeś!". Ale nie zrobiła tego i przypuszczała, że odejście tak po prostu bez słowa było błędem.

Naprawdę, naprawdę musiała pogadać z Blaze.

Z westchnieniem zwlokła się z łóżka i poszła do łazienki. Szybko wzięła prysznic, włożyła pod ubranie kostium kąpielowy, a potem spakowała ręcznik i krem do torby na zakupy. Gdy była już gotowa do wyjścia, usłyszała, że ojciec gra. Znowu. Nawet w Nowym Jorku nie spędzał tyle czasu przy fortepianie. Skupiwszy się na muzyce, uświadomiła sobie, że grał jeden z utworów, które zaprezentowała w Carnegie Hall, ten sam, który mama odtwarzała z CD w samochodzie.

Jeszcze i to, jakby mało miała problemów!

Musiała odnaleźć Blaze i wyjaśnić jej, jak naprawdę było. Oczywiście taka rozmowa bez oskarżenia Marcusa o kłamstwo mogła stanowić problem. Blaze na pewno wolała wierzyć Marcusowi, a kto wie co ten facet potem jej nagadał. Ale trzeba będzie jakoś sobie z tym poradzić; może pobyt na słońcu wszystko złagodzi i uda jej się poruszyć ten temat w sposób naturalny.

Wyszła z łazienki i ruszyła przez hol. Utwór dobiegający z salonu się skończył, a potem rozległ się następny, też z tych, które grała w Carnegie Hall.

Przystanęła, żeby poprawić torbę na ramieniu. Oczywiście musiał to zrobić. Na pewno usłyszał, że poszła pod prysznic, że już nie śpi. Próbował ją podejść.

Cóż, nie dzisiaj, tato. Sorry, ale miała sprawy do załatwienia. Nie była w nastroju.

Chciała pospiesznie podejść do drzwi, gdy z kuchni wyłonił się Jonah.

— Czy nie mówiłem, że masz wziąć sobie coś zdrowego? — usłyszała pytanie ojca.

— I wziąłem. Batona.

— Myślałem raczej o płatkach śniadaniowych.

— W batonie też jest cukier. — Jonah przybrał poważną minę. — Potrzebuję energii, tato.

Ruszyła szybko przez pokój, licząc, że dotrze do drzwi, zanim ojciec zdąży coś powiedzieć pod jej adresem.

Jonah uśmiechnął się szeroko.

— O, cześć, Ronnie! — zawołał.

— Cześć, Jonah. Na razie. — Położyła rękę na klamce u drzwi.

— Kochanie? — usłyszała głos ojca. Przestał grać. — Możemy porozmawiać o wczorajszym wieczorze?

— Naprawdę nie mam teraz czasu — próbowała się wykręcić, podsuwając wyżej torbę na ramieniu.

— Chcę tylko wiedzieć, gdzie bywasz przez całe dnie.

— Nigdzie. To nic ważnego.

— Owszem, tak.

— Nie, tato — powtórzyła stanowczo. — Naprawdę nie. I mam sprawy do załatwienia, rozumiesz?

Jonah podszedł do drzwi z batonem.

— Jakie sprawy? Dokąd idziesz?

Właśnie tego chciała uniknąć.

— Nie twój interes.

— Jak długo cię nie będzie?

— Nie wiem.

— Wrócisz na lunch albo na kolację?

— Nie wiem — burknęła. — Wychodzę.

Tata znowu zaczął grać na fortepianie. Jej trzeci utwór z Carnegie Hall. Mógł równie dobrze nastawić płytę mamy.

— Będziemy później puszczać latawce. To znaczy tata i ja.

Zachowała się tak, jakby go nie usłyszała. Odwróciła się natomiast do ojca.

— Możesz z tym skończyć? — rzuciła ostro.

Przestał grać.

— Z czym?

— Z tą muzyką, którą grasz! Myślisz, że nie poznaję tych kawałków? Wiem, co knujesz, ale już ci mówiłam, że nie zamierzam wrócić do fortepianu.

— Wiem — odparł spokojnie.

— To dlaczego próbujesz mnie odwieść od tego postanowienia? Dlaczego zawsze, gdy cię widzę, siedzisz tu i bębnisz w klawisze?

Wydawał się naprawdę zdziwiony.

— To nie ma nic wspólnego z tobą — wyjaśnił. — Po prostu... to lubię.

— A ja nie lubię. Nie rozumiesz? Nienawidzę fortepianu. Niedobrze mi się robi na myśl, że musiałam grać na nim codziennie! Niedobrze mi się robi, gdy znowu go widzę!

Zanim ojciec zdążył cokolwiek powiedzieć, obróciła się, wyrwała bratu batona i wybiegła za drzwi.

Dopiero po kilku godzinach odnalazła Blaze — w tym samym sklepie muzycznym, w którym były poprzedniego dnia, kilka przecznic od molo. Ronnie nie wiedziała, czego się spodziewać, kiedy weszły tu po raz pierwszy — w epoce iPodów i ściągania muzy z internetu takie miejsce wydawało się nie z tej epoki — ale Blaze zapewniła ją, że będzie warto, i miała rację.

Oprócz cedeków były tu stare płyty winylowe — całe tysiące, niektóre prawdopodobnie wartości kolekcjonerskiej, w tym dziewiczy egzemplarz *Abbey Road* i mnóstwo wiszących na ścianach starych czterdziestekpiątek z autografami takich sław, jak Elvis Presley, Bob Marley czy Ritchie Valens. Nie mogła się nadziwić, że nie są zamknięte w gablotach. Musiały być cenne. Facet, który prowadził sklep, wyglądał jak żywcem przeniesiony z lat sześćdziesiątych i sprawiał wrażenie znającego wszystkich. Miał długie siwe włosy spięte w kucyk, który sięgał mu do pasa, i lennonki. Nosił sandały i hawajską koszulę, i choć mógłby być dziadkiem Ronnie, wiedział o muzyce więcej niż którakolwiek ze znanych jej osób, był na bieżąco z ostatnimi undergroundowymi hitami, których nie słyszała nawet w Nowym Jorku. Wzdłuż ściany wisiały słuchawki, żeby klienci mogli przesłuchiwać płyty, winylowe i cedeki, albo przegrywać muzykę na iPody. Zaj-

111

rzawszy do środka przez szybę, zobaczyła Blaze, która jedną ręką przytrzymywała słuchawkę przy uchu, a drugą wystukiwała na stoliku rytm utworu, którego słuchała.

Nic nie wskazywało, żeby zamierzała spędzić dzień na plaży.

Ronnie zaczerpnęła głęboko powietrza i weszła do sklepu. Chociaż uważała, że Blaze w ogóle nie powinna pić, trochę liczyła na to, że dziewczyna wczoraj się upiła i nie pamięta, co się stało. Albo wręcz przeciwnie: była na tyle trzeźwa, aby zdawać sobie sprawę, że Ronnie nie interesuje się Marcusem.

Gdy tylko ruszyła przejściem między półkami pełnymi cedeków, odniosła wrażenie, że Blaze spodziewa się jej. Ściszyła dźwięk w słuchawkach, choć nie zdjęła ich z uszu, i odwróciła się ku niej. Ronnie wciąż słyszała dobiegającą z nich muzykę, głośną i gniewną, której nie rozpoznała. Blaze zebrała leżące przed nią płyty.

— Myślałam, że jesteśmy przyjaciółkami — zaczęła.

— I jesteśmy — odparła Ronnie. — Wszędzie cię szukałam, bo nie chciałam, żebyś sobie coś pomyślała o tym, co stało się wczoraj.

Blaze spojrzała na nią lodowato.

— O tym, że zaproponowałaś Marcusowi spacer?

— To nie było tak — błagalnie powiedziała Ronnie. — Nic mu nie proponowałam. Nie wiem, w co pogrywa...

— On pogrywa? On? — Blaze ściągnęła z uszu słuchawki. — Widziałam, jak na niego patrzyłaś! Słyszałam, co powiedziałaś!

— Ale ja nic nie powiedziałam! Nie proponowałam mu żadnego spaceru...

— Próbowałaś go pocałować!

— O czym ty mówisz? Wcale nie próbowałam go pocałować...

112

Blaze zbliżyła się do niej o krok.

— Powiedział mi!

— Wobec tego kłamał! — wykrzyknęła Ronnie, nie dając za wygraną. — Z tym facetem jest coś bardzo nie tak.

— Nie... nie... nawet się nie waż...

— Okłamał cię. Nie pocałowałabym go. Wcale mi się nie podoba. Poszłam z wami tylko dlatego, że tobie na tym zależało.

Przez dłuższą chwilę Blaze się nie odzywała. Ronnie nie była pewna, czy zdołała ją przekonać.

— Wszystko jedno — rzuciła dziewczyna tonem, który nie pozostawiał wątpliwości co do jej intencji.

Minęła Ronnie, potrącając ją w drodze do wyjścia. Ronnie obejrzała się za nią. Nie mogła się zorientować, czy Blaze jest urażona, czy zagniewana. Uznała, że jedno i drugie. Zobaczyła przez okno, jak dziewczyna wypada za drzwi.

Tyle wyszło z jej wysiłków, żeby naprawić sytuację.

Nie bardzo wiedziała, co teraz zrobić. Nie chciała iść na plażę, ale też nie uśmiechał jej się powrót do domu. Nie miała samochodu i nikogo tu nie znała. Czyli... co? Wyglądało na to, że spędzi lato na ławce, karmiąc gołębie jak ci szurnięci z Central Parku. Może jeszcze zacznie nadawać im imiona...

Gdy znalazła się przy drzwiach, z zamyślenia wyrwał ją alarm, który nagle się włączył, i gdy zerknęła przez ramię, najpierw z ciekawości, a potem ze zdziwienia, uświadomiła sobie, co się dzieje. W sklepie było tylko jedno wyjście.

Chwilę później zobaczyła, że mężczyzna z kucykiem biegnie w jej stronę.

Nie próbowała uciekać, bo nie zrobiła nic złego; kiedy poprosił o jej torbę, nie widziała powodu, dla którego nie miałaby mu jej pokazać. Najwyraźniej zaszła jakaś pomyłka i dopiero gdy sprzedawca wyjął z torby dwa cedeki i kilka czterdziestekpiątek z autografami, dotarło do niej, że rzeczywiście Blaze czekała tu na nią. Znalezione przy Ronnie płyty CD to były te, które Blaze wzięła ze stolika; czterdziestkipiątki musiała wcześniej zdjąć ze ściany. Ze zdumieniem Ronnie zdała sobie sprawę, że dziewczyna to wszystko ukartowała.

Nagle zakręciło jej się w głowie i ledwie usłyszała, jak facet z kucykiem mówi, że policja już jedzie.

11

Steve

Po kupieniu potrzebnych materiałów, głównie kantówek i arkuszy sklejki, Steve i Jonah przez całe przedpołudnie zabudowywali alkowę. Ścianka nie wyglądała ładnie — jego ojciec wstydziłby się takiej roboty — ale spełniała swoje zadanie. Steve wiedział, że niebawem domek zostanie zburzony; jeśli już, ziemia była więcej warta bez niego. Bungalow stał w otoczeniu dwupiętrowych willi i sąsiedzi uważali, że szpeci okolicę, obniżając wartość ich nieruchomości.

Wbił gwóźdź, powiesił na nim zdjęcie Ronnie i Jonah, które zdjął ze ściany w alkowie, i cofnął się o krok, żeby ocenić efekt.

— Co o tym myślisz? — zapytał syna.

Jonah zmarszczył nos.

— To wygląda, jakbyśmy zbudowali brzydką ściankę ze sklejki i powiesili na niej obrazek. I nie będziesz już mógł grać na fortepianie.

— Wiem.

Jonah przechylił głowę na bok.

— Chyba jest krzywa. Tu i tam.

— Ja nic takiego nie widzę.

— Przydałyby ci się okulary. I wciąż nie rozumiem, dlaczego ją tu postawiliśmy.

— Ronnie powiedziała, że nie chce widzieć fortepianu.

— No i co z tego?

— Nie ma gdzie go schować, więc pomyślałem, że trzeba wznieść ścianę. Teraz nie będzie musiała go oglądać.

— Aha. — Jonah się zastanowił. — Wiesz, nie lubię odrabiać lekcji. Nie lubię nawet patrzeć na biurko, na którym leżą zeszyty.

— Jest lato. Nie musisz odrabiać żadnych lekcji.

— Mówię tylko, że może powinienem zbudować ścianę wokół biurka w moim pokoju.

Steve stłumił śmiech.

— Chyba musisz porozmawiać o tym z mamą.

— A może ty byś to zrobił.

Tym razem nie zdołał opanować śmiechu.

— Jesteś głodny?

— Mówiłeś, że pójdziemy puszczać latawca.

— Bo pójdziemy. Ale pytam, czy nie masz ochoty na lunch.

— Chyba wolałbym lody.

— O nie.

— A ciastko? — zapytał z nadzieją Jonah.

— A co powiesz na kanapkę z masłem orzechowym i galaretką?

— Niech będzie. Ale potem pójdziemy puszczać latawca, dobrze?

— Dobrze.

— Na całe popołudnie?

— Jak długo będziesz chciał.

— Zgoda. Zjem kanapkę. Ale ty też musisz.

Steve uśmiechnął się, obejmując syna ramieniem.

— Umowa stoi.

Przeszli do kuchni.

— Wiesz, salon wydaje się teraz o wiele mniejszy — zauważył Jonah.

— Uhm.

— I ściana jest krzywa.

— Wiem.

— I nie pasuje do innych.

— O co ci chodzi?

Jonah spoważniał.

— Chcę tylko się upewnić, że nie zwariowałeś.

*

Była idealna pogoda na puszczanie latawca. Steve siedział na wydmach, dwa domy dalej od swojego bungalowu, i patrzył, jak latawiec zygzakuje po niebie. Jonah, pełen energii jak zwykle, biegał po plaży tam i z powrotem. Steve przyglądał mu się z dumą, uświadamiając sobie ze zdziwieniem, że kiedy sam jako dziecko puszczał latawce, nie towarzyszyło mu żadne z rodziców.

Nie byli źli. Wiedział to. Nigdy się nad nim nie znęcali, nie kłócili przy nim, nie chodził głodny. Raz czy dwa razy w roku prowadzali go do dentysty i do lekarza, zawsze był najedzony, miał kurtkę, którą wkładał w chłodne zimowe poranki, i drobne w kieszeni, żeby kupić sobie mleko w szkole. I nawet jeśli ojciec zachowywał powściągliwość, to matka wcale nie była chłodna, i Steve przypuszczał, że dlatego ich małżeństwo okazało się takie trwałe. Pochodziła z Rumunii; poznali się, gdy ojciec stacjonował w Niemczech. Kiedy brali ślub, słabo znała angielski, a sentyment do kultury, w której się wychowała, czuła przez całe życie. Gotowała, sprzątała i prała; popołudniami pracowała w niepełnym wymiarze godzin jako krawcowa. Pod koniec życia znała już znośnie angielski, na tyle, żeby poradzić sobie w banku i sklepie spożywczym, ale nawet wtedy mówiła z tak wyraźnym akcentem, że ludzie czasami z trudem ją rozumieli.

Była też gorliwą katoliczką, co stanowiło wtedy rzadkość w Wilmington. Chodziła do kościoła codziennie, a wieczorami odmawiała różaniec, i choć Steve doceniał znaczenie i ceremoniał niedzielnych mszy, proboszcz zawsze wydawał mu się człowiekiem zimnym i aroganckim, a jednocześnie bardziej przestrzegającym zasad kościelnych niż dbającym o dobro swojej owczarni. Czasami — nawet często — Steve zastanawiał się, jak by potoczyło się jego życie, gdyby w wieku ośmiu lat nie usłyszał muzyki dochodzącej z kościoła Pierwszego Zboru Baptystów.

Po czterdziestu latach szczegóły się zatarły. Pamiętał mgliście, że któregoś dnia wszedł do środka i zobaczył pastora Harrisa przy fortepianie. Pastor musiał przyjąć go ciepło, bo Steve wracał tam później i uczył się grać pod jego kierunkiem. Z czasem zaczął chodzić na zajęcia poświęcone lekturze Biblii, które prowadzono w kościele — choć potem z tym skończył. Pod wieloma względami kościół baptystów stał się jego drugim domem, a pastor Harris — drugim ojcem.

Przypominał sobie, że nie budziło to zachwytu matki. Kiedy czymś się martwiła, mamrotała po rumuńsku i przez lata, gdy wychodził do kościoła baptystów, słyszał niezrozumiałe słowa i frazy, podczas gdy ona robiła znak krzyża i kazała mu wkładać medalik. W jej odczuciu nauka gry na fortepianie pod okiem pastora baptystów była jak gra w klasy z diabłem.

Ale nie zakazywała mu tego i to wystarczyło. Nie miał jej za złe, że nie chodziła na zebrania rodziców do szkoły, że nie czytała mu na głos ani że przez nią nikt z sąsiadów nie zapraszał ich na barbecue czy inne przyjęcia. Najważniejsze było to, że pozwoliła mu odnaleźć swoją pasję i rozwijać ją, nawet jeśli odnosiła się do tego nieufnie. I że jakoś udało jej się przekonać ojca, którego śmieszył pomysł zarabiania na życie muzyką, żeby również mu tego nie zabraniał. Steve zawsze miał ją za to kochać.

Jonah wciąż biegał po plaży, choć wcale nie musiał. Steve wiedział, że wiatr jest na tyle silny, aby utrzymać latawca w górze bez dodatkowego sterowania. Widział zarys symbolu Batmana między dwoma ciemnymi cumulusami, z rodzaju tych, które zapowiadały deszcz. Chociaż letnie burze nie trwały długo — może z godzinę, zanim niebo znowu się przejaśniało — wstał, aby powiedzieć synkowi, że chyba pora wracać. Zrobił zaledwie parę kroków, gdy zauważył ledwo widoczne linie na piasku prowadzące ku wydmie za domem, takie jakie widział kilkanaście razy w młodości. Uśmiechnął się.

— Hej, Jonah! — zawołał, idąc wzdłuż linii. — Chodź tutaj! Chyba powinieneś coś zobaczyć!

Synek podbiegł do niego, ciągnąc za sobą latawca.

— Co takiego?

Steve doszedł do miejsca, gdzie wydma przechodziła w plażę. Pod piaskiem można było dostrzec kilka jajek.

— Co tam jest? — zapytał Jonah, gdy znalazł się przy nim.

— To gniazdo karetty — wyjaśnił Steve. — Ale nie podchodź za blisko. I nie dotykaj. Nie chcesz go zniszczyć, prawda?

Jonah nachylił się, wciąż trzymając na sznurku latawca.

— Co to jest karetta? — zapytał zdyszany, mocując się ze sznurkiem.

Steve wziął kawałek wyrzuconej przez morze deski i narysował nią duże kółko wokół gniazda.

— To żółw morski. Zagrożony gatunek. Wychodzi na brzeg, żeby złożyć jaja.

— Za naszym domem?

— To jedno z miejsc, w których żółwie morskie składają jaja. Ale najważniejsze, żebyś wiedział, że są zagrożone. Wiesz, co to znaczy?

— Że umierają — odpowiedział Jonah. — Oglądam Animal Planet.

Steve odrzucił deskę. Gdy wstał, poczuł nagły ból, ale zignorował to.

— Nie całkiem. To znaczy, że jeśli im nie pomożemy, nie będziemy o nie dbać, ich gatunek może wyginąć.

— Jak dinozaurów?

Już miał odpowiedzieć, gdy usłyszał, że w kuchni dzwoni telefon. Zostawił tylne drzwi otwarte, żeby wpuścić do środka trochę świeżego powietrza, i na przemian idąc i biegnąc, dotarł na tylny ganek. Był zdyszany, gdy podniósł słuchawkę.

— Tato? — usłyszał po drugiej stronie linii.

— Ronnie?

— Musisz po mnie przyjechać. Jestem na posterunku policji.

Uniósł rękę i potarł nasadę nosa.

— Dobrze. Zaraz tam będę.

*

Pete Johnson opowiedział mu, co się stało, ale Steve wiedział, że Ronnie nie jest jeszcze gotowa o tym rozmawiać. Jonah jednak zupełnie się tym nie przejmował.

— Mama wpadnie w szał — skomentował.

Steve zauważył, że Ronnie zacisnęła szczęki.

— Nie zrobiłam tego — zaczęła.

— A kto?

— Nie chcę o tym mówić. — Skrzyżowała ręce na piersi i oparła się o drzwi samochodu.

— Mamie się to nie spodoba.

— Nie zrobiłam tego! — powtórzyła Ronnie, odwracając się do brata. — I nie życzę sobie, żebyś jej powiedział, że to moja robota. — Popatrzyła na niego groźnie i odwróciła się do ojca. — Nie zrobiłam tego, tato — zapewniła jeszcze raz. — Przysięgam na Boga, że nie. Musisz mi uwierzyć.

Usłyszał desperację w jej głosie, ale mimowolnie przypomniał sobie rozpacz Kim, gdy rozmawiali o wyskokach Ronnie. Pomyślał o zachowaniu córki od chwili przyjazdu i znajomościach, które tu nawiązała.

Wzdychając, poczuł, że opuszczają go resztki energii. Słońce na horyzoncie wyglądało jak rozpalona pomarańczowa kula i przyglądając się mu, zrozumiał, że jego córka potrzebuje zaufania bardziej niż czegokolwiek innego.

— Wierzę ci — odparł.

*

Gdy wrócili do domu, zaczęło zmierzchać. Steve wyszedł na zewnątrz, żeby zajrzeć do gniazda żółwi. Był to jeden z tych wspaniałych wieczorów, jakie zdarzają się w Karolinie Północnej i Południowej — lekka bryza, wielobarwne niebo — i w morzu niedaleko brzegu bawiło się stadko delfinów. Przepływały obok domu dwa razy dziennie i odnotował w myśli, żeby powiedzieć o tym Jonah. Wiedział, że synek będzie chciał podpłynąć do nich, aby ich dotknąć; Steve próbował zrobić to samo, kiedy był mały, ale nigdy mu się nie udało.

Bał się zadzwonić do Kim i powiedzieć jej, co się stało. Odłożył to na później; usiadł na wydmie przy gnieździe i spojrzał na pozostałości śladów żółwi. Wiatr i spacerujący ludzie zatarli je prawie całkowicie. Gdyby nie małe zagłębienie w miejscu, gdzie wydma przechodziła w plażę, gniazdo byłoby praktycznie niewidoczne, a jajka, które zauważył, wyglądałyby jak jasne, gładkie kamienie.

Wiatr przywiał kawałek styropianu i gdy Steve pochylił się, żeby go podnieść, zobaczył, że idzie Ronnie. Szła wolno, z rękami splecionymi na piersi i z pochyloną głową, tak że włosy opadały jej na twarz. Zatrzymała się w odległości kilku stóp.

— Jesteś na mnie zły? — zapytała.

Pierwszy raz od przyjazdu odezwała się do niego bez gniewu czy frustracji.

— Nie. Wcale nie — odparł.

— To co tu robisz?

Wskazał gniazdo.

— Zeszłej nocy żółwica karetta złożyła tu jajka. Widziałaś je kiedyś?

Ronnie pokręciła głową i Steve mówił dalej:

— Są piękne. Mają czerwonawobrązowe skorupki i ważą nawet do ośmiuset funtów. Karolina Północna to jedno z niewielu miejsc, gdzie zakładają gniazda. Ale i tak są zagrożone. Chyba jeden na tysiąc dożywa dorosłego wieku i nie chciałbym, żeby szop dobrał się do gniazda, zanim się wylęgną.

— Skąd szop ma wiedzieć, że jest tu gniazdo?

— Po złożeniu jaj żółwica oddaje mocz. Szopy potrafią go wyczuć i zjadają wszystkie jajka. W dzieciństwie znalazłem gniazdo po drugiej stronie molo. Jednego dnia wszystko było w porządku, a już następnego po jajkach pozostały tylko skorupki. Smutne.

— Przedwczoraj widziałam na ganku szopa.

— Wiem. Wlazł do śmietnika. Po powrocie do domu

zadzwonię do oceanarium. Miejmy nadzieję, że jutro przyślą tu kogoś ze specjalną klatką, która ochroni jajka.

— A w nocy?

— Chyba trzeba będzie zdać się na los.

Ronnie założyła kosmyk włosów za ucho.

— Tato? Mogę cię o coś spytać?

— O wszystko.

— Dlaczego powiedziałeś, że mi wierzysz?

Patrząc na jej profil, widział zarówno młodą kobietę, którą się stawała, jak i dziewczynkę, którą wciąż miał w pamięci.

— Bo mam do ciebie zaufanie.

— I dlatego zbudowałeś tę ściankę, żeby ukryć fortepian? — Spojrzała na niego, ale nie wprost. — Trudno było nie zauważyć, gdy weszłam do środka.

Steve pokręcił głową.

— Nie. Zrobiłem to, bo cię kocham.

Ronnie uśmiechnęła się krótko, z wahaniem, a potem usiadła obok niego. Razem patrzyli, jak fale rytmicznie obmywają brzeg. Zaczynał się przypływ i już pół plaży zniknęło pod wodą.

— Co się ze mną stanie? — zapytała.

— Pete porozmawia z właścicielem sklepu, ale nie wiem. Kilka z tych płyt ma dużą wartość. Są dość drogie.

Ronnie poczuła mdłości.

— Mówiłeś już mamie?

— Nie.

— Ale powiesz jej?

— Pewnie tak.

Żadne z nich przez chwilę się nie odzywało. Brzegiem przeszła grupa surferów, którzy nieśli deski. W oddali powoli podnosiła się woda, fale jakby zderzały się z sobą, a potem zaraz formowały ponownie.

— Kiedy zadzwonisz do oceanarium?

— Gdy tylko wrócę do domu. Jonah na pewno już zgłodniał. Powinienem zabrać się do robienia kolacji.

Ronnie zapatrzyła się w gniazdo. Miała ściśnięty żołądek i nie wyobrażała sobie, że mogłaby cokolwiek zjeść.

— Nie chcę, żeby coś się stało w nocy z tymi jajkami.

Steve odwrócił się do niej.

— Więc co zamierzasz zrobić?

*

Po kilku godzinach, położywszy Jonah do łóżka, Steve wyszedł na tylny ganek, żeby zajrzeć do Ronnie. Wcześniej telefonicznie powiadomił oceanarium o żółwim gnieździe i pojechał do sklepu, żeby kupić to, czego potrzebowała: cienki śpiwór, latarkę biwakową, tanią poduszkę i środek przeciwko insektom.

Nie podobał mu się pomysł spania na dworze, ale Ronnie się uparła, że będzie czuwać nad gniazdem. Zresztą podziwiał jej determinację. Twierdziła, że nic jej się nie stanie, i pewnie miała rację. Jak większość ludzi wychowanych na Manhattanie nauczyła się ostrożności i żyła już wystarczająco długo na tym świecie, aby zdawać sobie sprawę, że nie zawsze jest to bezpieczne miejsce. Poza tym gniazdo znajdowało się niespełna pięćdziesiąt stóp od okna jego pokoju — zamierzał zostawić je otwarte — i był pewny, że usłyszałby, gdyby Ronnie groziło jakieś niebezpieczeństwo. Ze względu na kształt wydmy i umiejscowienie gniazda wydawało się mało prawdopodobne, żeby ktoś idący plażą w ogóle ją zauważył.

Mimo to miała zaledwie siedemnaście lat, a on był jej ojcem, więc musiało skończyć się na tym, że będzie zaglądał do niej co parę godzin. Nie przypuszczał, żeby mógł się wyspać tej nocy.

Księżyc był dopiero na nowiu, ale noc zapowiadała się bezchmurnie i idąc w mroku, odtworzył w myśli rozmowę z córką. Ciekaw był, jak odebrała to, że ukrył fortepian. Czy obudzi się nazajutrz z takim samym nastawieniem jak do tej pory? Nie miał pojęcia. Gdy zbliżył się na tyle, aby dostrzec zarys leżącej Ronnie, pod wpływem gry świateł wydała mu się jednocześnie i młodsza, i starsza, niż była w rzeczywistości. Znowu pomyślał o latach, które stracił i których już nigdy nie odzyska.

Zatrzymał się przy niej i zlustrował wzrokiem plażę. Z tego, co widział, nikogo w pobliżu nie było, więc wrócił do domu. Usiadł na kanapie i włączył telewizor, przerzucił kanały, a potem go wyłączył. W końcu poszedł do swojego pokoju i położył się do łóżka.

Zasnął prawie natychmiast, ale obudził się po godzinie. Znowu wyszedł z domu na palcach, żeby sprawdzić, co u córki, którą kochał nad życie.

12
Ronnie

Obudziwszy się, poczuła, że wszystko ją boli. Miała zesztywniałe plecy, zdrętwiały kark, a kiedy wreszcie zmobilizowała się i usiadła, jej ramię przeszył ból.

Nie potrafiła zrozumieć, że ktoś może lubić spanie na dworze. Kiedy była mała, jej koleżanki uwielbiały jeździć na biwaki i nocować pod gołym niebem, ale ona uważała, że są nienormalne. Spanie na ziemi było niewygodne.

No i oczywiście oślepił ją blask słońca. Biorąc pod uwagę, że od czasu przyjazdu budziła się bladym świtem, uznała, że musi być wcześnie. Pewnie nie minęła jeszcze siódma. Słońce stało nisko nad oceanem i kilka osób uprawiało na brzegu jogging albo wyprowadzało psy. Ci na pewno spali w łóżkach. Nie wyobrażała sobie, że mogłaby iść na spacer, nie mówiąc już o gimnastyce. W tej chwili trudno jej się nawet oddychało, miała wrażenie, że zaraz umrze.

Zebrawszy siły, wstała powoli i wtedy przypomniała sobie, dlaczego w ogóle spała na dworze. Zajrzała do gniazda, stwierdziła z ulgą, że jajkom nic się nie stało, i poczuła, że ból z wolna ustępuje. Zaczęła się zastanawiać, jak Blaze może sypiać na plaży, i nagle uświadomiła sobie, co ta jej zrobiła.

Została zatrzymana za kradzież w sklepie. Prawdziwą kradzież. Przestępstwo.

Zamknęła oczy, przeżywając wszystko od nowa: to, jak patrzył na nią facet z kucykiem, zanim przyjechała policja, zawód w oczach Pete'a, gdy jechali na posterunek, okropny telefon do ojca. Podczas jazdy do domu miała wrażenie, że za chwilę zwymiotuje.

Jedynym jasnym punktem całego zdarzenia było to, że ojciec nie zrobił z niego afery. A co jeszcze bardziej niewiarygodne, powiedział, że wierzy w jej niewinność. I nie zadzwonił do mamy. Gdy wreszcie to zrobi, wszystko przepadnie. Mama zacznie krzyczeć i wyrzekać, aż tata da za wygraną i w końcu zabroni jej wychodzić z domu, bo obieca to mamie. Po tamtym incydencie mama uziemiła ją na miesiąc, a ta sprawa była o wiele poważniejsza.

Znowu poczuła mdłości. Nie wyobrażała sobie, że spędzi cały miesiąc zamknięta w pokoju, w pokoju, który zresztą dzieliła z bratem, w miejscu, gdzie w ogóle nie chciała być. Nic gorszego nie mogło jej spotkać. Wyciągnąwszy ręce nad głowę, aż krzyknęła z bólu, który przeniknął jej ramię. Krzywiąc się, opuściła je powoli.

W ciągu następnych kilku minut zaciągnęła śpiwór i resztę rzeczy na tylny ganek. Mimo że gniazdo znajdowało się za domem, nie chciała, aby sąsiedzi się domyślili, że spała na dworze. Sądząc po ich okazałych willach, należeli do ludzi, którzy chcą mieć idealny widok, pijąc rano kawę na tarasie. To, że ktoś nocował pod ich domem, prawdopodobnie wydałoby im się niepokojące, a ostatnią rzeczą, jakiej teraz potrzebowała, była kontrola policji. Przy jej szczęściu pewnie zostałaby aresztowana za włóczęgostwo. Które było przestępstwem.

Musiała dwa razy chodzić po rzeczy — nie miała energii, żeby zabrać wszystkie naraz — a potem uświadomiła sobie, że zostawiła na wydmie jeszcze *Annę Kareninę*. Zamierzała poczytać przed snem, ale była zbyt zmęczona i wsadziła książkę pod kawałek drewna, żeby nie zawilgotniała od mgły. Wracając po nią, zauważyła kogoś w firmowym kombinezonie Blakelee Brakes, kto niósł rolkę żółtej taśmy i wiązkę palików. Odniosła wrażenie, że szedł plażą w stronę ich domu.

Gdy brała książkę, był już bliżej i jakby rozglądał się za czymś na wydmie. Ruszyła ku niemu, zastanawiając się, czego może szukać, a wtedy on zwrócił się w jej stronę. Kiedy spojrzeli na siebie, oniemiała, co zdarzyło jej się tylko kilka razy w życiu.

Rozpoznała go natychmiast mimo kombinezonu. Przypomniała sobie, jak wyglądał bez koszuli, opalony i wysportowany, z ciemnymi włosami mokrymi od potu, z plecioną bransoletką na nadgarstku. To był chłopak, który wpadł na nią podczas meczu siatkówki i którego kumpel niemal wdał się w bójkę z Marcusem.

Zatrzymawszy się tuż przed nią, on także nie wiedział, co powiedzieć. Patrzył tylko na nią. Chociaż zdawała sobie sprawę, że chyba jej odbiło, odniosła wrażenie, że jest zadowolony z ponownego spotkania. Zdradzały to jego mina i uśmiech, który przywołał na twarz, choć według niej wszystko to nie miało sensu.

— Hej, to ty — rzucił. — Dzień dobry.

Nie bardzo wiedziała, co o tym sądzić, dziwił ją jego przyjacielski ton.

— Co tu robisz? — zapytała.

— Dostałem telefon z oceanarium. Ktoś dzwonił do nich

128

zeszłego wieczoru i powiadomił o gnieździe żółwi, więc przysłali mnie tu, żebym sprawdził co i jak.

— Pracujesz w oceanarium?

Pokręcił przecząco głową.

— Tylko pomagam jako ochotnik. Pracuję w warsztacie samochodowym ojca. Nie widziałaś tu gdzieś przypadkiem żółwiego gniazda?

Trochę się odprężyła.

— Jest tam. — Wskazała miejsce.

— O, to świetnie. — Uśmiechnął się. — Miałem nadzieję, że będzie w pobliżu jakiegoś domu.

— Dlaczego?

— Z powodu sztormów. Jaja by nie przetrwały, gdyby fale obmyły gniazdo.

— Ale przecież to żółwie morskie.

Uniósł ręce.

— Wiem. Ja też tego nie rozumiem, ale tak to jest w przyrodzie. W zeszłym roku straciliśmy parę gniazd, gdy przyszła burza tropikalna. Naprawdę przykra sprawa. To zagrożone zwierzęta, wiesz. Tylko jedno na tysiąc dożywa okresu dojrzałości.

— Uhm, wiem.

— Naprawdę? — Chyba zrobiło to na nim wrażenie.

— Tata mi powiedział.

— Aha. — Machnął ręką, wskazując plażę. — Rozumiem, że tu mieszkasz?

— Dlaczego cię to interesuje?

— Po prostu staram się podtrzymać rozmowę — odparł swobodnie. — A przy okazji, mam na imię Will.

— Cześć, Will.

Zamilkł na chwilę.

— Ciekawe.

— Co takiego?

— Przeważnie gdy ktoś się przedstawia, druga osoba robi to samo.

— Nie jestem jak większość ludzi. — Ronnie założyła ręce na piersi, żeby zaznaczyć dystans.

— Już się tego domyśliłem. — Uśmiechnął się do niej. — Przepraszam, że staranowałem cię na meczu siatkówki.

— Już mnie za to przeprosiłeś, pamiętasz?

— Tak. Ale sprawiałaś wrażenie wściekłej.

— Lemoniada wylała mi się na koszulkę.

— Przykro mi. Powinnaś zwracać większą uwagę na to, co się wokół ciebie dzieje.

— Słucham?

— To dynamiczna gra, wymagająca szybkich reakcji.

Oparła ręce na biodrach.

— Sugerujesz, że to była moja wina?

— Po prostu nie chciałbym, żeby to się zdarzyło znowu. Jak powiedziałem, przykro mi z powodu tego, co się stało.

Po tej odpowiedzi miała wrażenie, że chłopak próbuje z nią flirtować, ale nie mogła się zorientować dlaczego. Dziwiło ją to — wiedziała, że nie jest w jego typie, i szczerze mówiąc, on też nie był w jej typie. Ale o tak wczesnej porze nie chciało jej się nad tym zastanawiać. Wskazała więc ekwipunek, który przyniósł z sobą, sądząc, że lepiej będzie wrócić do tematu.

— Jak ta taśma ma powstrzymać szopy?

— Nie ma ich powstrzymać. Moim zadaniem jest tylko oznaczyć gniazdo. Przeciągnę taśmę wokół palików, żeby ten, kto przyjdzie z klatką, wiedział, gdzie ją ustawić.

— A kiedy przyjdzie ktoś z klatką?

— Nie wiem. — Wzruszył ramionami. — Może za parę dni.

Pomyślała o swoich cierpieniach po przebudzeniu i pokręciła głową.

— Nie, to niemożliwe. Zadzwoń do nich i powiedz, że muszą zrobić coś już dziś, aby chronić gniazdo. Powiedz, że widziałam w pobliżu szopa.

— A widziałaś?

— Po prostu powiedz im, dobra?

— Zrobię to, gdy tylko skończę. Obiecuję.

Zmrużyła oczy, patrząc na niego, bo pomyślała, że zgodził się zbyt łatwo, ale zanim zdążyła to skomentować, na ganek wyszedł ojciec.

— Dzień dobry, kochanie! — zawołał. — Robię śniadanie, w razie gdybyś była głodna.

Will przeniósł wzrok z Ronnie na jej ojca i z powrotem.

— Mieszkasz tutaj?

Zamiast odpowiedzieć, cofnęła się o krok.

— Zadzwoń do oceanarium, dobrze?

Ruszyła w stronę domu i gdy wkroczyła na ganek, usłyszała, że Will woła za nią.

— Hej!

Odwróciła się.

— Nie powiedziałaś mi, jak masz na imię!

— Nie! — odkrzyknęła. — Chyba nie.

Wiedziała, że nie powinna się oglądać, ale idąc do drzwi, zerknęła szybko przez ramię.

Kiedy zobaczyła, że na ten widok uniósł brew, zganiła się w duchu zadowolona, że przynajmniej nie ujawniła swojego imienia.

*

Ojciec stał przy kuchni nad patelnią i mieszał coś łopatką. Na blacie obok leżała paczka tortilli i Ronnie niechętnie przyznała, że cokolwiek przyrządzał, pachniało świetnie. Ale przecież nie jadła nic od wczorajszego popołudnia.

— Jesteś — rzucił przez ramię. — Z kim rozmawiałaś?

— Z jakimś chłopakiem z oceanarium. Przyszedł oznakować gniazdo. Co tam smażysz?

— Wegetariańskie burrito.

— Żartujesz.

— Z ryżem, fasolą i tofu. To wszystko zawinę w tortillę. Mam nadzieję, że będzie dobre. Znalazłem ten przepis w internecie, więc nie wiem, co z niego wyjdzie.

— Na pewno coś pysznego. — Splotła ręce, myśląc, że najlepiej będzie, jeśli zapyta wprost. — Rozmawiałeś już z mamą?

Pokręcił przecząco głową.

— Nie, jeszcze nie. Ale za to rozmawiałem rano z Pete'em. Powiedział, że na razie nie miał okazji pogadać z właścicielką. Wyjechała z miasta.

— Z właścicielką?

— Wygląda na to, że facet, który tam pracuje, jest jej siostrzeńcem. Ale Pete zna ją dobrze.

— Och. — Ciekawa była, czy to ma jakieś znaczenie.

Tata postukał łopatką o brzeg patelni.

— W każdym razie pomyślałem, że wstrzymam się z telefonem do twojej mamy, dopóki nie będę miał wszystkich informacji. Nie chciałbym niepotrzebnie jej martwić.

— To znaczy, że może w ogóle jej nie powiesz?

— Chyba że będziesz chciała.

— Nie, w porządku — odparła pospiesznie. — Masz rację. Lepiej będzie, jeśli zaczekamy z tym telefonem.

— Dobrze — zgodził się. Zamieszał ostatni raz farsz i wyłączył gaz. — Chyba gotowe. Jesteś głodna?

— Umieram z głodu — przyznała.

Gdy podeszła, wyjął talerz z szafki, rzucił na niego tortillę, a potem nałożył farsz. Podał jej.

132

— Wystarczy?

— Aż za dużo.

— Chcesz kawy? Właśnie się parzy. — Sięgnął po kubek i wręczył go jej. — Jonah wspomniał, że czasami chodzisz do Starbucksa, więc kupiłem tam kawę. Może nie być taka dobra jak u nich, ale lepszej nie umiem zrobić.

Wzięła kubek i spojrzała na niego.

— Dlaczego jesteś dla mnie taki miły?

— A dlaczego miałbym nie być?

Bo ja nie jestem dla ciebie miła — chciała odpowiedzieć. Ale milczała.

— Dzięki — mruknęła zamiast tego, myśląc, że to wszystko przypomina dziwaczny odcinek *Strefy mroku*, jakby jej ojciec jakimś cudem zapomniał o ostatnich trzech latach.

Nalała sobie kawy i usiadła przy stole. Steve ze swoim talerzem dołączył do niej chwilę później i zaczął zwijać burrito.

— Jak minęła noc? Dobrze spałaś?

— Tak, kiedy spałam. Ale obudzić się nie było już tak łatwo.

— Uświadomiłem sobie poniewczasie, że chyba powinienem był kupić materac dmuchany.

— Nic nie szkodzi. Ale po śniadaniu bym się położyła. Jestem trochę niewyspana. Ostatnie dni były męczące.

— Może nie powinnaś pić kawy.

— Nic mi nie będzie. Uwierz mi, zasnę bez problemu.

Jonah wszedł do kuchni; miał na sobie piżamę z Transformersami i włosy sterczały mu na wszystkie strony. Ronnie nie mogła powstrzymać uśmiechu.

— Cześć, Jonah — rzuciła do brata.

— Z żółwiami w porządku?

— Są całe i zdrowe.

— Dobra robota — zauważył. Podrapał się po plecach i podszedł do kuchenki. — Co na śniadanie?

— Burrito — odparł ojciec.

Jonah nieufnie przyjrzał się farszowi na patelni, a potem tortillom, które leżały na blacie.

— Tylko nie mów, że przeszedłeś na stronę mroku, tato!

Steve próbował powściągnąć uśmiech.

— To całkiem dobre.

— Tofu! Ohyda!

Ronnie zaśmiała się i wstała od stołu.

— Może wolisz batona?

Wyglądało na to, że Jonah wietrzy podstęp.

— Z mlekiem czekoladowym?

Ronnie zerknęła na ojca.

— W lodówce jest go pełno — odparł.

Nalała mu szklankę i postawiła ją na stole. Jonah ani drgnął.

— Dobra, co się dzieje?

— O co ci chodzi?

— To nie jest normalne — rzekł. — Ktoś tu powinien być wściekły. Ktoś tu zawsze jest rano wściekły.

— Mówisz o mnie? — zapytała Ronnie. Wstawiła dwie pop-tarty do tostera. — Ja zawsze jestem pogodna.

— Taaa, oczywiście. — Zmrużył oczy. — Na pewno z żółwiami wszystko w porządku? Bo oboje się zachowujecie, jakby coś im się stało.

— Nic im nie jest. Mówię ci — zapewniła Ronnie.

— Sam sprawdzę.

— To sprawdź.

Przyjrzał się jej.

— Ale po śniadaniu — dodał.

Steve uśmiechnął się i spojrzał na Ronnie.

— To jakie masz na dzisiaj plany? — zapytał. — Po drzemce?

134

Jonah podniósł szklankę mleka.

— Ona nigdy nie ucina sobie drzemek.

— Owszem, tak, gdy jestem zmęczona.

— Nie. — Pokręcił głową. — Nieprawda. — Odstawił szklankę. — Dzieje się tu coś dziwnego i nie wyjdę, dopóki nie dowiem się co.

*

Po śniadaniu — gdy Jonah już się uspokoił, że wszystko w porządku — Ronnie udała się do sypialni. Steve przyszedł za nią z ręcznikami, które zawiesił na karniszu, ale wcale ich nie potrzebowała. Zasnęła prawie od razu i spocona obudziła się wczesnym popołudniem. Wzięła długi zimny prysznic i poszła do warsztatu, żeby powiedzieć ojcu i bratu, co zamierza robić. Ojciec do tej pory nie wspomniał nic o karze.

Oczywiście istniała możliwość, że po rozmowie z posterunkowym albo mamą zabroni jej wychodzić. Albo mówił prawdę — może rzeczywiście jej uwierzył, gdy powiedziała, że jest niewinna.

Czy to nie byłoby coś?

Tak czy inaczej musiała pogadać z Blaze i szukała jej przez następne parę godzin. Sprawdziła, czy nie ma jej w domu i w barze, i choć nie weszła do środka, zajrzała przez szybę do sklepu muzycznego — z bijącym sercem, upewniwszy się, że sprzedawca jest odwrócony plecami. Tam też Blaze nie było.

Stanąwszy na molo, rozejrzała się po plaży w obu kierunkach, ale bez powodzenia. Możliwe, oczywiście, że Blaze poszła do Bower's Point; było to ulubione miejsce spotkań gangu Marcusa. Ale nie chciała iść tam sama. Nie miała ochoty zobaczyć się z Marcusem, a już na pewno nie zamierzała rozmawiać przy nim z Blaze.

Już była gotowa się poddać i wrócić do domu, gdy ją zauważyła — dziewczyna wyłoniła się spomiędzy wydm kawałek dalej na plaży. Ronnie popędziła do schodów, starając się nie stracić jej z oczu, a potem zbiegła na brzeg. Nawet jeśli Blaze ją zobaczyła, nie wyglądało na to, żeby się przejęła. Gdy Ronnie do niej podeszła, usiadła na wydmie i zapatrzyła się w ocean.

— Musisz powiedzieć policji, co zrobiłaś — oświadczyła Ronnie bez wstępów.

— Nic nie zrobiłam. To ciebie złapali.

Miała ochotę nią potrząsnąć.

— To ty wsadziłaś te płyty do mojej torby!

— Nie, nie ja.

— To były cedeki, których słuchałaś!

— I gdy widziałam je ostatnio, leżały przy słuchawkach. — Blaze nie patrzyła na nią.

Ronnie poczuła, że czerwienieją jej policzki.

— To poważna sprawa, Blaze. Chodzi o moją przyszłość. Mogą mnie skazać! A powiedziałam ci, co stało się wcześniej!

— Och, dobra.

Ronnie zacisnęła usta, żeby nie wybuchnąć.

— Dlaczego mi to robisz?

Blaze wstała z miejsca i otrzepała dżinsy z piasku.

— Nic ci nie robię. — Mówiła zimnym, bezbarwnym tonem. — I to samo powiedziałam rano policji.

Ronnie z niedowierzaniem patrzyła, jak Blaze odchodzi. Dziewczyna zachowywała się prawie tak, jakby wierzyła w to, co mówi.

*

Ronnie powędrowała z powrotem na molo.

Nie miała ochoty wracać do domu; wiedziała, że ojciec dowie się od Pete'a, co zeznała Blaze. Owszem, może zachowa spokój wobec całej sprawy — ale co będzie, jeśli przestanie jej wierzyć?

I dlaczego Blaze to zrobiła? Z powodu Marcusa? Albo sam ją do tego namówił, bo był wściekły na Ronnie, że go odrzuciła tamtego wieczoru, albo Blaze uwierzyła, że Ronnie próbowała odbić jej faceta. Bardziej prawdopodobna wydawała się teraz ta druga przyczyna, ale w końcu to tak naprawdę nie miało znaczenia. Bez względu na motyw Blaze kłamała i chciała zrujnować jej życie.

Nic nie jadła od śniadania, ale mdliło ją i nie czuła głodu. Siedziała więc na molo aż do zachodu słońca, patrząc, jak wody oceanu z niebieskich stają się szare, a potem grafitowe. Nie była sama; obok niej ludzie łowili ryby, choć z tego, co widziała, niewiele brało. Przed godziną pojawiła się para młodych ludzi z kanapkami i latawcem. Zauważyła, że patrzą na siebie czule. Pomyślała, że chodzą do college'u — byli od niej zaledwie kilka lat starsi — ale czuło się, że łączy ich uczucie, którego jeszcze nie doświadczyła w swoich związkach. Owszem, miała chłopaków, ale jeszcze nigdy się nie zakochała i czasami wątpiła, że to w ogóle nastąpi. Po rozwodzie rodziców podchodziła do spraw uczuciowych z pewnym cynizmem, jak większość jej koleżanek. Ich rodzice też się rozwodzili, więc może tu leżała przyczyna.

Kiedy na niebie gasły ostatnie promienie słońca, poszła do domu. Chciała tego wieczoru wrócić o przyzwoitej porze. Choć tyle mogła zrobić, aby pokazać ojcu, że docenia jego wyrozumiałość. I mimo że rano się zdrzemnęła, wciąż czuła zmęczenie.

Dotarłszy na koniec molo, postanowiła wrócić przez dzielnicę handlową, a nie plażą. Ale gdy tylko skręciła za róg w pobliżu baru, zorientowała się, że to był błąd. Zobaczyła bowiem ciemną postać, która stała oparta o maskę samochodu, trzymając płonącą piłkę.

Marcus.

Tylko że tym razem był sam. Zatrzymała się, czując, że brakuje jej powietrza.

Odepchnął się od wozu i ruszył ku niej; światła latarni wydobyły z mroku tylko pół jego twarzy. Patrząc na Ronnie, toczył piłkę po zewnętrznej stronie dłoni, potem przetoczył na wewnętrzną, zacisnął ją i zgasił ogień, po czym podszedł do Ronnie.

— Cześć. — Z uśmiechem na twarzy wydawał się jeszcze bardziej przerażający.

Nie cofnęła się; chciała, aby widział, że się go nie boi. Mimo że czuła lęk.

— Czego chcesz? — zapytała, z niezadowoleniem słysząc, że lekko zadrżał jej głos.

— Widziałem, że idziesz, więc pomyślałem, że się przywitam.

— Już to zrobiłeś — zauważyła. — Pa.

Zamierzała go wyminąć, ale zastąpił jej drogę.

— Słyszałem, że masz kłopoty z Blaze — szepnął.

Odchyliła się; po plecach przebiegły jej ciarki.

— Skąd to wiesz?

— Znam ją na tyle, żeby jej nie ufać.

— Nie mam nastroju na takie rozmowy.

Odsunęła się, żeby go wyminąć, i tym razem pozwolił jej przejść, ale potem zawołał:

— Nie odchodź! Szukałem cię, bo chciałem ci powiedzieć, że mógłbym pogadać z Blaze, przekonać ją, żeby ci dała spokój.

Mimowolnie Ronnie się zawahała. Marcus patrzył na nią w półświetle.

— Powinienem był cię ostrzec, że bywa zazdrosna.

— Dlatego jeszcze pogorszyłeś sprawę, co?

— Tamtego wieczoru żartowałem. Myślałem, że to będzie śmieszne. Chyba nie sądzisz, że wiedziałem, co ci zrobi?

Jasne, że tak, pomyślała Ronnie. I o to właśnie ci chodziło.

— Więc napraw to — ucięła. — Porozmawiaj z Blaze, zrób, co masz zrobić.

Pokręcił głową.

— Nie zrozumiałaś mnie. Powiedziałem, że mógłbym przemówić jej do rozumu. Jeśli...

— Jeśli co?

Zbliżył się do niej. Na ulicy było pusto, zauważyła to. Nikogo w pobliżu, żadnych samochodów na skrzyżowaniu.

— Myślałem, że moglibyśmy się... zaprzyjaźnić.

Poczuła, że znowu się rumieni, i zanim zdążyła nad sobą zapanować, warknęła:

— Co?!

— Słyszałaś. A wtedy załatwiłbym sprawę.

Uświadomiła sobie, że stał blisko i mógł jej dotknąć, więc gwałtownie się cofnęła.

— Trzymaj się ode mnie z daleka!

Odwróciła się i odbiegła, przekonana, że on pójdzie za nią i że lepiej od niej zna okolicę. Przeraziła się, że ją złapie. Czuła, że serce wali jej w piersi, słyszała swój przyspieszony oddech.

Do domu miała już niedaleko, ale nie była w dobrej formie. Mimo strachu i przypływu adrenaliny czuła, że nogi odmawiają jej posłuszeństwa. Wiedziała, że nie da rady biec, więc gdy skręciła za róg, zaryzykowała i obejrzała się przez ramię.

Zobaczyła, że jest sama na ulicy, nikt za nią nie szedł.

*

Znalazłszy się pod domem, nie od razu weszła do środka. W salonie paliło się światło, ale chciała dojść do siebie, zanim stanie przed ojcem. Nie wiadomo dlaczego wolała, żeby nie widział, jaka jest przestraszona, więc przysiadła na schodkach tylnego ganku.

Gwiazdy na niebie świeciły jasno i na horyzoncie wschodził księżyc. Znad oceanu napływał zapach słonej wody, tajemnicza pierwotna woń. W innych okolicznościach podziałałoby to na nią uspokajająco; obecnie wydawało się obce jak wszystko inne.

Najpierw Blaze. Potem Marcus. Zastanowiło ją, czy wszyscy tutaj oszaleli.

Marcus na pewno. Cóż, może nie dosłownie — był inteligentny i przebiegły, ale, jak się już przekonała, zupełnie pozbawiony empatii, z tych, którzy myślą tylko o sobie i robią, co chcą. Zeszłej jesieni w ramach angielskiego musiała przeczytać jakąś powieść współczesnego autora i wybrała *Milczenie owiec*. Dowiedziała się z książki, że jej bohater, Hannibal Lecter, to nie psychopata, lecz socjopata; pierwszy raz uświadomiła sobie, że jest między nimi różnica. Chociaż Marcus nie był mordercą kanibalem, miała poczucie, że więcej go z Hannibalem łączy, niż dzieli, przynajmniej jeśli chodzi o spojrzenie na świat i własną w nim rolę.

Ale Blaze... była taka...

Ronnie nie wiedziała, jak to określić. Na pewno bardzo emocjonalna. Pełna gniewu i zazdrosna. Ale tego dnia, który spędziły razem, Ronnie nie mogła pozbyć się wrażenia, że coś jest nie tak z tą dziewczyną, niezależnie od jej emocjonalnego rozchwiania, burzy hormonów i niedojrzałości, które powodowały, że siała wokół siebie zniszczenie.

Westchnęła i przesunęła palcami po włosach. Nie miała ochoty wejść do domu. Wyobraziła sobie rozmowę z ojcem:

„Cześć, kochanie, jak było?". „Nie za dobrze. Blaze jest pod wpływem socjopatycznego manipulatora i rano okłamała gliny, więc pójdę do więzienia. A poza tym? Ten socjopata nie tylko chce mnie zaciągnąć do łóżka, ale jeszcze szedł za mną i przestraszył mnie na śmierć. A jak tobie minął dzień?".

Pewnie nie taką pogawędkę chciałby sobie uciąć ojciec po kolacji, nawet jeśli tak właśnie wyglądały sprawy.

Co oznaczało, że będzie musiała udawać. Wzdychając, wstała i ruszyła po schodach do drzwi.

Tata siedział na kanapie, na kolanach miał otwartą Biblię z oślimi uszami. Zamknął ją, gdy Ronnie weszła.

— Cześć, kochanie, jak było?

Wiedziała.

Zmusiła się do uśmiechu.

— Nie udało mi się z nią porozmawiać — skłamała, starając się, żeby zabrzmiało to niedbale.

*

Trudno jej było zachowywać się normalnie, ale jakoś dała radę. Tata namówił ją, żeby poszła z nim do kuchni, gdzie przyrządził kolejną pastę — penne z pomidorami, bakłażanem, kabaczkiem i cukinią. Zjedli przy stole kuchennym, podczas gdy Jonah budował bastion z *Gwiezdnych wojen* z klocków lego; przyniósł mu je pastor Harris, gdy w ciągu dnia wpadł do nich.

Później przenieśli się do salonu i tata, ponieważ czuł, że Ronnie nie ma ochoty na rozmowę, wrócił od lektury Biblii, a ona sama czytała *Annę Kareninę*, która według zapewnień mamy nie mogła jej się nie spodobać. Choć książka była w porządku, Ronnie nie potrafiła się na niej skupić. Nie tylko z powodu Blaze i Marcusa, ale także dlatego, że ojciec czytał Biblię. Cofając się pamięcią, uświadomiła sobie, że nigdy wcześniej nie widziała, aby to robił. Ale pomyślała, że może po prostu wcześniej nie zauważyła.

Jonah skończył budowę i oznajmił, że idzie spać. Dała mu kilka minut, licząc, że brat zaśnie, zanim sama pójdzie do pokoju, a potem odłożyła książkę i wstała z kanapy.

— Dobranoc, kochanie — odezwał się ojciec. — Wiem, że nie jest ci łatwo, ale cieszę się, że jesteś tutaj.

Przystanęła, zanim przeszła przez pokój w jego stronę. Pochyliła się i pierwszy raz od trzech lat pocałowała go w policzek.

— Dobranoc, tato.

*

W ciemnym pokoju Ronnie usiadła na łóżku z poczuciem, że jest wyczerpana. Choć nie chciało jej się płakać — nie znosiła siebie płaczącej — nie mogła opanować emocji. Chrapliwie wciągnęła powietrze.

— No, wyrycz się — usłyszała szept brata.

Świetnie, pomyślała. Jeszcze tego jej było trzeba.

— Wcale nie płaczę — wyjaśniła.

— Wydałaś taki odgłos, jakbyś płakała.

— Nie.

— Dobra. Nie moja sprawa.

Pociągnęła nosem, usiłując odzyskać panowanie nad sobą, i sięgnęła pod poduszkę, żeby wyjąć piżamę, którą tam położyła. Przycisnęła ją do piersi i wstała, aby pójść do łazienki i się przebrać. Po drodze zerknęła przez okno. Księżyc wędrował po niebie, srebrząc swoim blaskiem piasek, i kiedy odwróciła się w stronę żółwiego gniazda, zauważyła nagły ruch w mroku.

Powęszywszy, szop ruszył w kierunku gniazda chronionego jedynie żółtą taśmą.

— O cholera!

Rzuciła piżamę i wybiegła z pokoju. Przemykając przez salon i kuchnię, usłyszała, że ojciec woła:

— Co się stało?!

Wypadła za drzwi, zanim zdążyła odpowiedzieć. Wspinając się na wydmę, zaczęła krzyczeć i machać rękami.

— Nie! Stój! Odejdź stąd!

Szop uniósł łebek i szybko uciekł. Zniknął za wydmą, w trawie morskiej.

— Co się stało?! O co chodzi?!

Odwróciwszy się, zobaczyła na ganku tatę i Jonah.

— Nie postawili klatki!

13
Will

Drzwi Blakelee Brakes były otwarte od zaledwie dziesięciu minut, gdy Will zobaczył Ronnie, jak wkracza przez nie i kieruje się od razu do warsztatu.

Wycierając ręce w ręcznik, ruszył ku niej.

— Hej — przywitał ją z uśmiechem. — Nie spodziewałem się, że cię tu zobaczę.

— Dzięki, że dotrzymałeś obietnicy! — warknęła.

— O czym ty mówisz?

— Prosiłam cię o jedną drobną przysługę! Żebyś zadzwonił i ściągnął człowieka z klatką! Ale nawet tego ci się nie chciało!

— Czekaj... co się stało? — Zamrugał powiekami.

— Mówiłam ci, że widziałam szopa! I że kręcił się w pobliżu gniazda!

— Coś się stało z jajkami?

— Jakby cię to obchodziło. Co? Miałeś mecz siatkarski i zapomniałeś?

— Chcę tylko wiedzieć, czy z gniazdem wszystko w porządku.

Patrzyła wciąż na niego.

— Uhm. W porządku. Ale to nie twoja zasługa. — Obróciła się na pięcie i ruszyła do wyjścia.

— Poczekaj! — zawołał za nią. — Chwileczkę!

Zignorowała go; zdumiony stał jak wryty, gdy Ronnie przemaszerowała przez hol i wyszła za drzwi.

— O co tu, u licha, chodzi?

Obejrzawszy się przez ramię, zobaczył, że Scott patrzy na niego zza podnośnika.

— Zrób coś dla mnie! — zawołał do niego.

— Co takiego?

Will wyjął kluczyki z kieszeni i skierował się do pick-upu zaparkowanego na tyłach warsztatu.

— Kryj mnie. Muszę coś załatwić.

Scott zrobił szybki krok w jego stronę.

— Zaczekaj! O czym ty mówisz?

— Wrócę najszybciej, jak się da. Jeśli przyjdzie ojciec, powiedz mu, że zaraz będę. I możesz zabrać się do roboty.

— Ale dokąd jedziesz?! — zawołał za nim Scott.

Tym razem Will nie odpowiedział. Scott podszedł do niego.

— Daj spokój, stary! Nie mam zamiaru robić tego sam! Kupa samochodów czeka w kolejce.

Will nie przejął się tym i wybiegłszy z warsztatu, popędził do samochodu; wiedział, dokąd jechać.

*

Godzinę później znalazł ją na wydmie; stała przy gnieździe, wciąż tak samo zagniewana jak wtedy, gdy zjawiła się w warsztacie.

Widząc go, oparła ręce na biodrach.

— Czego chcesz?

— Nie dałaś mi wyjaśnić. Zadzwoniłem tam.

— Jasne.

Przyjrzał się gniazdu.

— Nic się mu nie stało. O co ten cały szum?

— Rzeczywiście, nic się nie stało. Ale nie dzięki tobie.

Will poczuł przypływ irytacji.

— Masz jakiś problem?

— Taki, że musiałam zeszłej nocy spać na dworze, żeby szop nie wrócił. Ten sam, o którym ci mówiłam!

— Spałaś na dworze?

— Czy ty w ogóle słuchasz, co mówię? Tak, musiałam spać na dworze. Dwie noce z rzędu, bo nie zrobiłeś, co do ciebie należało! Gdybym nie wyjrzała przez okno w odpowiednim momencie, szop dobrałby się do jajek! Był już parę stóp od gniazda, gdy go przepłoszyłam. A potem musiałam już tu zostać, bo wiedziałam, że wróci. Dlatego właśnie prosiłam cię, żebyś zadzwonił do oceanarium. Bo sądziłam, że nawet taki plażowy goguś jak ty zapamięta coś takiego!

Popatrzyła na niego, znowu biorąc się pod boki, jakby chciała go zabić wzrokiem.

Nie mógł się powstrzymać.

— Powtórzmy, żebym dobrze zrozumiał. Zobaczyłaś szopa, potem chciałaś, żebym zadzwonił po klatkę, a później znowu zauważyłaś szopa. I skończyło się na tym, że spałaś na dworze. Tak?

Otworzyła usta i natychmiast je zamknęła. Odwróciwszy się, ruszyła do domu.

— Przyjadą jutro z samego rana! — zawołał. — I żebyś wiedziała: dzwoniłem do oceanarium. Nawet dwukrotnie. Gdy tylko rozciągnąłem taśmę, a potem jeszcze po pracy. Ile razy mam to powtarzać, zanim wreszcie usłyszysz?

Chociaż się zatrzymała, nie miała ochoty na niego spojrzeć. A więc mówił dalej:

146

— I dziś rano, po twoim wyjściu, pojechałem prosto do kierownika oceanarium, rozmawiałem z nim osobiście. Powiedział, że jutro z rana zajmą się gniazdem. Że przyjechaliby dzisiaj, ale mają do zabezpieczenia jeszcze osiem gniazd na Holden Beach.

Powoli odwróciła się i spojrzała wreszcie na niego, próbując ocenić, czy może mu wierzyć, czy nie.

— Czyli nikt nie pomoże dziś moim żółwiom?

— Twoim żółwiom?

— Tak. — Mówiła dobitnym tonem. — Mój dom. Moje żółwie.

Po tych słowach zrobiła w tył zwrot i weszła do domu, nie przejmując się, że go zostawia.

*

Podobała mu się. Po prostu.

W drodze powrotnej do pracy wciąż nie bardzo wiedział, dlaczego mu się podoba, ale dla Ashley nigdy nie opuścił warsztatu. Za każdym razem gdy widział się z Ronnie, udawało jej się go zaskoczyć. Podobało mu się w niej to, że mówi, co myśli, i że nie ulega jego urokowi. Jak na ironię, nie zrobił na niej dobrego wrażenia. Najpierw wylał na nią lemoniadę, później na jej oczach niemal wdał się w bójkę, a tego rana wyszedł na nieruchawego albo kretyna.

Oczywiście to żaden problem. Nie była jego koleżanką, właściwie nawet jej nie znał... ale z jakiegoś powodu przejmował się tym, co o nim myślała. Mało tego, nie tylko się tym przejmował, ale też — choć głupio to brzmiało — chciał, żeby miała o nim dobre zdanie. Bo pragnął się jej podobać.

Było to dla niego dziwne doświadczenie, nowe, i przez resztę dnia w warsztacie — pracował także w porze lunchu, żeby nadrobić czas, który stracił — łapał się na tym, że wciąż wraca do niej myślami. Czuł, że w jej słowach i zachowaniu jest coś autentycznego, że pod fasadą szorstkości kryje się wrażliwość i dobroć. Coś, dzięki czemu wiedział, że nawet jeśli do tej pory ją zawodził, wciąż ma u niej szansę.

*

Wieczorem zastał ją dokładnie tam, gdzie się spodziewał; siedziała na krześle ogrodowym z książką na kolanach i czytała przy świetle małej latarni.

Uniosła głowę, gdy się zbliżył, a potem znowu ją opuściła, ani zdziwiona, ani zadowolona.

— Domyśliłem się, że tu będziesz — oznajmił. — Twój dom, twoje żółwie i tak dalej.

Nie odpowiedziała i jego wzrok powędrował w stronę domu, w którym mieszkała. Nie było jeszcze późno i za zasłonami poruszały się ciemne sylwetki.

— Pojawił się szop?

Zamiast odpowiedzieć, przewróciła kartkę książki.

— Dobra. Niech zgadnę. Próbujesz mnie zniechęcić, co? Westchnęła.

— Nie powinieneś być z przyjaciółmi, przeglądać się razem z nimi w lustrze?

Zaśmiał się.

— Zabawne. Muszę to zapamiętać.

— Nie staram się być zabawna. Mówię poważnie.

— Och, bo jesteśmy tacy atrakcyjni, mam rację?

W odpowiedzi wróciła do lektury, ale Will wiedział, że wcale nie czyta. Usiadł obok niej.

— „Wszystkie szczęśliwe rodziny są do siebie podobne, każda nieszczęśliwa rodzina jest nieszczęśliwa na swój sposób"* — zacytował, wskazując książkę. — To pierwsze zdanie twojej powieści. Zawsze uważałem, że dużo w tym prawdy. A może tak mówił nam nauczyciel angielskiego. Nie pamiętam. Czytałem ją w zeszłym semestrze.

— Rodzice muszą być dumni, że umiesz czytać.

— A tak. Kupili mi kucyka i inne zabawki, gdy dostałem piątkę z *Kota Prota*.

— To było przed tym, jak pochwaliłeś się, że czytałeś Tołstoja, czy po tym?

— Och, więc jednak słuchasz. Chciałem się tylko upewnić. — Wskazał horyzont. — Piękny wieczór, prawda? Zawsze takie lubiłem. Jest coś uspokajającego w szumie fal dochodzącym z ciemności, nie sądzisz? — Zamilkł.

Zamknęła książkę.

— Nie brakuje ci publiczności z boiska?

— Wolę ludzi, którzy lubią żółwie.

— Więc trzymaj się ze znajomymi z oceanarium. Och, poczekaj, to niemożliwe. Bo ratują inne żółwie, a reszta w tym czasie maluje paznokcie i kręci włosy, co?

— Pewnie tak. Ale pomyślałem, że może potrzebujesz towarzystwa.

— Nic mi nie jest — warknęła. — Idź już sobie.

— To plaża publiczna. Podoba mi się tu.

— Więc zostajesz?

— Chyba tak.

— To nie będzie ci przeszkadzało, że wrócę do domu? Wyprostował się i chwycił się za brodę.

— Nie wiem, czy to taki dobry pomysł. Jak możesz zaufać, że zostanę tu przez całą noc? A ten wredny szop...

---

* Lew Tołstoj, *Anna Karenina*, przeł. Kazimiera Iłłakowiczówna, PIW, Warszawa 1986.

— Czego ode mnie chcesz? — zapytała ostro.

— Na początek, może zdradzisz mi, jak masz na imię?

Wzięła ręcznik i położyła go sobie na nogach.

— Ronnie. — Poddała się. — To skrót od Veronica.

Odchylił się do tyłu, wsparty na rękach.

— Dobrze, Ronnie. Powiesz mi coś o sobie?

— Dlaczego to cię interesuje?

— Daj mi odetchnąć — poprosił, zwracając ku niej twarz.

— Staram się, nie widzisz?

Nie bardzo wiedział, jak to przyjęła. Gdy zbierała włosy w luźny kucyk, sprawiała wrażenie pogodzonej z myślą, że łatwo się go nie pozbędzie.

— Dobra. Mieszkam w Nowym Jorku z mamą i młodszym bratem, ale mama wysłała nas tutaj, żebyśmy spędzili lato z ojcem. I teraz tkwię tu, opiekując się żółwimi jajami, podczas gdy siatkarz, łamane przez mechanik w warsztacie, łamane przez ochotnik w oceanarium, próbuje się do mnie dowalać.

— Wcale się do ciebie nie dowalam — zaprotestował.

— Nie?

— Wierz mi, wiedziałabyś, gdybym się dowalał. Nie byłabyś w stanie oprzeć się mojemu urokowi.

Po raz pierwszy usłyszał jej śmiech. Uznał to za dobry znak i kontynuował:

— Właściwie przyjechałem tu, bo robiłem sobie wyrzuty z powodu tej klatki i nie chciałem, żebyś siedziała sama. Jak już mówiłem, to plaża publiczna i nigdy nie wiadomo, kto się napatoczy.

— Jak ty?

— To nie mnie powinnaś się bać. Wszędzie są źli ludzie. Nawet tutaj.

— Pozwól, że zgadnę. Chronisz mnie, tak?

— Gdyby było trzeba, nie zawahałbym się.

Nie odpowiedziała, ale miał wrażenie, że ją zaskoczył. Nadchodził przypływ i razem patrzyli na mieniące się srebrem fale, które przetaczały się i podpływały do brzegu. Za oknami domku poruszyły się zasłony, jakby ktoś znowu na nich patrzył.

— Dobra — powiedziała w końcu, przerywając ciszę. — Teraz twoja kolej. Opowiesz mi o sobie?

— Jestem siatkarzem, mechanikiem w warsztacie i ochotnikiem w oceanarium.

Znowu usłyszał jej śmiech i spodobało mu się, że jest taki nieskrępowany. A przez to zaraźliwy.

— Nie będzie ci przeszkadzało, jeśli zostanę z tobą jeszcze przez chwilę?

— To plaża publiczna.

Wskazał domek.

— Chcesz powiedzieć ojcu, że tu jestem?

— On na pewno już o tym wie — odparła. — Zeszłej nocy zaglądał do mnie co parę minut.

— Więc chyba dobry z niego ojciec.

Zastanawiała się nad czymś przed chwilę, a potem pokręciła głową.

— Uwielbiasz siatkówkę, co?

— Pozwala mi zachować formę.

— To nie jest odpowiedź na moje pytanie.

— Lubię ją. Chociaż nie wiem, czy uwielbiam.

— Ale lubisz wpadać na ludzi, no nie?

— To zależy na kogo. Ale powiedziałbym, że kilka dni temu obróciło się to na dobre.

— Uważasz, że dobre było oblanie mnie lemoniadą?

— Gdybym cię nie oblał, może teraz nie siedziałbym tutaj.

— A ja cieszyłabym się cichym spokojnym wieczorem.

151

— Sam nie wiem. — Uśmiechnął się. — Ciche spokojne wieczory są przereklamowane.

— Chyba dziś się o tym nie przekonam, co?

Roześmiał się.

— Gdzie się uczysz?

— Skończyłam szkołę parę tygodni temu. A ty?

— Ja też... Laney High School. Chodził do niej Michael Jordan.

— Założę się, że wszyscy w twojej szkole to mówią.

— Nie — zaprzeczył. — Nie wszyscy. Tylko ci, którzy ją skończyli.

Przewróciła oczami.

— Niech ci będzie. I co dalej? Będziesz pracował u ojca?

— Tylko przez lato. — Wziął garść piasku i przesypał go przez palce.

— A później?

— Obawiam się, że nie mogę ci powiedzieć.

— Nie?

— Nie znam cię na tyle dobrze, aby zdradzić ci taką informację.

— To może chociaż coś podpowiesz? — zachęciła go.

— A ty? Co zamierzasz dalej?

Myślała przez chwilę.

— Poważnie zastanawiam się nad karierą strażniczki żółwich gniazd. Chyba mam do tego dryg. Powinieneś zobaczyć, jak zwiewał przede mną ten szop. Jakbym była Terminatorem.

— Mówisz jak Scott — zauważył. Widząc, że nie zrozumiała, wyjaśnił: — To mój kumpel, partner od siatkówki, uwielbia cytaty filmowe. Ciągle je wplata. Oczywiście głównie nadając im podtekst erotyczny.

— To rzeczywiście jakiś szczególny talent.

— Och, bo tak jest. Mógłbym go namówić, żeby ci go osobiście zademonstrował.

— Nie, dzięki. Nie potrzebuję podtekstów erotycznych.

— Mogłoby ci się spodobać.

— Nie sądzę.

Patrzył jej w oczy, gdy się przekomarzali, i zauważył, że jest ładniejsza, niż zapamiętał. Zabawna i bystra, co było jeszcze ciekawsze.

Trawa wokół gniazda ugięła się pod wpływem wiejącej od oceanu bryzy. Otaczał ich miarowy szum fal i Will poczuł się tak, jakby byli w kokonie. W domach wzdłuż plaży paliły się światła.

— Mogę ci zadać pytanie?

— Chyba cię nie powstrzymam.

Poruszył stopami w piasku.

— Co cię łączy z Blaze?

Zesztywniała lekko w milczeniu, które zapadło.

— Co masz na myśli?

— Zastanawiałem się tylko, dlaczego byłaś z nią tamtego wieczoru.

— Och. — Choć nie wiedział dlaczego, jakby poczuła ulgę. — Poznałyśmy się tego dnia, gdy wylałeś na mnie lemoniadę. Zaraz po tym, jak skończyłam się suszyć.

— Żartujesz.

— Wcale nie. Zorientowałam się już, że w tej części świata wylanie na kogoś picia jest równoważne z konwencjonalnym „Cześć, miło cię poznać". Szczerze mówiąc, uważam, że standardowe przywitanie jest lepsze, ale co ja mogę wiedzieć? — Zaczerpnęła głęboko powietrza. — W każdym razie wydała mi się w porządku, a że nie znałam tu nikogo innego, więc... przez chwilę trzymałyśmy się razem.

— Była z tobą zeszłej nocy?

Pokręciła głową.

— Nie.

— Co takiego? Nie chciała ocalić żółwi? A przynajmniej dotrzymać ci towarzystwa?

— Nie wspomniałam jej o tym.

Najwyraźniej nie miała ochoty powiedzieć więcej, więc porzucił ten temat. Wskazał natomiast plażę.

— Wybrałabyś się na spacer?

— Romantyczny spacer czy po prostu spacer?

— Powiedziałbym... po prostu spacer.

— Dobry wybór. — Klasnęła w ręce. — Ale wolałabym nie oddalać się za bardzo, bo ochotnicy z oceanarium nie przejmują się szopami i tym, że żółwie jaja są narażone na niebezpieczeństwo.

— Przejmują się, i to bardzo. Wiem z pewnego źródła, że jeden ochotnik właśnie w tej chwili pomaga strzec gniazdo.

— Owszem — odparła. — Pytanie tylko, o co mu tak naprawdę chodzi?

*

Szli plażą w kierunku molo, mijając dziesiątki domów letniskowych z wielkimi tarasami i schodami, które prowadziły nad ocean. W jednym z nich odbywało się małe przyjęcie; na drugim piętrze paliły się światła, trzy, może cztery pary opierały się o balustradę i patrzyły na zalane blaskiem księżyca fale.

Ronnie i Will niewiele rozmawiali, ale z jakiegoś powodu milczenie ich nie krępowało. Ronnie trzymała się od niego dostatecznie daleko, żeby przypadkiem nie ocierali się o siebie; czasami patrzyła pod nogi, a czasami przed siebie. W pewnych momentach wydawało mu się, że widzi przelotny uśmiech na jej twarzy, jakby przypominała sobie zabawne historie, których jeszcze mu nie opowiedziała. Od czasu do czasu zatrzymywała się i pochylała, żeby podnieść na wpół zagrzebaną w piasku muszelkę, a potem ze skupieniem oglądała ją w księżycowym świetle. Większość z nich odrzucała, pozostałe chowała do kieszeni.

Tak mało o niej wiedział — pod wieloma względami przywodziła mu na myśl szyfr. Stanowiła zupełne przeciwieństwo Ashley. Ashley była przewidywalna, niegroźna. Będąc z nią, dobrze wiedział, czego się może spodziewać, nawet jeśli w gruncie rzeczy tego nie pragnął. Ale z Ronnie sprawa wyglądała inaczej, nie miał co do tego wątpliwości, i kiedy rzuciła mu mimowolny, niespodziewany uśmiech, odniósł wrażenie, że czyta w jego myślach. To sprawiło mu przyjemność. A kiedy zawrócili i skierowali się z powrotem do żółwiego gniazda, w pewnej chwili wyobraził sobie, że będzie szedł z nią plażą codziennie, aż po daleką przyszłość.

*

Gdy dotarli do domu, Ronnie weszła do środka, żeby porozmawiać z ojcem, a Will wypakował rzeczy z samochodu. Rozłożył śpiwór i prowiant obok gniazda, pragnąc, żeby dziewczyna została tu z nim. Ale powiedziała mu, że tata na pewno się na to nie zgodzi. Cieszył się więc, że tej nocy przynajmniej będzie spała we własnym łóżku.

Ułożył się w miarę wygodnie i pomyślał, że ten dzień to przynajmniej początek czegoś innego. Że od tej pory wszystko może się zdarzyć. A kiedy Ronnie odwróciła się z uśmiechem i pomachała mu z ganku na dobranoc, błysnęła mu iskra nadziei, że może i dla niej coś się zaczyna.

*

— Co to za sztywniak?
— Nikt. Po prostu kolega. Idź już.

Gdy te słowa dotarły do jego zamglonego umysłu, Will z trudem przypomniał sobie, gdzie jest. Mrużąc oczy przed słońcem, uświadomił sobie, że stoi przed nim jakiś chłopiec.

— O, cześć — wymamrotał.

Chłopiec potarł nos.

— Co tu robisz?

— Budzę się.

— To widzę. Ale co tu robiłeś w nocy?

Will się uśmiechnął. Mały zachowywał się jak dochodzeniowy, co robiło komiczne wrażenie przy jego wieku i postaci.

— Spałem.

— Uhm.

Will podniósł się i usiadł. Zauważył z boku Ronnie. Ubrana była w czarną bawełnianą koszulkę i podarte dżinsy i miała taką samą minę jak zeszłego wieczoru.

— Mam na imię Will — przedstawił się chłopcu. — A ty kim jesteś?

Dzieciak ruchem głowy wskazał Ronnie.

— Mieszkam z nią w jednym pokoju — wyjaśnił. — Długo się znamy.

Will podrapał się po głowie.

— Rozumiem.

Ronnie zbliżyła się o krok; włosy miała jeszcze mokre po porannym prysznicu.

— To mój wścibski brat Jonah.

— Tak? — spytał Will.

— Uhm. Poza tym, że nie wścibski — odciął się chłopiec.

— Dobrze wiedzieć.

Jonah wciąż mu się przyglądał.

— Chyba cię znam.

— Nie sądzę. Mam wrażenie, że bym pamiętał.

— Nie, naprawdę — upierał się mały już z lekkim uśmiechem na twarzy. — To ty powiedziałeś temu policjantowi, że Ronnie poszła do Bower's Point.

Powróciło do niego wspomnienie tamtego wieczoru i spojrzał na Ronnie. Z przerażeniem zobaczył, że na jej twarzy pojawia się ciekawość, potem zdziwienie i wreszcie zrozumienie.

O nie.

Jonah tymczasem ciągnął:

— No, posterunkowy Pete przyprowadził ją do domu i rano strasznie pokłóciła się z tatą...

Zauważył, że Ronnie zacisnęła usta. Mamrocząc coś, odwróciła się i pobiegła do domu.

Jonah umilkł w połowie zdania, nie bardzo rozumiejąc, co takiego powiedział.

— Wielkie dzięki — burknął Will. Zerwał się na nogi i pobiegł za dziewczyną. — Ronnie! Poczekaj! Daj spokój. Przepraszam! Nie chciałem narobić ci kłopotów.

Dogonił ją i chwycił za ramię. Kiedy jego palce drapnęły jej koszulkę, okręciła się i spojrzała mu w twarz.

— Idź sobie!

— Tylko posłuchaj mnie przez chwilę...

— Nie mamy z sobą nic wspólnego! — warknęła. — Rozumiesz?

— A co to było wczoraj wieczorem?

Poczerwieniały jej policzki.

— Zostaw. Mnie. W spokoju.

— Przestań wreszcie — rzucił. Nie wiadomo dlaczego te słowa sprawiły, że umilkła, i ciągnął: — Przerwałaś bójkę, chociaż wszyscy pałali żądzą krwi. Jako jedyna zauważyłaś dzieciaka, który zaczął płakać, i widziałem, jak się uśmiechnęłaś, gdy odchodził ze swoją mamą. W wolnym czasie czytasz Tołstoja. I lubisz żółwie morskie.

Chociaż stanowczo uniosła brodę, poczuł, że do niej trafił.

— I co z tego?

— To, że chciałbym ci dzisiaj coś pokazać. — Urwał i poczuł ulgę, bo nie odmówiła od razu. Ale też nie wyraziła zgody i zanim podjęła decyzję, zrobił następny mały krok naprzód. — Spodoba ci się. Obiecuję.

*

Zajechał na pusty parking pod oceanarium i skręcił w podjazd dla obsługi, który prowadził na tyły budynku. Ronnie siedziała obok niego w pick-upie, ale niewiele mówiła podczas jazdy. Gdy szli do wejścia dla pracowników, miał wrażenie, że choć zgodziła się z nim pojechać, jeszcze się nie zdecydowała, czy ma się na niego gniewać, czy nie.

Otworzył przed nią drzwi i poczuł chłodny powiew, który zmieszał się z gorącym wilgotnym powietrzem na zewnątrz. Poszedł z nią długim korytarzem, a potem pchnął kolejne drzwi, które prowadziły do samego oceanarium.

W biurach pracowało już kilka osób, choć otwierano dopiero za godzinę. Will lubił tu przychodzić wcześniej, przed otwarciem; przyciemnione światła akwariów i cisza sprawiały, że czuł się jak w jakiejś tajemnej kryjówce. Czasami wpatrywał się w śmiertelnie niebezpieczne ze względu na kolce ognice, które pływały w zbiornikach słonej wody, ocierając się o szkło. Zastanawiał się, czy zdają sobie sprawę, że ich siedlisko skurczyło się, jeśli chodzi o rozmiary, i czy wiedzą o jego obecności.

Ronnie szła tuż przy nim i rozglądała się wokół. Nie odezwała się, gdy mijali wielkie akwarium oceaniczne, w którym znajdowała się replika zatopionego niemieckiego okrętu podwodnego z czasów drugiej wojny światowej. Kiedy doszli do zbiornika z meduzami, które połyskiwały fluorescencyjnie w ciemnym świetle, dziewczyna przystanęła i z zaciekawieniem dotknęła szyby.

— *Aurelia aurita* — wyjaśnił Will. — Znane jako meduzy księżycowe.

Skinęła głową i zafascynowana ich powolnymi ruchami znowu zwróciła spojrzenie na akwarium.

— Są takie delikatne — zauważyła. — Trudno uwierzyć, że potrafią parzyć.

Włosy jej wyschły i wiły się bardziej niż poprzedniego dnia, tak że przypominała trochę niesforną chłopczycę.

— Opowiedz mi o nich. Chyba parzyły mnie raz do roku, gdy byłam mała.

— Lepiej ich unikaj.

— Staram się. Ale i tak mnie odnajdują. Pewnie je przyciągam. — Uśmiechnęła się lekko, a potem odwróciła się i spojrzała mu w twarz. — Co tu robimy?

— Powiedziałem, że chcę ci coś pokazać.

— Ryby już widziałam. I byłam już w oceanarium.

— Wiem. Ale to coś szczególnego.

— Bo nie ma tu innych zwiedzających?

— Nie. Bo zobaczysz coś, czego publiczność nie ogląda.

— Co? Ciebie i mnie przy akwarium?

Uśmiechnął się.

— Lepiej. Chodź.

W sytuacji takiej jak ta nie wahałby się wziąć dziewczyny za rękę, ale z nią wolał tego nie próbować. Wskazał kciukiem korytarz w rogu, tak ukryty, że praktycznie niezauważalny. Przystanął na jego końcu przed drzwiami.

— Tylko mi nie mów, że masz tu swój gabinet — zakpiła.

— Nie. — Popchnął drzwi. — Nie pracuję tutaj, mówiłem ci, pamiętasz? Jestem tylko ochotnikiem.

Wkroczyli do dużego pomieszczenia o żelazobetonowej konstrukcji, w którym biegły przecinające się kanały wentylacyjne i dziesiątki rur. W górze brzęczały świetlówki, ale dźwięk ten zagłuszał szum olbrzymich filtrów wodnych pod przeciwległą ścianą. Ogromne akwarium wypełnione niemal po brzegi wodą z oceanu przesycało powietrze wonią soli.

Will skierował się do stalowej platformy, która otaczała akwarium, i ruszył na górę po industrialnych schodach. Po drugiej stronie zbiornika znajdowała się średnich rozmiarów szyba z pleksiglasu. Reflektory na górze dostarczały wystarczająco dużo światła, żeby dostrzec zarys poruszającego się wolno zwierzęcia.

Obserwował Ronnie, która w końcu zorientowała się, na co patrzy.

— Czy to żółw morski? — zapytała.

— Karetta. Nazywa się Mabel.

Gdy żółwica przepłynęła obok szyby, można było zobaczyć blizny na jej skorupie, a także brak płetwy.

— Co się jej stało?

— Wpadła pod śrubę łodzi. Uratowano ją miesiąc temu, ledwie uszła z życiem. Specjalista z Karoliny Północnej musiał amputować jej część przedniej płetwy.

Mabel, nie mogąc płynąć całkiem prosto, lekko zboczyła z kursu i wpadła na dalszą ścianę akwarium, a potem znowu zaczęła zataczać w wodzie koło.

— Nic jej nie będzie?

— To cud, że żyje tak długo, i mam nadzieję, że wyjdzie z tego. Jest już silniejsza. Ale nie wiadomo, czy przetrwałaby w oceanie.

Ronnie przyglądała się, jak Mabel znowu wpada na ścianę akwarium, a potem koryguje kurs. Zwróciła się ku Willowi.

— Dlaczego chciałeś mi to pokazać?

— Bo pomyślałem, że to cię zainteresuje tak jak mnie — odparł. — Te blizny i tak dalej.

Ronnie jakby zdziwiła jego odpowiedź, ale nic nie powiedziała. Odwróciła się natomiast do akwarium i w milczeniu przez chwilę obserwowała Mabel. Gdy żółwica zniknęła w mroku w głębi zbiornika, usłyszał, że dziewczyna wzdycha.

— Nie powinieneś być w pracy? — zapytała.

— Mam dziś wolne.

— Praca u ojca ma swoje plusy, co?

— Można tak powiedzieć.

Postukała palcami w szybę, próbując zwrócić uwagę Mabel. Po chwili odwróciła się do niego ponownie.

— Więc co zwykle robisz, gdy masz wolne?

*

— Porządny chłopak z południa, co? Chodzi na ryby, gapi się w chmury. Powinieneś jeszcze nosić czapkę z logo NASCAR-u* i żuć tytoń.

Spędzili w oceanarium jeszcze pół godziny — Ronnie urzekły wydry — i skoczyli do sklepu wędkarskiego, żeby kupić mrożone krewetki na przynętę. Potem zawiózł ją na niezagospodarowany parking pod drugiej stronie wyspy i wyjął sprzęt wędkarski, który trzymał w bagażniku. Razem poszli na skraj małej przystani i usiedli, machając nogami nad wodą.

— Nie bądź taką snobką — przekomarzał się z nią. — Wierz mi albo nie, na południu jest wspaniale. Mamy w domach instalację wodno-kanalizacyjną. A w weekendy wybieramy się na rajdy po błocie.

— Rajdy po błocie?

---

* National Association for Stock Car Auto Racing — Narodowa Organizacja Wyścigów Samochodów Seryjnych.

— Jeździmy samochodami przez błoto.

Ronnie zrobiła rozmarzoną minę.

— To musi być... wyrafinowana rozrywka.

Żartobliwie dźgnął ją łokciem.

— Tak, nabijaj się ze mnie do woli. Ale to naprawdę świetna zabawa. Błoto rozpryskuje się po szybie, można utknąć, a wtedy koła buksują, zalewając błotem gościa jadącego za tobą.

— Naprawdę aż mi się kręci w głowie z wrażenia, gdy o tym pomyślę — odparła Ronnie ze śmiertelną powagą.

— Rozumiem, że nie tak spędzasz weekendy w mieście.

Pokręciła głową.

— No... nie. Niezupełnie.

— Założę się, że w ogóle nie wyjeżdżasz z Nowego Jorku, mam rację?

— Oczywiście, że wyjeżdżam. Jestem tutaj, no nie?

— Wiesz, co mam na myśli. W weekendy.

— Dlaczego miałabym wyjeżdżać z miasta?

— Może żeby pobyć sama od czasu do czasu?

— Mogę pobyć sama w swoim pokoju.

— Dokąd byś poszła, gdybyś chciała posiedzieć pod drzewem i poczytać?

— Do Central Parku — odcięła się bez trudu. — Jest tam takie wielkie wzgórze za Tavern on the Green. I można kupić latte za rogiem.

Pokręcił głową z udawanym ubolewaniem.

— Miastowa dziewczyna. Umiesz chociaż łowić ryby?

— To nie takie trudne. Nadziewa się przynętę, na haczyk, zarzuca wędkę i czeka. Jak mi idzie?

— Dobrze, jeśli tylko o to by chodziło. Trzeba jednak wiedzieć, gdzie zarzucić przynętę i być na tyle sprawnym, żeby znalazła się tam, gdzie chcesz. Orientować się, jakiej przynęty użyć, a to zależy zarówno od ryby, jak i pogody oraz przejrzystości wody. A potem oczywiście musisz poderwać wędkę. Jeśli zrobisz to za wcześnie albo za późno, stracisz rybę.

Ronnie zastanawiała się nad tym, co powiedział.

— To dlaczego wybrałeś na przynętę krewetki?

— Bo były przecenione — odpowiedział.

Parsknęła śmiechem, a potem otarła się o niego lekko.

— Urocze — zauważyła. — Ale chyba sama się prosiłam.

Czuł wciąż ciepło jej dotyku na ramieniu.

— Zasłużyłaś na coś gorszego — rzekł. — Wierz mi, wędkarstwo to rodzaj religii dla niektórych z tutejszych.

— Włącznie z tobą?

— Nie. Dla mnie... to zajęcie medytacyjne. Daje czas, żeby pomyśleć. A poza tym lubię patrzeć w chmury... w czapce NASCAR-u, żując tytoń.

Zmarszczyła nos.

— Tak naprawdę nie żujesz tytoniu, prawda?

— Nie. Wolę nie ryzykować raka ust.

— To dobrze. — Pomachała nogami. — Bo nie umawiam się na randkę z kimś, kto żuje tytoń.

— Chcesz powiedzieć, że jesteśmy na randce?

— Nie. To zdecydowanie nie jest randka. To łowienie ryb.

— Tyle jeszcze musisz się nauczyć. Chodzi mi o to, że... na tym właśnie polega życie.

Wyłowiła kawałek drewna.

— Mówisz jak w reklamie piwa.

Przeleciał nad nimi rybołów, gdy spławik drgnął raz i drugi. Kiedy żyłka się naprężyła, Will szarpnął wędkę. Zerwał się na nogi i zaczął kręcić kołowrotkiem. Wędka się wygięła. Działo się to tak szybko, że Ronnie ledwie zdążyła się połapać, o co chodzi.

— Złowiłeś coś? — zapytała, wstając szybko.

— Zbliż się — polecił, wciąż kręcąc kołowrotkiem. Chciał wcisnąć jej wędkę w ręce. — Masz! — zawołał. — Ciągnij!

— Nie umiem! — Cofnęła się z piskiem.

— To nietrudne! Weź tylko i kręć, kręć!

— Nie wiem, co robić!

— Właśnie ci powiedziałem! — wykrzyknął. Ronnie zbliżyła się, a on wetknął jej wędkę w dłonie. — A teraz kręć!

Gdy zaczęła obracać kołowrotkiem, wędka zgięła się jeszcze bardziej.

— Kręć dalej! Tak żeby linka była naprężona!

— Staram się! — zawołała.

— Świetnie ci idzie!

Ryba szarpnęła się tuż pod powierzchnią wody — mała czerwona, z kulbinowatych, jak zauważył — i Ronnie wrzasnęła. Gdy wybuchnął śmiechem, też zaczęła się śmiać, podskakując na jednej nodze. Ryba plusnęła znowu i Ronnie krzyknęła po raz drugi. Podskoczyła jeszcze wyżej, ale teraz z wyrazem determinacji na twarzy.

Pomyślał, że to jedna z najśmieszniejszych scen, jakie widział w ostatnim czasie.

— Rób to, co robisz — polecił. — Przyciągnij ją do brzegu, a ja zajmę się resztą.

Trzymając podbierak, położył się na brzuchu i wyciągnął rękę nad wodę, podczas gdy Ronnie wciąż zwijała linkę. Szybkim ruchem złapał rybę w siatkę, a potem wstał. Odwrócił podbierak i ryba z głośnym plaśnięciem upadła na ziemię. Ronnie trzymała wędkę, kręcąc się wokół ryby, gdy Will ujął żyłkę.

— Co robisz? — wrzasnęła. — Musisz ją wrzucić z powrotem do wody!

— Nic jej nie będzie...

— Ona zdycha!

Przykucnął, wziął rybę w dłoń i przycisnął do ziemi.

— Wcale nie!

— Musisz uwolnić ją z haczyka! — zawołała znowu.

Chwycił haczyk i zaczął go odczepiać.

— Właśnie to robię! Daj mi chwilę!

— Ona krwawi! Zraniłeś ją! — Biegała wokół niego zniecierpliwiona.

Nie zwracając na nią uwagi, wyjmował haczyk. Czuł, że ryba macha ogonem, uderzając go nim o wierzch dłoni. Była mała — ważyła może trzy-cztery funty — ale zadziwiająco silna.

— Za długo to robisz! — martwiła się Ronnie.

Delikatnie usunął haczyk, ale wciąż przyciskał rybę do ziemi.

— Jesteś pewna, że nie chcesz zabrać jej do domu na kolację? Dałoby się z niej wykroić kilka filetów.

Otworzyła usta i zamknęła je z niedowierzaniem, ale zanim zdążyła cokolwiek powiedzieć, wrzucił rybę z powrotem do wody. Wpadła do niej z pluskiem i zniknęła. Wziął ręcznik i wytarł ręce z krwi.

Ronnie wciąż patrzyła na niego oskarżycielsko, a policzki płonęły jej z podniecenia.

— Nie zjadłabym jej, a ty? Gdyby mnie tu nie było?

— Spokojnie, też bym ją uwolnił.

— Dlaczego jakoś nie chce mi się wierzyć?

— Bo pewnie masz rację. — Uśmiechnął się, a potem wziął wędkę do ręki.

— Nadziejesz na haczyk następną przynętę czy ja mam to zrobić?

*

— Więc mama dostaje szału, próbując zaplanować ślub i wesele siostry, tak żeby wszystko było idealnie — dokończył Will. — Zrobiło się u nas... trochę nerwowo.

— Kiedy ten ślub?

— Dziewiątego sierpnia. Sprawy nie ułatwia to, że siostra chce, aby się odbył w domu. Co oczywiście jest dla mamy dodatkowym powodem do stresu.

Ronnie się uśmiechnęła.

— Jaka jest twoja siostra?

— Inteligentna. Mieszka w Nowym Jorku. Taki trochę wolny duch. Przypomina inną starszą siostrę, którą znam.

To wyraźnie sprawiło jej przyjemność. Szli plażą, zachodziło słońce i Will wiedział, że Ronnie już się trochę odprężyła. Skończyli łowić ryby, wrzuciwszy do wody jeszcze trzy, i Will odwiózł ją do Wilmington, gdzie zjedli razem lunch na tarasie nad Cape Fear River. Zwrócił jej uwagę na przeciwległy brzeg i pokazał USS „North Carolina", stary okręt wojenny z drugiej wojny światowej. Obserwując Ronnie, gdy przyglądała się wrakowi, uświadomił sobie nagle, jak szybko mijał mu z nią czas. W przeciwieństwie do innych dziewczyn, które znał, mówiła to, co myślała, i nie prowadziła żadnych głupich gierek. Miała specyficzne poczucie humoru, które przypadło mu do gustu, nawet jeśli czasami sam stawał się jego ofiarą. Właściwie podobało mu się w niej wszystko.

Kiedy podeszli pod jej dom, Ronnie pobiegła naprzód, żeby zajrzeć do żółwiego gniazda u podnóża wydmy. Zatrzymała się przy klatce — z gęstej siatki ogrodzeniowej, którą przytrzymywały długie paliki — i gdy stanął przy niej, zwróciła się ku niemu z powątpiewaniem na twarzy.

— To powstrzyma szopy?

— Tak mówią.

Przyjrzała się klatce.

— A jak żółwie stąd wyjdą? Nie przecisną się przez oczka, prawda?

Will pokręcił głową.

— Ochotnicy z oceanarium usuną klatkę, zanim żółwie się wylęgną.

— A skąd będą wiedzieli, kiedy to się ma stać?

— Wyliczą. Małe żółwie wykluwają się po mniej więcej sześćdziesięciu dniach, ale to zależy też trochę od pogody. Im wyższa temperatura w lecie, tym szybszy wylęg. I pamiętaj, że to nie jedyne gniazdo na plaży i nie pierwsze. Te żółwie wylęgną się mniej więcej tydzień po tamtych.

— Widziałeś to kiedyś?

Skinął głową.

— Cztery razy.

— Jak to wygląda?

— Właściwie trochę dziwnie. Gdy przychodzi pora, usuwamy klatki i kopiemy płytki rów od gniazda do brzegu oceanu, wygładzając go, jak się tylko da. Jest na tyle głęboki, żeby żółwie mogły powędrować wyłącznie w jedną stronę. I to cudaczne, bo początkowo widać ruch tylko w paru jajkach, ale one jakby powodują wykluwanie się reszty żółwi i zanim się połapiesz, gniazdo przypomina ul na sterydach. Żółwie włażą na siebie, żeby wydostać się na zewnątrz, i ruszają ku wodzie. To jak parada krabów, niesamowite.

Kiedy mówił, odniósł wrażenie, że Ronnie próbuje wyobrazić sobie tę scenę. Potem jednak zobaczyła, że jej ojciec wyszedł na ganek, i pomachała do niego.

Wskazał dom.

— Rozumiem, że to twój tata.

— Uhm.

— Nie chcesz mnie przedstawić?

— Nie.

— Obiecuję, że będę zachowywał się przyzwoicie.

— Dobra.

— Więc dlaczego nie idziemy?

— Bo ty nie przedstawiłeś mnie swoim rodzicom.

— Dlaczego chcesz poznać moich rodziców?

— No właśnie — odparła.

— Nie jestem pewien, czy podążam za twoim tokiem myślenia.

— To jak przebrnąłeś przez Tołstoja?

Jeśli wcześniej był zdezorientowany, to teraz pogubił się kompletnie. Ruszyła powoli w stronę plaży, więc zrobił kilka szybkich kroków, żeby ją dogonić.

— Trudno cię rozgryźć.

— No i?

— No i nic. Tak tylko mówię.

Uśmiechnęła się do siebie, spoglądając w stronę horyzontu. W oddali trawler do połowu krewetek płynął do portu.

— Chcę być przy tym, kiedy to się stanie — poprosiła.

— Kiedy co się stanie?

— Kiedy wylęgną się żółwie. A ty o czym myślałeś?

Pokręcił głową.

— Ach, ty wciąż o tym. Dobra, kiedy wracasz do Nowego Jorku?

— Pod koniec sierpnia.

— To mało czasu. Miejmy nadzieję, że lato będzie gorące.

— Na razie wszystko na to wskazuje. Ociekam potem.

— To dlatego, że ubierasz się na czarno. I chodzisz w dżinsach.

— Nie wiedziałam, że spędzimy cały dzień na dworze.

— Bo inaczej włożyłabyś bikini, tak?

— Chyba nie.

168

— Nie nosisz bikini?

— Oczywiście, że noszę.

— Tylko nie przy mnie?

Pokręciła głową.

— Nie dzisiaj.

— A jeśli obiecam, że znowu zabiorę cię na ryby?

— Nie pomagasz sobie.

— A co z polowaniem na kaczki?

Zatrzymała się. Gdy wreszcie odzyskała głos, odezwała się z dezaprobatą:

— Powiedz, że nie polujesz na kaczki.

Kiedy nie odpowiedział, dodała:

— Śliczne, milutkie opierzone ptaki lecące nad staw, które nikomu nie wadzą? I ty do nich strzelasz?

Will zastanowił się nad tym pytaniem.

— Tylko w zimie.

— Kiedy byłam mała, moją ulubioną zabawką była pluszowa kaczuszka. Miałam tapetę z kaczkami. I chomika, który nazywał się Daffy. Uwielbiam kaczki.

— Ja też — odparł.

Nie kryła sceptycyzmu. Will odpowiedział, wyliczając na palcach:

— Smażone, pieczone, gotowane, w sosie słodko-kwaśnym...

Walnęła go tak, że na chwilę stracił równowagę.

— To straszne!

— Raczej śmieszne!

— Jesteś podłym człowiekiem.

— Czasami. — Wskazał dom. — Więc skoro nie chcesz jeszcze wracać, może masz ochotę przejść się ze mną?

— Po co? Zamierzasz mi pokazać jeszcze jeden sposób zabijania małych zwierzątek albo opowiedzieć o nim?

— Mam dziś mecz siatkówki i chciałbym, żebyś przyszła. Będzie fajnie.

— Znowu wylejesz coś na mnie?

— Tylko jeśli weźmiesz z sobą jakiś napój.

Zastanawiała się przez chwilę, a potem ruszyła z nim w stronę molo. Szturchnął ją łokciem i odwzajemniła się tym samym.

— Myślę, że masz problemy — zauważyła.

— Jakie problemy?

— Hm, przede wszystkim jesteś zwyrodniałym zabójcą kaczek.

Zaśmiał się i spojrzał jej w oczy. Opuściła wzrok na piasek, potem popatrzyła na plażę i znowu na niego. Pokręciła głową, nie mogąc powstrzymać uśmiechu, jakby zdziwiona tym, co się między nimi dzieje, i ciesząc się każdą chwilą.

14
Ronnie

Gdyby nie był tak cholernie miły, toby się nie zdarzyło.

Patrząc na Willa i Scotta miotających się po boisku, powróciła pamięcią do wydarzeń, które sprowadziły ją tutaj. Naprawdę była tego dnia na rybach? I oglądała rano poranionego żółwia w akwarium?

Pokręciła głową; próbowała nie patrzeć na smukłe ciało Willa i widoczne pod skórą mięśnie, gdy rzucił się za piłką na piasku. Trudno było ich nie widzieć, ponieważ nie miał na sobie koszulki.

Może reszta lata nie będzie jednak taka straszna.

Oczywiście to samo pomyślała, gdy poznała Blaze, a co z tego wyszło...

Właściwie nie był w jej typie, ale gdy tak patrzyła na niego, zaczęła się zastanawiać dlaczego nie. W przeszłości nie miała wielkiego szczęścia do facetów, najlepszym przykładem był Rick. Will przewyższał inteligencją każdego chłopaka, z którym do tej pory chodziła, a co więcej, wszystko wskazywało na to, że robi coś sensownego ze swoim życiem; nawet dogadywał się z rodziną. I chociaż lubił odgrywać prostolinijnego, nie był łatwym przeciwnikiem. Kiedy wyzywała go na pojedynek, przyjmował wyzwanie — i to nieraz — co, musiała przyznać, nawet jej się podobało.

Tylko jedna rzecz w nim budziła jej rezerwę: nie wiedziała, dlaczego zwrócił na nią uwagę. Zupełnie nie przypominała dziewczyn, z którymi widziała go tamtego wieczoru w wesołym miasteczku — i szczerze mówiąc, nie miała pojęcia, dlaczego chciał się z nią jeszcze zobaczyć. Obserwowała go, gdy podbiegł na koniec boiska, a potem zerknął w jej stronę, najwyraźniej zadowolony, że przyszła z nim na mecz. Poruszał się po piasku bez trudu, a kiedy był gotów do serwu, dał jakiś znak Scottowi, który grał z takim zaangażowaniem, jakby od tego zależało jego życie. Gdy tylko Scott skierował wzrok ku siatce, Will przewrócił oczami, dając do zrozumienia, że uważa przejęcie kumpla za lekką przesadę. „To tylko gra" — jakby mówił i to podniosło ją na duchu. Potem, podrzuciwszy piłkę i uderzywszy ją mocno, pobiegł do przodu, żeby włączyć się do gry. Kiedy z poświęceniem rzucił się przed siebie, żeby odbić podanie od dołu, wzbijając jednocześnie piasek, zastanowiła się, czy to, co przed chwilą widziała, nie było złudzeniem — ale gdy posłał piłkę na aut i wściekły Scott podniósł ręce z frustracją, Will go zignorował. Mrugnął do Ronnie i przygotował się do następnej akcji.

— Ty i Will, co?

Skupiona na grze, Ronnie nie zauważyła, że ktoś usiadł obok niej. Odwróciła się i rozpoznała blondynkę, która kręciła się przy Willu i Scocie tamtego wieczoru w lunaparku.

— Słucham?

Dziewczyna przeczesała palcami włosy i odsłoniła w uśmiechu idealne zęby.

172

— Ty i Will. Widziałam, że przyszliście razem.

— Ach. — Intuicja podpowiadała Ronnie, że lepiej nie mówić zbyt wiele.

Jeśli tamta zauważyła jej powściągliwość, nie okazała tego. Odrzuciwszy głowę do tyłu wyćwiczonym ruchem, znowu błysnęła zębami. Zdecydowanie powinna zajmować się bieleniem zębów, uznała Ronnie.

— Jestem Ashley. A ty...

— Ronnie.

Ashley nie przestawała jej się przyglądać.

— I jesteś tu na wakacjach? — Kiedy Ronnie spojrzała na nią uważnie, uśmiechnęła się ponownie. — Znałabym cię, gdybyś była stąd. Przyjaźnimy się z Willem od dzieciństwa.

— Aha — odparła Ronnie, starając się, żeby zabrzmiało to zniechęcająco.

— Chyba poznaliście się wtedy, gdy wpadł na ciebie na meczu? Jak go znam, pewnie zrobił to celowo.

Ronnie zamrugała powiekami.

— Słucham?

— Zdarzyło mu się to nie po raz pierwszy. Niech zgadnę. Zabrał cię na ryby, co? Na tę małą przystań po drugiej stronie wyspy?

Tym razem Ronnie nie zdołała ukryć zdziwienia.

— To jego stały numer, gdy poznaje nową dziewczynę. Albo to, albo wycieczka do oceanarium.

Gdy Ashley mówiła dalej, Ronnie patrzyła na nią z niedowierzaniem, czując, że świat wokół niej nagle zrobił się ciasny.

— O czym ty mówisz? — wychrypiała, bo głos odmówił jej posłuszeństwa.

Ashley objęła rękami kolana.

— Nowa dziewczyna, nowy podbój. Nie gniewaj się na niego — rzuciła. — Taki już jest. Nic nie może na to poradzić.

Ronnie poczuła, że krew odpływa jej z twarzy. Nakazała sobie nie słuchać tego, nie wierzyć w to. Will do takich nie należy, usiłowała przekonać samą siebie. Ale słyszała w głowie słowa Ashley...

„Niech zgadnę. Zabrał cię na ryby, co? Albo to, albo wycieczka do oceanarium".

Czyżby osądziła go zbyt pochopnie? Wyglądało na to, że myliła się co do wszystkich, których tutaj poznała. Nie byłoby w tym nic dziwnego, biorąc pod uwagę fakt, że w ogóle nie chciała tu przyjechać. Wciągając głęboko powietrze, zauważyła, że Ashley patrzy na nią badawczo.

— Dobrze się czujesz? — zapytała, a jej idealnie zaryso-wane brwi ściągnęły się w wyrazie niepokoju. — Powiedzia-łam coś, co cię dotknęło?

— Nic mi nie jest.

— Bo wyglądałaś, jakby zrobiło ci się niedobrze.

— Powiedziałam, że nic mi nie jest — odburknęła Ronnie.

Ashley otworzyła usta i zamknęła je, a potem jakby złagod-niała.

— O nie. Tylko mi nie mów, że dałaś się na to nabrać?

„Nowa dziewczyna, nowy podbój. Taki już jest".

Te zdania wciąż dźwięczały jej w uszach — nie była w stanie odpowiedzieć. Ashley więc mówiła dalej pełnym współczucia głosem:

— Och, nie wyrzucaj sobie tego, bo to naprawdę najbardziej czarujący facet na świecie, jeśli chce. Wierz mi, wiem, co mówię, bo sama się na to nabrałam. — Ruchem głowy wskaza-ła zebrany tłum. — Tak jak połowa dziewczyn, które tu widzisz.

Ronnie instynktownie spojrzała na publiczność i zauważyła kilka ładnych panienek w bikini wpatrzonych w Willa. Nie mogła wydobyć z siebie głosu. Tymczasem Ashley kontynu-owała:

— Myślałam, że ty go przejrzysz... Sprawiasz wrażenie mądrzejszej od tych dziewczyn tutaj. Wydawało mi się, że...

— Muszę już iść — oświadczyła Ronnie; ton jej głosu był spokojniejszy niż nerwy. Gdy się podniosła, poczuła, że lekko drżą jej nogi. Will po drugiej stronie boiska musiał zauważyć, że wstała, bo uśmiechnął się do niej, jakby...

„To naprawdę najbardziej czarujący facet na świecie...".

Odwróciła się, zła na niego, a jeszcze bardziej na siebie — za to, że okazała się taka głupia. Miała ochotę jak najszybciej zniknąć z tego cholernego miejsca.

*

Po powrocie do domu rzuciła walizkę na łóżko i zaczęła wkładać do niej swoje rzeczy, gdy drzwi za nią się otworzyły. Zobaczyła przez ramię, że w progu pokoju stanął ojciec. Zawahała się przez moment, a potem podeszła do komody i wyjęła następne ubrania.

— Ciężki dzień? — zapytał. Mówił łagodnym głosem, ale nie czekał na odpowiedź. — Byłem z Jonah w warsztacie, gdy zauważyłem, że przyszłaś z plaży. Wyglądałaś na wkurzoną.

— Nie chcę o tym rozmawiać.

Tata nie ruszył się z miejsca.

— Dokąd się wybierasz?

Z wściekłością zaczerpnęła powietrza, nie przerywając pakowania.

— Zabieram się stąd, okay? Zadzwonię do mamy i wracam do domu.

— Jest aż tak źle?

Odwróciła się do niego.

— Proszę, nie zatrzymuj mnie. Nie podoba mi się tutaj. Nie mogę się z nikim dogadać. Nie pasuję tu. To nie moje miejsce. Chcę wrócić do domu.

Ojciec nic nie powiedział, ale zobaczyła rozczarowanie na jego twarzy.

— Przepraszam — dodała. — Nie chodzi o ciebie, rozumiesz? Jeśli zadzwonisz, podejdę do telefonu i porozmawiam z tobą. Możesz też przyjechać do Nowego Jorku, wtedy spędzimy z sobą trochę czasu, dobrze?

Ojciec w dalszym ciągu patrzył na nią w milczeniu, przez co poczuła się jeszcze gorzej. Zlustrowała zawartość walizki i dorzuciła resztę ciuchów.

— Nie jestem pewien, czy mogę cię puścić.

Wiedziała, na co się zanosi, i stężała.

— Tato...

Uniósł ręce.

— Nie z tego powodu, o którym myślisz. Puściłbym cię, gdybym mógł. Od razu zadzwoniłbym do twojej mamy. Ale biorąc pod uwagę to, co stało się wczoraj w sklepie muzycznym...

— Z Blaze — usłyszała własny głos. No tak, i to aresztowanie...

Opadły jej ramiona. W złości zapomniała o kradzieży.

Oczywiście, że o tym zapomniała. Przede wszystkim niczego nie ukradła! Nagle straciła całą energię; obróciła się i usiadła na łóżku. To niesprawiedliwe. Wszystko było niesprawiedliwe.

Ojciec nie wychodził z pokoju.

— Spróbuję skontaktować się z Pete'em... posterunkowym Johnsonem... i zapytam, czy możesz wyjechać. Ale pewnie nie uda mi się go dziś złapać, a nie chciałbym pogarszać twojej sytuacji. Jeżeli jednak powie, że nie ma problemu, a ty nie zmienisz zamiaru, nie będę cię zatrzymywał.

— Obiecujesz?

— Uhm. Choć wolałbym, żebyś została, naprawdę.

Kiwnęła głową i zacisnęła usta.

— Przyjedziesz do Nowego Jorku, żeby się ze mną spotkać?

— Jeśli tylko będę mógł — odparł.

— Co to znaczy?

Zanim zdążył odpowiedzieć, rozległo się pukanie do drzwi frontowych, głośne i natarczywe. Ojciec obejrzał się przez ramię.

— To pewnie ten chłopak, z którym widziałaś się dzisiaj. — Zaintrygowało ją, skąd to wiedział, a on, jakby czytał jej w myślach, wyjaśnił: — Widziałem, jak szedł tutaj, gdy wchodziłem do domu, żeby do ciebie zajrzeć. Mam to załatwić?

„Nie gniewaj się na niego. Taki już jest. Nic nie może na to poradzić".

— Nie — odrzekła. — Sama się tym zajmę.

Ojciec się uśmiechnął i przez chwilę pomyślała, że wygląda starzej niż dzień wcześniej. Jakby się postarzał wskutek jej żądania.

Ale niezależnie od tego — to nie było jej miejsce. Może jego, ale nie jej.

Pukanie do drzwi się powtórzyło.

— Tato?

— Tak?

— Dzięki. Wiem, że chciałbyś mnie zatrzymać, ale nie mogę zostać.

— W porządku, kochanie. — Chociaż się uśmiechnął, w jego głosie zabrzmiał żal. — Rozumiem.

Przeciągnęła dłońmi po bocznych szwach dżinsów i wstała z łóżka. Gdy ruszyła do wyjścia, ojciec położył jej dłoń na plecach i przystanęła. Potem, zbierając siły, podeszła do drzwi i otworzyła je. Ręka Willa zawisła w powietrzu. Wydawał się zdziwiony, że widzi ją w progu.

Popatrzyła na niego, zastanawiając się, jak mogła być taka głupia, żeby mu uwierzyć. Powinna była słuchać intuicji.

— O, cześć... — Opuścił dłoń. — Jesteś tutaj. Przez chwilę...

Zatrzasnęła mu drzwi przed nosem. Po sekundzie usłyszała ponowne pukanie i błagalny głos Willa:

— Ronnie! Poczekaj! Chcę wiedzieć, co się stało! Możesz wyjść?

— Odejdź! — odkrzyknęła.

— Co takiego zrobiłem?

Z rozmachem otworzyła drzwi.

— Nie dam się nabrać na twoje gierki!

— Jakie gierki? O czym ty mówisz?

— Nie jestem głupia. I nie mam ci nic więcej do powiedzenia.

Ponownie zatrzasnęła drzwi. Will zaczął w nie walić.

— Nie odejdę, dopóki ze mną nie porozmawiasz.

Tata zapytał:

— Kłopoty w raju?

— To żaden raj.

— Na to wygląda — zauważył. — Mam cię wyręczyć? — zaproponował jeszcze raz.

Znowu dał się słyszeć łomot do drzwi.

— On nie zostanie długo. Lepiej go zignorować — odpowiedziała.

Po chwili ojciec jakby zgodził się z tym i wskazał kuchnię.

— Jesteś głodna?

— Nie — odparła odruchowo. A potem, przyłożywszy ręce do brzucha, zmieniła zdanie. — No, może trochę.

— Znalazłem kolejny niezły przepis na necie. Cebula, grzyby i pomidory podsmażane na oliwie, do tego makaron i tarty parmezan. Brzmi dobrze, prawda?

— Jonah chyba nie będzie zachwycony.

— Chciał hot doga.

— A to niespodzianka.

Uśmiechnął się w chwili, gdy po drugiej stronie drzwi znowu rozległo się walenie. Nie ustawało. Ojciec musiał coś dostrzec w jej twarzy, bo rozłożył ramiona.

Niewiele myśląc, Ronnie podeszła do niego, a on przytulił ją mocno. W jego uścisku była... jakaś czułość i wyrozumiałość, coś, czego brakowało jej od lat. Tylko to mogła zrobić, żeby się nie rozpłakać. Cofnęła się i zapytała:

— Pomóc ci przy kolacji?

*

Usiłowała jeszcze raz przyswoić sobie treść strony, którą właśnie przeczytała. Słońce zaszło przed godziną. Niespokojnie przerzuciwszy kanały w telewizorze taty, wyłączyła go i wzięła książkę. Ale choć próbowała czytać, nie mogła przebrnąć przez ani jeden rozdział, ponieważ Jonah stał przy oknie od ponad godziny... i przez to zmuszał ją do myślenia o tym, co działo się za oknem, czy raczej o osobie, która się za nim znajdowała.

Will. Minęły już cztery godziny i jeszcze nie odszedł. Przestał pukać do drzwi dawno temu i po prostu tkwił za wydmą, zwrócony plecami do domu. Siedział na plaży publicznej, więc oboje z ojcem mogli go tylko ignorować. Co też i ona, i tata — który, o dziwo, znowu czytał Biblię — właśnie próbowali robić.

Jonah natomiast po prostu nie był w stanie. Wydawało się, że nie może oderwać wzroku od czekającego Willa, jakby to było UFO, które wylądowało przy molo, albo Wielka Stopa przedzierający się przez piach. Choć miał na sobie piżamę i już godzinę temu powinien pójść spać, ubłagał ojca, żeby pozwolił mu jeszcze zostać w salonie, bo, jak mówił: „Gdybym położył się za wcześnie, mógłbym się zsikać do łóżka".

Słusznie.

Nie sikał do łóżka od wczesnego dzieciństwa i Ronnie wiedziała, że ojciec nie uwierzył w ani jedno jego słowo. Ustąpił prawdopodobnie tylko dlatego, że był to pierwszy wieczór od przyjazdu, który spędzali razem, i — zależnie od tego, co powie nazajutrz posterunkowy Johnson — być może także ostatni. Ronnie miała wrażenie, że po prostu chciał być z nimi jak najdłużej.

Było to oczywiście zrozumiałe i poczuła wyrzuty sumienia, że chce wyjechać. Wspólne przyrządzanie kolacji okazało się zabawniejsze, niż się spodziewała, ponieważ pytania ojca nie niosły z sobą żadnych insynuacji jak ostatnio pytania mamy. Mimo to Ronnie nie zamierzała zostać tu dłużej, niż musiała, choćby dla ojca miało to być przykre. Jedyne, co mogła zrobić, to postarać się, żeby ten wieczór upłynął im jak najprzyjemniej.

Co było oczywiście niemożliwe.

— Jak długo waszym zdaniem on będzie tak siedział? — wymamrotał Jonah. Pytał o to już chyba z pięć razy, choć ani ona, ani ojciec nie odpowiadali. Tym razem jednak tata odłożył Biblię.

— Może pójdziesz i go zapytasz — zaproponował.

— Jeszcze czego — burknął Jonah. — To nie mój chłopak.

— Mój też nie — włączyła się Ronnie.

— Zachowuje się, jakby nim był.

— Nie jest moim chłopakiem, rozumiesz? — Przewróciła kartkę w książce.

— To dlaczego tak siedzi? — Przekrzywił głowę, starając się rozwikłać tę zagadkę. — Dziwne, nie wydaje ci się? Tkwi tam od kilku godzin i czeka, żebyś z nim porozmawiała. Ty, moja siostra. Moja siostra.

— Słyszę, nie ogłuchłam — odpowiedziała Ronnie. Miała wrażenie, że od dwudziestu minut czyta ten sam akapit.

— Mówię tylko, że to dziwne — perorował Jonah jak zaintrygowany naukowiec. — Dlaczego miałby czekać na moją siostrę?

Wróciła do książki i zaczęła z determinacją przedzierać się jeszcze raz przez ten sam akapit. Przez kilka następnych minut w pokoju panowała cisza.

Jeśli nie liczyć wiercenia się i pomruków Jonah przy oknie.

Usiłowała nie zwracać na niego uwagi. Zsunęła się na sofie, oparła stopy o brzeg stolika i próbowała skupić się na kolejnych zdaniach książki. Na jakąś minutę udało jej się odciąć od wszystkiego dookoła i już miała zagłębić się w treść powieści, gdy znowu usłyszała piskliwy głos brata.

— Jak długo waszym zdaniem on będzie tam siedział? — mruknął kolejny raz.

Zatrzasnęła książkę.

— Dobra! — zawołała, myśląc, że Jonah doskonale wie, jaki guzik nacisnąć, żeby wyprowadzić ją z równowagi. — Niech ci będzie! Wyjdę do niego!

*

Wiał silny wiatr, który niósł z sobą zapach słonej wody i sosen, gdy Ronnie wyszła na ganek i skierowała się w stronę Willa. Jeśli usłyszał, że drzwi się otwierają, nie dał tego po sobie poznać. Rzucał małymi muszelkami w kraby, które pospiesznie umykały do swoich kryjówek.

Gwiazdy przysłaniała lekka mgła od oceanu, tak że wieczór wydawał się chłodniejszy i mroczniejszy niż poprzednie. Ronnie roztarła sobie ramiona, żeby się rozgrzać. Will, jak zauważyła, miał na sobie te same szorty i koszulkę, w których chodził przez cały dzień. Zaniepokoiła się, czy nie zziąbł, ale odsunęła tę myśl. To nieistotne, upomniała samą siebie, gdy zwrócił się ku niej. W ciemności nie widziała wyrazu jego twarzy, ale gdy na niego spojrzała, dotarło do niej, że była nie tyle zła, ile zniecierpliwiona jego uporem.

— Wykończyłeś nerwowo mojego brata — oświadczyła, starając się, żeby zabrzmiało to stanowczo. — Powinieneś już iść.

— Która godzina?

— Po dziesiątej.

— Długo czekałaś z wyjściem.

— Nie powinnam w ogóle wychodzić. Powiedziałam ci wcześniej, żebyś sobie poszedł. — Spojrzała na niego.

Zaciął usta.

— Chcę wiedzieć, co się stało — wyjaśnił.

— Nic się nie stało.

— Powiedz mi, co Ashley ci nagadała.

— Nic mi nie nagadała.

— Widziałem, że rozmawiałyście z sobą!

Dlatego właśnie nie chciała do niego wyjść; pragnęła tego uniknąć.

— Will...

— Dlaczego uciekłaś po rozmowie z nią? I dlaczego dopiero po czterech godzinach wyszłaś, żeby ze mną pogadać?

Pokręciła głową, bo nie chciała przyznać, jak bardzo czuła się dotknięta.

— To nieważne.

— Czyli jednak coś ci powiedziała, prawda? Co takiego? Że wciąż z sobą chodzimy? Otóż nie chodzimy. Zerwaliśmy.

Dopiero po chwili się zorientowała, co miał na myśli.

— Była twoją dziewczyną?

— Uhm — odparł. — Przez dwa lata.

Nic nie odpowiedziała, więc wstał i zbliżył się do niej o krok.

— Co takiego ci powiedziała?

Jednakże ledwie go słyszała. Wróciła myślą do tego pierwszego dnia, gdy zobaczyła Ashley i Willa. Ashley w bikini, ze swoją idealną figurą, patrząca na niego...

Usłyszała niewyraźnie dalsze jego słowa:

— Co? Nie chcesz ze mną rozmawiać? Zmuszasz mnie do siedzenia tu godzinami i nawet nie raczysz odpowiedzieć mi na proste pytanie?

Prawie go nie słyszała. Przypomniała sobie natomiast, jak Ashley wyglądała wtedy poza boiskiem. Przybierała efektowne pozy, klaskała... żeby Will zwrócił na nią uwagę?

Dlaczego? Czyżby chciała go odzyskać? I bała się, że Ronnie wejdzie jej w drogę?

Nagle wszystko zaczęło do siebie pasować. Ale zanim się namyśliła, co powiedzieć, Will pokręcił głową.

— Myślałem, że jesteś inna. Wydawało mi się, że... — Popatrzył na nią, a na jego twarzy pojawiły się złość i rozczarowanie. Potem gwałtownie się odwrócił i ruszył w stronę plaży. — Do diabła, sam nie wiem, co mi się wydawało — rzucił przez ramię.

Zrobiła krok do przodu i już miała go zawołać, gdy zauważyła błysk światła na plaży, tuż przy brzegu. Światło wznosiło się i opadało, jakby ktoś podrzucał...

Płonącą piłeczkę, uświadomiła sobie.

Poczuła, że zapiera jej dech w piersi, bo domyśliła się, że to Marcus tam stoi. Cofnęła się odruchowo. Nagle wyobraziła go sobie podkradającego się w stronę żółwiego gniazda, gdy spała na dworze. Ciekawa była, jak blisko mógłby podejść. Dlaczego nie zostawi jej w spokoju? Czyżby chodził za nią?

Znała takie historie z telewizji i słyszała o nich. Choć lubiła myśleć, że wiedziałaby, co zrobić w takim przypadku, że poradziłaby sobie w prawie każdej sytuacji, to było coś innego. Bo Marcus był inny.

Bo Marcus budził w niej lęk.

Will minął już kilka domów na plaży i jego postać niknęła w ciemnościach. Myślała o tym, żeby go zawołać i wszystko mu opowiedzieć, ale nie chciała zostać na dworze dłużej, niż to było konieczne. I wolała, żeby Marcus nie kojarzył jej z Willem. Zresztą nie było jej i Willa. Już nie. Była tylko ona. I Marcus.

W panice zrobiła kolejny krok do tyłu, a potem zmusiła się, żeby przystanąć. Nie powinien wiedzieć, że się go bała, to by tylko pogorszyło sytuację. Weszła więc w krąg światła na ganku i specjalnie odwróciła się, żeby spojrzeć w kierunku Marcusa.

Nie widziała go — dostrzegła tylko podskakujące światło. Wiedziała, że Marcus chce ją nastraszyć, a to w niej coś wyzwoliło. Nie przestając na niego patrzeć, oparła ręce na biodrach i wojowniczo uniosła brodę. Serce waliło jej w piersi, ale trwała w tej postawie, nawet gdy płonąca piłka znalazła się w jego ręce. Chwilę później płomień zgasł i wiedziała, że Marcus zdusił go dłonią, dając jej znak, że nadchodzi.

Mimo to nie ruszyła się z miejsca. Nie wiedziała, co by zrobiła, gdyby Marcus nagle pojawił się kilka jardów przed nią, ale gdy sekundy zamieniły się w minutę, a potem następną, zrozumiała, że postanowił trzymać się z daleka. Zmęczona czekaniem i zadowolona, że przekazała wiadomość, odwróciła się i weszła do domu.

Dopiero gdy zamknęła drzwi i oparła się o nie, uświadomiła sobie, że trzęsą jej się ręce.

15

Marcus

— Chcę coś zjeść, zanim zamkną bar — jęknęła Blaze.

— No to idź — odparł Marcus. — Ja nie jestem głodny.

Byli przy Bower's Point razem z Teddym i Lance'em, którzy poderwali dwie najbrzydsze dziewczyny, jakie kiedykolwiek widział, i właśnie je upijali. Nie dość, że je tu zastał, to jeszcze Blaze od godziny zamęczała go pytaniami, gdzie był przez cały dzień.

Chyba domyślała się, że miało to coś wspólnego z Ronnie, bo głupia nie była. Od początku wiedziała, że Marcus interesuje się tamtą, i dlatego podrzuciła jej cedeki do torby. Był to doskonały sposób, żeby pozbyć się Ronnie... co oznaczało, że Marcus też nie będzie miał okazji się z nią spotykać.

To go wkurzyło. A teraz jeszcze zjawiła się tu i zaczęła marudzić, że jest głodna, lepić się do niego i zasypywać pytaniami...

— Nie chcę iść sama — pisnęła znowu.

— Nie słyszysz, co mówię? — odburknął. — Czy ty w ogóle mnie słuchasz? Powiedziałem, że nie chce mi się jeść.

— Nie mówię, że musisz coś jeść... — wymamrotała potulnie.

— Zamkniesz się wreszcie?

To sprawiło, że zamilkła. Przynajmniej na kilka minut. Zorientował się po jej minie, że chciała, aby ją przeprosił. Uhm, nie ma mowy.

Odwrócił się ku wodzie i zapalił swoją piłkę niezadowolony z tego, że sobie jeszcze nie poszła. Niezadowolony, że byli tu Teddy i Lance, akurat gdy potrzebował trochę spokoju i ciszy. Niezadowolony, że Blaze odstraszyła Ronnie. A już najbardziej zły, że to wszystko go tak wkurza. To było do niego niepodobne i wcale mu się nie podobało. Miał ochotę kogoś walnąć, a kiedy zerknął na Blaze i zobaczył, jak wydęła wargi, znalazła się na pierwszym miejscu listy kandydatów. Obrócił się, żałując, że nie może napić się piwa, podkręcić muzy i przez chwilę pomyśleć na osobności. Bez tych wszystkich ludzi, którzy się wokół niego kręcą.

Poza tym tak naprawdę nie miał pretensji do Blaze. Do diaska, kiedy się dowiedział, co nawyrabiała, był nawet zadowolony, bo pomyślał, że to może ułatwić mu sprawę z Ronnie. Ty podrapiesz mnie po plecach, ja ciebie... te rzeczy. Ale gdy zaproponował to Ronnie, zareagowała, jakby był czymś zarażony, jakby wolała umrzeć, niż zbliżyć się do niego. Nie należał jednak do tych, co łatwo rezygnują: mała w końcu zrozumie, że bez niego z tego bagna się nie wydobędzie. Więc poszedł do niej z krótką wizytą, licząc, że uda mu się z nią pogadać. Postanowił, że weźmie na wstrzymanie i wysłucha ze współczuciem jej skarg na Blaze, na to, jak okropnie się zachowała. Poszliby na spacer, może skończyliby pod molo, a później co by było, to by było. No nie?

Ale kiedy dochodził do jej domu, zobaczył Willa. Ze wszystkich ludzi właśnie on — siedział na wydmie i czekał na nią. I ona w końcu wyszła, żeby z nim porozmawiać. Właściwie wyglądało na to, że się kłócą, ale z tego, jak się zachowywali, wynikało, że coś jest między nimi, a to wkurzyło go jeszcze bardziej. Bo oznaczało, że dobrze się znają. Że są parą.

I że od początku źle ją ocenił.

A potem? O, potem stało się coś dziwnego. Gdy Will wziął dupę w troki, Ronnie zorientowała się, że ma dwóch gości, nie jednego. Przypuszczał, że kiedy dziewczyna zauważy, iż jest przez niego obserwowana, zrobi jedną z dwóch rzeczy. Albo zejdzie i pogada z nim, żeby przez niego nakłonić Blaze do powiedzenia prawdy, albo przestraszy się jak wcześniej i zwieje do środka. Podobała mu się myśl, że mógłby ją przestraszyć. Nigdy nie wiadomo, kiedy coś takiego się przyda.

Ona jednak postąpiła inaczej. Spojrzała w jego stronę, jakby chciała powiedzieć: „No, dalej". Stała na ganku, całą sobą wyrażając gniewny opór, aż w końcu weszła do domu.

Jeszcze nikt się wobec niego tak nie zachował. A już zwłaszcza baba. Wydaje jej się, że kim jest, do cholery? Jędrne ciałko czy nie, nie podobało mu się to. Wcale mu się nie podobało.

Blaze wyrwała go z zamyślenia.

— Na pewno nie chcesz ze mną iść?

Marcus zwrócił się do niej, czując nagłą chęć oderwania się od tego wszystkiego, ochłonięcia. Wiedział, czego mu potrzeba i kto mu to da.

— Chodź tutaj. — Zmusił się do uśmiechu. — Usiądź koło mnie. Nie chcę, żebyś sobie poszła.

16
Steve

Uniósł głowę, gdy Ronnie wróciła do domu. Choć uśmiechnęła się do niego, żeby go uspokoić, nie mógł nie zauważyć jej miny, gdy wzięła książkę i skierowała się do sypialni.

Działo się coś niedobrego.

Tylko nie bardzo wiedział co. Nie umiał się zorientować, czy Ronnie jest smutna, zła, czy przestraszona, i zastanowiwszy się, czy z nią nie porozmawiać, doszedł do wniosku, że cokolwiek się wydarzyło, będzie chciała sama sobie z tym poradzić. Przypuszczał, że to całkiem normalne. Może ostatnio nie spędzał z nią dużo czasu, ale przez wiele lat uczył młodzież i wiedział, że gdy dzieciaki chcą z tobą o czymś porozmawiać — kiedy mają do powiedzenia coś ważnego — ze zmartwienia powinien rozboleć cię brzuch.

— Hej, tato — odezwał się Jonah.

Gdy Ronnie wyszła, zabronił synkowi wyglądać przez okno. Wydawało mu się to słuszne i Jonah wyczuł, że lepiej się z nim nie kłócić. Znalazł na jednym z kanałów *SpongeBoba* i przez piętnaście minut oglądał go z zadowoleniem.

— Tak?

Jonah wstał z poważną miną.

— Zgadnij, co ma jedno oko, mówi po francusku i uwielbia jeść ciastka przed snem?

Steve zastanowił się nad tym.

— Nie mam pojęcia.

Jonah podniósł rękę i zasłonił jedno oko.

— *Moi*.

Steve się zaśmiał. Wstał z kanapy i odłożył Biblię. Ten dzieciak wciąż go rozśmieszał.

— Chodź. Mam trochę ciastek w kuchni. — Poszli tam obaj.

— Ronnie i Will chyba się pokłócili — zauważył Jonah, podciągając piżamę.

— On tak ma na imię?

— Nie martw się. Sprawdziłem go.

— Aha. Dlaczego myślisz, że się pokłócili? — spytał.

— Słyszałem ich. Will się wściekł.

Steve, patrząc na niego, zmarszczył czoło.

— Myślałem, że oglądasz kreskówki.

— Bo oglądałem. Ale jednocześnie słyszałem, jak rozmawiają — wyjaśnił Jonah rzeczowo.

— Nie powinieneś podsłuchiwać — złajał go Steve.

— Dlaczego? Czasami można dowiedzieć się czegoś ciekawego.

— Ale to niewłaściwe.

— Mama próbuje podsłuchiwać, kiedy Ronnie rozmawia przez telefon. A gdy Ronnie jest pod prysznicem, bierze jej komórkę i czyta esemesy.

— Naprawdę? — Steve starał się, żeby nie zabrzmiało w tym zbyt wielkie zaskoczenie.

— Uhm. Jak inaczej by ją pilnowała?

— No nie wiem... może po prostu powinny z sobą rozmawiać — podsunął.

— Na pewno — prychnął Jonah. — Nawet Will nie może dogadać się z Ronnie. Ona wszystkich doprowadza do szału.

*

W wieku dwunastu lat Steve miał niewielu przyjaciół. Po szkole i lekcjach gry na fortepianie zostawało mu mało czasu, więc najczęściej rozmawiał z pastorem Harrisem.

W tym okresie życia fortepian stał się jego obsesją i Steve siedział przy nim od czterech do sześciu godzin dziennie, pogrążony we własnym świecie muzyki i komponowania. Miał już na koncie liczne zwycięstwa w lokalnych i stanowych konkursach muzycznych. Matka przyszła tylko na pierwszy z nich, a ojciec nie był na żadnym. Skończyło się więc na tym, że do Raleigh, Charlotte, Atlanty czy Waszyngtonu jeździł z pastorem Harrisem. Siedział obok niego na przednim fotelu samochodu i rozmawiali całymi godzinami. I choć pastor jako duchowny często nawiązywał do Chrystusa, wypowiadał się całkiem zwyczajnie, jak ktoś z Chicago komentujący na przykład daremne wysiłki zuchów w walce o zdobycie proporca.

Pastor Harris był dobrym człowiekiem i miał ciężkie życie. Traktował swoje powołanie poważnie i wieczory zazwyczaj poświęcał wiernym, bywał albo w szpitalu, albo w zakładzie pogrzebowym, albo odwiedzał w domach tych członków wspólnoty, których uważał za swoich przyjaciół. W weekendy udzielał ślubów i chrztów, we wtorkowe wieczory przewodniczył zebraniom kościelnym, w środy i czwartki prowadził zajęcia z chórem. Jednak codziennie godzinę przez zmrokiem, niezależnie od pogody, rezerwował dla siebie i chodził na spacer po plaży. Ta godzina samotności musiała mu dobrze robić, bo gdy wracał, w wyrazie jego twarzy były spokój i pewność. Steve'owi wydawało się, że w ten sposób pastor odpoczywa od ludzi — dopóki go o to nie zagadnął.

— Nie — wyjaśnił tamten. — Nie chodzę na plażę, żeby pobyć w samotności, to niemożliwe. Spaceruję i rozmawiam z Bogiem.

— To znaczy modli się pastor do Niego?

— Nie — zaprzeczył znowu. — Rozmawiam z Nim. Nigdy nie zapominaj, że Bóg jest twoim przyjacielem. I jak wszyscy przyjaciele pragnie posłuchać, co dzieje się w twoim życiu. Czy ci dobrze, czy źle, czy jesteś smutny, czy zły, nawet gdy podważasz sens wszystkich okropności, które się dzieją. Więc rozmawiaj z Bogiem.

— I co Mu pastor mówi?

— A co mówisz przyjaciołom?

— Nie mam przyjaciół. — Steve posłał mu gorzki uśmiech. — Przynajmniej takich, z którymi mógłbym porozmawiać.

Pastor Harris uspokajająco położył mu dłoń na ramieniu.

— Masz mnie. — Steve nie odpowiedział, więc pastor uścisnął mu ramię. — Rozmawiam z Bogiem tak jak z tobą.

— A On odpowiada? — Steve był pełen niedowierzania.

— Zawsze.

— Słyszy Go pastor?

— Tak, choć nie uszami. — Przyłożył rękę do piersi. — Tu słyszę Jego odpowiedzi. Tu czuję Jego obecność.

*

Pocałowawszy Jonah w policzek i ułożywszy go do snu, Steve przystanął przed drzwiami, żeby popatrzeć na córkę. O dziwo, kiedy weszli do pokoju, Ronnie już spała i zapomniała o tym, co ją dręczyło, gdy wróciła do domu. Twarz miała spokojną, włosy rozsypane na poduszce, a ręce trzymała splecione na piersi. Zastanawiał się, czy cmoknąć ją na dobranoc, ale uznał, że tego nie zrobi, że pozwoli jej dryfować we śnie do miejsc, do których zmierzała, jak dryfują topniejące śniegi na wodach strumienia.

Mimo to nie potrafił wyjść z pokoju. Było coś kojącego w widoku obojga śpiących dzieci i gdy Jonah przekręcił się na bok, odwracając się od światła padającego z holu, Steve zaczął liczyć, ile minęło czasu, od kiedy ostatnio całował córkę przed snem. Rok przed tym, jak odszedł od Kim, Ronnie była w wieku, kiedy takie gesty stają się krępujące. Wyraźnie pamiętał wieczór, gdy powiedział, że przyszedł położyć ją do łóżka, i usłyszał w odpowiedzi: „Nie musisz już tego robić. Nic mi nie będzie". Kim spojrzała na niego wtedy z wymownym smutkiem, wiedziała, że Ronnie dorasta, chociaż koniec dzieciństwa córki był dla niej bolesny.

W przeciwieństwie do Kim Steve nie miał Ronnie za złe, że dorasta. Pomyślał o swoim życiu i przypomniało mu się, że w jej wieku sam już decydował o sobie. Pamiętał, jak kształtowało się jego spojrzenie na świat, a praca nauczyciela jedynie utwierdziła go w przekonaniu, że zmiany nie tylko są nieuniknione, ale też przynoszą korzyści. Czasami zostawał w klasie z uczniem, który opowiadał mu o swoich konfliktach z rodzicami, o tym, jak matka próbuje się z nim zaprzyjaźnić albo ojciec usiłuje go kontrolować. Inni nauczyciele w szkole uważali, że dobrze porozumiewa się z młodzieżą, i często, gdy uczniowie odchodzili, sam z zaskoczeniem dowiadywał się, że i oni tak myślą. Nie wiedział, skąd to się bierze. Przeważnie słuchał w milczeniu albo po prostu przeformułowywał pytanie, przez co zmuszał ich, żeby sami znajdywali odpowiedzi, i wierzył, że w większości są one słuszne. Nawet gdy czuł, że powinien coś powiedzieć, zazwyczaj wygłaszał ogólne uwagi w stylu kawiarnianego psychologa. „To oczywiste, że twoja mama chce się z tobą zaprzyjaźnić — odpowiadał — zaczyna widzieć w tobie dorosłego, którego pragnie poznać". Albo mówił: „Twój tata wie, że popełnił w życiu błędy, i chce cię przed nimi uchronić". Zwykłe refleksje zwykłego człowieka, ale ku jego zdziwieniu uczeń czasami zwracał się w milczeniu ku oknu, jakby przyswajał sobie jakąś głęboką myśl. Od czasu do czasu odbierał później telefon od rodziców chłopaka czy dziewczyny, którzy dziękowali mu, że porozmawiał z ich dzieckiem, bo od tego czasu jest ono lepiej nastawione. Odkładając słuchawkę, usiłował sobie przypomnieć, co takiego powiedział, w nadziei, że wykazał się większą wnikliwością, niż przypuszczał, ale przeważnie niewiele pamiętał.

Usłyszał w ciszy, że Jonah oddycha wolniej. Wiedział, że synek właśnie zasnął; słońce i świeże powietrze wyczerpywały go tak, jak nigdy nie wyczerpywał Manhattan. Co do Ronnie, z ulgą zauważył, że sen złagodził napięcie, w którym ostatnio żyła. Twarz miała pogodną, prawie anielską, i nie wiadomo dlaczego przywiodła mu na myśl pastora Harrisa, gdy wracał ze swojego spaceru po plaży. Patrzył na nią w ciszy i znowu zapragnął dostrzec znak obecności Boga. Nazajutrz Ronnie pewnie wyjedzie i na tę myśl z wahaniem zrobił krok w jej stronę. Przez okno wpadało światło księżyca i Steve usłyszał miarowy szum fal oceanu. Dalekie gwiazdy zamrugały delikatnie z boską afirmacją, jakby Bóg objawiał się gdzieś indziej. Nagle Steve poczuł się zmęczony. Jest sam, pomyślał; zawsze będzie sam. Pochylił się i musnął ustami policzek córki, znowu przepełniony miłością do niej, radością intensywną jak ból.

*

Obudził się tuż przed świtem i pomyślał — choć było to raczej wrażenie — że brakuje mu gry na fortepianie. Gdy skrzywił się, przewidując, że zaraz dopadnie go ból żołądka, poczuł nagłe pragnienie, żeby pobiec do salonu i zatracić się w muzyce.

Zastanawiał się, kiedy znowu będzie miał okazję zagrać. Żałował teraz, że nie nawiązał żadnych znajomości w miasteczku; od kiedy odgrodził fortepian, nachodziły go takie chwile, w których wyobrażał sobie, że idzie do przyjaciela i pyta, czy nie mógłby zagrać w jego salonie na rzadko używanym pianinie, które stanowi tylko dekorację. Widział siebie, jak zajmuje miejsce na zakurzonym taborecie, a przyjaciel patrzy na niego z kuchni czy holu — tego nie był pewny. Potem zaczyna grać i wzrusza tamtego do łez, czego nigdy nie udało mu się osiągnąć w trakcie wielomiesięcznych tras koncertowych.

Zdawał sobie sprawę, że to śmieszne fantazje, ale czuł, że bez muzyki traci poczucie sensu i że błądzi bez celu. Wstając z łóżka, odpędził od siebie te myśli. Pastor Harris mówił, że do kościoła zamówiono nowy fortepian, był to dar od jednego z wiernych, i że Steve będzie mógł na nim grać. Ale miał przybyć dopiero pod koniec lipca i Steve nie wiedział, czy wytrzyma do tego czasu.

Usiadł więc przy stole kuchennym i położył ręce na blacie. Jeśli się skoncentruje, może usłyszy muzykę w głowie. Beethoven skomponował *Eroicę*, kiedy był prawie zupełnie głuchy, czyż nie? Może tak jak on zdoła usłyszeć w wyobraźni cały utwór. Wybrał koncert, który Ronnie zagrała podczas występu w Carnegie Hall, i zamknąwszy oczy, próbował się skupić. Początkowo, gdy zaczął poruszać palcami, dźwięki były słabe. Stopniowo jednak nuty i akordy stawały się coraz czystsze i wyraźniejsze, i choć nie dawało to takiej satysfakcji jak prawdziwa gra na fortepianie, wiedział, że będzie musiało mu wystarczyć.

Po ostatnich frazach koncertu, które dźwięczały mu

w uszach, powoli otworzył oczy i uzmysłowił sobie, że siedzi w ciemnawej kuchni. Słońce miało pokazać się na horyzoncie za kilka minut i nagle, nie wiadomo skąd, usłyszał pojedynczą nutę, b, przeciągłą i niską, która była jakby znakiem dla niego. Wiedział, że tylko to sobie wyobraża, ale dźwięk trwał i Steve zaczął szukać ołówka oraz papieru.

Pospiesznie zapisał kilka prostych nut i taktów, a potem znowu położył palec na blacie stołu. Usłyszał dźwięk ponownie, ale tym razem po nim nastąpiły kolejne nuty, które też zanotował.

Pisał muzykę przez całe życie, ale traktował swoje melodie jak figurynki w porównaniu z posągowymi utworami, które zazwyczaj wolał grać. Ta próba też mogła niewiele przynieść, lecz czuł, że zapala się do tego wyzwania. A jeśli zdołałby skomponować coś... natchnionego? Coś, co byłoby pamiętane długo po jego śmierci?

*

Ta fantazja nie żyła długo. Próbował już czegoś takiego w przeszłości i ponosił porażki, nie miał więc złudzeń, że tym razem mu się uda. Mimo to odczuwał zadowolenie. W tworzeniu było coś porywającego. Choć nie skomponował wiele — po dość długiej pracy wrócił do pierwszych nut, które napisał, bo uznał, że musi zacząć od nowa — poczuł dziwną satysfakcję.

Gdy słońce wspięło się nad wydmy, Steve przypomniał sobie swoje myśli z poprzedniego wieczoru i postanowił wybrać się na spacer po plaży. Najbardziej ze wszystkiego pragnął wrócić do domu z tym samym spokojem, który widywał na twarzy pastora Harrisa, ale gdy brnął przez piasek, poczuł się jak amator, ktoś, kto szuka boskich prawd jak dziecko muszelek.

Byłoby świetnie, gdyby potrafił dostrzec jakiś oczywisty znak obecności Boga — może płonący krzew — ale próbował się skupić na otaczającym go świecie: słońcu wyłaniającym się z morza, porannym śpiewie ptaków, mgłach unoszących się nad wodą. Usiłował chłonąć piękno bez udziału myśli, czuć piasek pod stopami i powiew wiatru muskający policzek. Mimo tych wysiłków nie wiedział jednak, czy jest bliższy odpowiedzi.

Co sprawia, zastanowił się po raz setny, że pastor Harris słyszy głos Boga w swoim sercu? Co miał na myśli, mówiąc, że czuje Jego obecność? Steve przypuszczał, że mógłby zapytać pastora wprost, ale wątpił, czy to by coś dało. Jak coś takiego wytłumaczyć? To jak opisywanie kolorów komuś niewidomemu od urodzenia: słowa da się jeszcze zrozumieć, ale ich znaczenie pozostaje tajemnicą, sprawą osobistą.

Były to dziwne myśli jak na niego. Dawniej nie nachodziły go takie pytania; sądził, że codzienne obowiązki absorbowały go na tyle, że nie miał czasu na myślenie, przynajmniej dopóki nie zamieszkał znowu w Wrightsville Beach. Tu czas, wraz z tempem życia, zwolnił bieg. Idąc dalej plażą, Steve wrócił myślą do swojej brzemiennej w skutki decyzji — żeby spróbować szczęścia jako pianista koncertowy. To prawda, że zawsze był ciekawy, czy odniósłby sukces, no i owszem, czuł, że czas ucieka. Ale dlaczego te refleksje stały się wtedy tak naglące? Dlaczego tak skwapliwie na całe miesiące opuszczał rodzinę? Jak mógł być takim egoistą? Z perspektywy czasu wydawało się, że była to słuszna decyzja dla każdego z nich. Kiedyś sądził, że wymusiła ją miłość do muzyki, ale teraz podejrzewał, że tak naprawdę szukał sposobu, żeby wypełnić pustkę, którą czasami czuł w sobie.

I gdy tak szedł, zaczął się zastanawiać, czy w końcu w ogóle zdoła znaleźć odpowiedź.

17

Ronnie

Obudziwszy się, Ronnie spojrzała na zegar i z ulgą stwierdziła, że po raz pierwszy od czasu, gdy tu przyjechała, udało jej się wyspać. Nie było późno, ale wstając z łóżka, czuła się wypoczęta. Słyszała dźwięki telewizora dobiegające z salonu i gdy wyszła z pokoju, od razu zobaczyła Jonah. Leżał na plecach na kanapie, z głową w dół, i patrzył uważnie w ekran. Jego szyja odsłonięta jak u skazanego na gilotynę pokryta była okruchami pop-tarty. Ronnie patrzyła, jak brat bierze następny kęs, krusząc jeszcze bardziej na siebie i na dywan.

Nie chciała zadawać tego pytania. Wiedziała, że odpowiedź będzie bez sensu, ale nie mogła się powstrzymać.

— Co robisz?

— Oglądam telewizję do góry nogami — wyjaśnił.

W telewizji nadawano jedną z tych irytujących japońskich kreskówek z wielkookimi bohaterami, których nigdy nie rozumiała.

— Dlaczego?

— Bo lubię.

— A dlaczego akurat tak lubisz?

— Nie mam pojęcia.

Wiedziała, że niepotrzebnie pytała. Zerknęła więc w stronę kuchni.

— Gdzie tata?

— Nie wiem.

— Nie wiesz, gdzie jest tata?

— Nie jestem jego opiekunką. — Sprawiał wrażenie rozdrażnionego.

— Kiedy wyszedł?

— Nie wiem.

— Był tu, gdy się obudziłeś?

— Uhm. — Nie odrywał wzroku od ekranu telewizora. — Rozmawialiśmy przez okno.

— A potem...

— Nie wiem.

— Chcesz powiedzieć, że rozpłynął się w powietrzu?

— Nie. Mówię tylko, że później wpadł pastor Harris i wyszli, żeby porozmawiać. — Brzmiało to tak, jakby odpowiedź była oczywista.

— To dlaczego od razu nie powiedziałeś? — Ronnie ze zniecierpliwieniem wyrzuciła ręce w górę.

— Bo próbuję oglądać film do góry nogami. Wcale nie tak łatwo rozmawiać z tobą, gdy krew spływa mi do mózgu.

Przygotował się na jakąś jej zgryźliwą odpowiedź — na przykład „może wobec tego powinieneś częściej oglądać coś do góry nogami" — ale nie uległa tej pokusie. Ponieważ miała wreszcie lepszy humor. Ponieważ się wyspała. A głównie dlatego, że jakiś cichy głos szeptał jej: „Dziś może wrócisz do domu". Koniec z Blaze, koniec z Marcusem i Ashley, koniec z wczesnym wstawaniem.

I koniec z Willem.

Skupiła się na tej myśli. W sumie nie był taki zły. Właściwie nawet dobrze się z nim bawiła, prawie do końca. Powinna była mu powiedzieć, co usłyszała od Ashley; powinna była się wytłumaczyć. Ale zjawił się Marcus i...

Naprawdę, naprawdę chciała uciec z tego miejsca jak najdalej.

Rozsuwając zasłony, wyjrzała za okno. Ojciec i pastor Harris stali na podeście i uświadomiła sobie, że nie widziała duchownego od czasu, gdy była małą dziewczynką. Niewiele się zmienił; mimo że chodził o lasce, miał jak dawniej charakterystyczne gęste siwe włosy i brwi. Uśmiechnęła się, przypominając sobie, jaki był miły po pogrzebie dziadka. Wiedziała, dlaczego tata tak go lubił; była w nim jakaś nieskończona dobroć; pamiętała, jak po nabożeństwie poczęstował ją szklanką świeżej lemoniady, słodszej niż wszystkie napoje gazowane. Wyglądało na to, że ojciec i pastor rozmawiają z kimś jeszcze, kogo nie widziała. Podeszła do drzwi i otworzyła je, żeby mieć lepszy widok. Zobaczyła wóz policyjny. Za otwartymi przednimi drzwiami samochodu stał posterunkowy Pete Johnson, który najwyraźniej już odjeżdżał.

Usłyszała warkot silnika i zeszła po schodach, podczas gdy ojciec pomachał do policjanta. Pete zatrzasnął drzwiczki i Ronnie poczuła, że robi jej się słabo.

Kiedy podeszła do taty i pastora Harrisa, posterunkowy Pete wycofywał wóz z podjazdu, co tylko potwierdziło jej obawy, że usłyszy złe wieści.

— Wstałaś już — zaczął ojciec. — Niedawno zaglądałem do ciebie, ale spałaś jak suseł. — Wskazał kciukiem. — Pamiętasz pastora Harrisa?

Ronnie wyciągnęła rękę.

— Pamiętam. Dzień dobry. Miło pastora znowu widzieć.

Kiedy duchowny ściskał jej dłoń, zauważyła małe połyskujące blizny na jego rękach.

— Nie mogę uwierzyć, że to ta sama młoda dama, którą miałem szczęście poznać dawno temu. Jesteś już całkiem dorosła. — Uśmiechnął się. — Bardzo przypominasz matkę.

Ostatnio często to słyszała, ale wciąż nie wiedziała, co ma o tym sądzić. Czy to znaczy, że wygląda staro? Czy że mama wygląda młodo? Trudno powiedzieć, ale uznała, że w ustach pastora miał to być komplement.

— Dziękuję. Jak się ma pani Harris?

Wsparł się na lasce.

— Utrzymuje mnie w formie jak zawsze. I na pewno ucieszyłaby się na twój widok. Jeśli znajdziesz czas, żeby do nas wpaść, postaram się, żeby zrobiła dla ciebie dzbanek domowej lemoniady.

Wyglądało na to, że pamiętał.

— Trzymam pastora za słowo.

— Mam nadzieję. — Zwrócił się do Steve'a. — Dzięki jeszcze raz za witraż dla kościoła. Będzie piękny.

Ojciec machnął ręką niedbale.

— Nie musi mi pastor dziękować...

— Ależ oczywiście, że tak. No cóż. Naprawdę pora już na mnie. Siostry Towson prowadzą dziś rano zajęcia z Biblii, a znasz je i rozumiesz, że nie mogę zostawić ich samym sobie. Są z piekła rodem. Uwielbiają Daniela i Apokalipsę, jakby zupełnie zapomniały, że jest jeszcze w Biblii coś takiego jak Drugi List do Koryntian. — Obrócił się ku Ronnie. — Wspaniale było cię znowu zobaczyć, młoda damo. Mam nadzieję, że ojciec nie utrudnia ci zanadto życia. Wiesz, jacy są rodzice.

Uśmiechnęła się.

— Jest w porządku.

— To dobrze. Jeśli będzie sprawiał kłopoty, przyjdź do mnie, porozmawiamy i postaram się przemówić mu do rozumu. Jako dziecko czasami bywał niesforny, więc wyobrażam sobie, jaka musisz być sfrustrowana.

— Wcale nie byłem niesforny — zaprotestował tata. — Cały czas grałem na fortepianie.

— Przypomnij mi, to ci kiedyś opowiem, jak nalał do chrzcielnicy czerwonego barwnika.

Ojciec sprawiał wrażenie zażenowanego.

— Nigdy tego nie zrobiłem!

Pastor Harris najwyraźniej dobrze się bawił.

— Może nie, ale to niczego nie dowodzi. Twój tata nie jest ideałem, niezależnie od tego, jak usiłuje się prezentować.

Po tych słowach odwrócił się i odszedł podjazdem. Ronnie patrzyła za nim z rozbawieniem. Miała ochotę poznać bliżej każdego, kto potrafił zawstydzić ojca — w nieszkodliwy sposób oczywiście. I znał o nim różne historie. Śmieszne. Ciekawe.

Ojciec miał jednak nieprzenikniony wyraz twarzy, gdy odprowadzał wzrokiem pastora. Ale odwróciwszy się do niej, stał się znowu tatą, którego znała. Przypomniała sobie, że przed chwilą był tu posterunkowy Pete.

— O co chodziło? — zapytała. — Z posterunkowym Pete'em?

— Może najpierw zjemy śniadanie? Na pewno umierasz już z głodu. Prawie nie tknęłaś kolacji.

Wzięła go za ręce.

— Powiedz mi, tato.

Zawahał się, próbując znaleźć właściwe słowa, ale nie miał jak osłodzić jej prawdy. Westchnął.

— Nie będziesz mogła wrócić do Nowego Jorku, przynajmniej nie przed rozprawą, która odbędzie się w przyszłym tygodniu. Właścicielka sklepu postanowiła wnieść oskarżenie do sądu.

*

Ronnie siedziała na wydmie, nie tyle wściekła, ile przestraszona myślą o tym, co działo się w domu. Tkwiła tu od godziny, od czasu gdy tata powiedział jej, co usłyszał od posterunkowego Pete'a. Wiedziała, że rozmawiał teraz z mamą przez telefon, i potrafiła sobie wyobrazić jej reakcję. Z tego jednego powodu cieszyła się, że jest tutaj.

No i z powodu Willa...

Pokręciła głową; nie mogła zrozumieć, dlaczego w ogóle o nim myśli. Przecież wszystko się między nimi skończyło, zakładając, że w ogóle coś było. Dlaczego się nią interesował? Chodził przez długi czas z Ashely, co oznaczało, że podobał mu się ten rodzaj dziewczyn. A jeśli czegoś się już nauczyła, to tego, że ludzie tak łatwo nie zmieniają upodobań. Lubią, co lubili, nawet jeśli nie rozumieją dlaczego. A ona była zupełnie inna niż Ashley.

Nie ma o czym mówić, nad czym debatować. Bo jeśli jest taka jak Ashley, powinna od razu rzucić się do oceanu i płynąć w stronę horyzontu, aż nie będzie nadziei na ratunek. Od razu powinna z sobą skończyć.

Ale nie to niepokoiło ją najbardziej. Niepokoiła ją mama. Pewnie już dowiedziała się o jej zatrzymaniu, bo tata właśnie z nią rozmawiał. Ronnie skuliła się na samą myśl. Na pewno się zdenerwowała, nawet krzyczała. Gdy tylko odłoży słuchawkę po rozmowie z tatą, zadzwoni do siostry albo swojej matki i opowie o ostatnim strasznym wybryku Ronnie. Zazwyczaj rozpowiadała o prywatnych sprawach wszelkiego rodzaju, przeważnie tak je wyolbrzymiając, że Ronnie miała gigantyczne poczucie winy. Jednakże mama nigdy nie przejmowała się drobiazgami. W tym wypadku najważniejszym z nich było to, że Ronnie tego nie zrobiła!

Ale czy to w ogóle się liczyło? Jasne, że nie. Wręcz czuła gniew mamy i zebrało jej się na wymioty. Może i dobrze, że nie wróci tego dnia do domu, do Nowego Jorku.

Usłyszała za sobą kroki ojca. Kiedy spojrzała przez ramię, zawahał się. Najwyraźniej próbował się zorientować, czy Ronnie chce być sama, ale później niepewnie usiadł obok niej. Przez chwilę nic nie mówił. Wydawało się, że patrzy na trawler do połowu krewetek stojący w oddali na kotwicy.

— Wściekła się? — zapytała.

Znała odpowiedź, ale nie mogła się powstrzymać przed zadaniem tego pytania.

— Trochę — przyznał.

— Tylko trochę?

— Zdaje się, że rozniosła kuchnię w trakcie rozmowy.

Ronnie zamknęła oczy, wyobrażając sobie tę scenę.

— Powiedziałeś jej, jak było naprawdę?

— Oczywiście, że tak. I zapewniłem ją, że wierzę w twoją wersję. — Objął ją ramieniem i uścisnął. — Przejdzie jej. Zawsze przechodzi.

Pokiwała głową. Czuła, że ojciec jej się przygląda.

— Przykro mi, że nie możesz wrócić dziś do domu — powiedział delikatnie, przepraszająco. — Wiem, jak źle się tu czujesz.

— Nie czuję się tu źle — odparła automatycznie. Zaskoczona uświadomiła sobie, że choć próbowała wmówić sobie coś wręcz przeciwnego, powiedziała prawdę. — Tylko to nie moje miejsce.

Posłał jej melancholijny uśmiech.

— Jeśli to cię pocieszy, kiedy dorastałem, też czułem, że to nie jest moje miejsce. Marzyłem o wyjeździe do Nowego Jorku. Ale to dziwne, bo kiedy wreszcie stąd uciekłem, zacząłem tęsknić bardziej, niż się spodziewałem. W oceanie jest coś, co mnie przyzywa.

Spojrzała na niego.

— Co ze mną będzie? Czy posterunkowy Pete powiedział coś więcej?

— Nie. Tylko że właścicielka postanowiła wnieść sprawę do sądu, bo to wartościowe rzeczy, a ostatnio miała problemy z kradzieżami w sklepie.

— Ale ja tego nie zrobiłam! — wykrzyknęła Ronnie.

— Wiem i coś wymyślimy. Znajdziemy dobrego adwokata i wniesiemy o przeniesienie rozprawy.

— Czy adwokaci nie są drodzy?

— Dobrzy... tak — odparł.

— Stać cię na takiego?

— Nie martw się. Coś wykombinuję. — Urwał na chwilę. — Mogę cię o coś zapytać? Co zrobiłaś, że tak rozwścieczyłaś Blaze? Nie powiedziałaś mi dotąd.

Gdyby zapytała ją o to mama, pewnie by nie odpowiedziała. Przed kilkoma dniami nie odpowiedziałaby też tacie. Teraz jednak nie widziała powodu, dla którego nie miałaby tego zrobić.

— Blaze chodzi z tym dziwnym, przerażającym chłopakiem i myśli, że próbowałam go jej odbić. Czy coś w tym stylu.

— Co masz na myśli, mówiąc „dziwny" i „przerażający"?

Zamilkła. Nad oceanem pojawiły się pierwsze rodziny obładowane ręcznikami i zabawkami dla dzieci. Wskazała plażę.

— Stał tam, gdy rozmawiałam z Willem.

Ojciec nie próbował ukryć niepokoju.

— Ale nie podszedł bliżej?

Pokręciła głową.

— Nie. Tylko jest w nim coś... nienormalnego. Marcus...

— Może powinnaś trzymać się z daleka od nich obojga. To znaczy od Blaze i Marcusa.

— Nie martw się. Nie zamierzam rozmawiać z żadnym z nich.

— Chcesz, żebym zadzwonił do Pete'a? Wiem, że nie miałaś z nim dobrych doświadczeń, ale...

Ronnie pokręciła głową.

— Na razie nie trzeba. Możesz mi wierzyć albo nie, ale nie mam żadnych pretensji do Pete'a. Robił, co do niego należy, i nawet wykazał dużo zrozumienia. Myślę, że było mu mnie szkoda.

— Powiedział, że ci wierzy. Dlatego rozmawiał z właścicielką sklepu.

Uśmiechnęła się, myśląc, jak dobrze jest tak pogadać z tatą. Przez chwilę próbowała sobie wyobrazić, jak wyglądałoby jej życie, gdyby nie odszedł. Zawahała się, biorąc garść piasku i przesiewając go przez palce.

— Dlaczego nas opuściłeś, tato? — zapytała. — Jestem już dostatecznie dorosła, żeby poznać prawdę, wiesz?

Ojciec wyciągnął nogi, najwyraźniej żeby zyskać na czasie. Wyglądało na to, że zmaga się z czymś, zastanawia, ile jej powiedzieć i od czego zacząć, a potem zaczął od rzeczy oczywistej.

— Gdy przestałem uczyć w konserwatorium Juilliarda, występowałem, gdzie się dało. To było moje marzenie, wiesz? Żeby zostać pianistą koncertowym. W każdym razie... chyba powinienem lepiej rozważyć sytuację przed podjęciem decyzji. Ale nie zrobiłem tego. Nie zdawałem sobie sprawy, jak trudne to będzie dla twojej mamy. — Spojrzał na nią poważnie. — W końcu... oddaliliśmy się od siebie.

Patrzyła na ojca, gdy odpowiadał na jej pytanie, i starała się czytać między wierszami.

— Był ktoś jeszcze, prawda? — zapytała bez intonacji.

Ojciec milczał. Opuścił wzrok. Ronnie poczuła, że coś w niej zamiera.

Kiedy w końcu odpowiedział, w jego głosie słychać było zmęczenie.

— Wiem, że powinienem włożyć więcej wysiłku w ratowanie naszego małżeństwa, i przykro mi, że tego nie zrobiłem. Bardziej niż przypuszczasz. Ale chcę, żebyś coś wiedziała, dobrze? Nigdy nie straciłem wiary w waszą mamę, nie straciłem wiary w naszą miłość. Nawet jeśli w końcu nie wyszło nam tak, jak chciałem czy jak ty byś chciała, to gdy widzę ciebie i Jonah, myślę, że jestem szczęściarzem, mając takie dzieci. W tym życiu pełnym błędów nic lepszego od was mi się nie przydarzyło.

Kiedy skończył, ponownie wzięła garść piasku i przesypała go przez palce. Znowu poczuła się zmęczona.

— To co mam zrobić?

— Z dzisiejszym dniem?

— Ze wszystkim.

Delikatnie położył jej dłoń na ramieniu.

— Myślę, że najpierw powinnaś z nim porozmawiać.

— Z kim?

— Z Willem. Pamiętasz, jak wczoraj przeszliście razem obok domu? Gdy stałem na ganku? Patrzyłem na ciebie i myślałem, jak naturalnie wyglądacie z sobą.

— Nawet go nie znam — odparła Ronnie ze zdziwieniem i podziwem jednocześnie.

— Może nie. — Uśmiechnął się i na jego twarzy pojawiła się czułość. — Ale ja znam ciebie. I byłaś wczoraj szczęśliwa.

— A jeśli on nie zechce ze mną rozmawiać? — jęknęła.

— Zechce.

— Skąd wiesz?

— Bo widziałem, że i on był szczęśliwy.

*

Stojąc przed wejściem do Blakelee Brakes, myślała tylko: „Nie mam ochoty tam iść". Nie chciała się z nim spotkać, a jednocześnie chciała, i wiedziała, że nie ma wyboru. Zdawała sobie sprawę, że była wobec niego niesprawiedliwa i że zasługiwał choćby na to, aby się dowiedzieć, co wygadywała o nim Ashley. I czekał na nią pod domem kilka godzin, no nie?

Poza tym musiała przyznać, że ojciec miał rację. Przyjemnie spędzała czas z Willem, jeśli to w ogóle było możliwe w takim miejscu jak to. I miał w sobie coś, co odróżniało go od chłopaków, których do tej pory znała. Nie chodziło o to, że grał w siatkówkę i miał wysportowane ciało ani że był inteligentniejszy, niż można by sądzić. Nie obawiał się jej. Zbyt wielu chłopaków uważało w tych czasach, że najważniejsze jest być miłym. To było ważne, ale nie wtedy, gdy dla kogoś bycie miłym oznaczało bycie popychadłem. Podobało jej się, że zabrał ją na ryby, mimo że wędkarstwo nie budziło w niej entuzjazmu. W ten sposób mówił jej: „Taki jestem, to sprawia mi przyjemność i chciałabym robić to z tobą, właśnie z tobą". Zbyt często zdarzało się, że gdy jakiś facet zapraszał ją na randkę, to przyjeżdżał po nią, nie wiedząc, dokąd ją zabrać i dokąd zaprosić, aż w końcu sama musiała przejąć inicjatywę. Było w tym coś nijakiego, niezdecydowanie i brak inwencji. Willa z całą pewnością nie można by określić jako nijakiego i lubiła go za to.

Co oznaczało oczywiście że musiała naprawić sytuację. Zebrawszy się na odwagę, w razie gdyby wciąż był na nią

207

zły, wkroczyła do holu. Will i Scott pracowali w warsztacie w kanale pod samochodem. Scott powiedział coś do Willa, ten odwrócił się i zobaczył ją, ale się nie uśmiechnął. Wytarł jednak ręce w szmatę i podszedł do niej.

Zatrzymał się w odległości kilku stóp. Wciąż miał nieprzeniknioną minę.

— Czego sobie życzysz?

Nie na takie przywitanie liczyła, ale była na nie przygotowana.

— Miałeś rację — zaczęła. — Wczoraj wyszłam z meczu, bo Ashley powiedziała mi, że mam być dla ciebie nową zdobyczą. Dawała także do zrozumienia, że nie jestem pierwsza, że nasz wspólny dzień... to, co robiliśmy razem, miejsca, do których mnie zabrałeś... to sztuczki, które stosujesz wobec wszystkich nowych dziewczyn.

Will patrzył na nią.

— Kłamała — odparł.

— Wiem.

— To dlaczego kazałaś mi tyle godzin siedzieć pod twoim domem? I dlaczego od razu nic nie powiedziałaś?

Zatknęła kosmyk włosów za uchem; czuła, że przepełnia ją wstyd, ale starała się tego nie pokazywać po sobie.

— Było mi źle i przykro. I zamierzałam ci powiedzieć, ale odszedłeś, zanim zdążyłam to zrobić.

— Mówisz, że to moja wina?

— Nie, wcale nie. Ostatnio dzieje się dużo rzeczy, które nie mają nic wspólnego z tobą. Przez ostatnie kilka dni... było mi ciężko. — Nerwowo przeczesała palcami włosy. W garażu panował upał.

Will przez chwilę zastanawiał się nad tym, co powiedziała.

— Dlaczego w ogóle jej uwierzyłaś? Przecież jej nie znasz.

Zamknęła oczy. Dlaczego? — zastanowiła się. Bo jestem

idiotką. Bo powinnam była zawierzyć intuicji. Ale nie powiedziała tego. Pokręciła tylko głową.

— Nie wiem.

Wyglądało na to, że nie zamierza dodać nic więcej, więc Will wsadził kciuki do kieszeni.

— To wszystko, co chciałaś mi powiedzieć? Bo muszę wracać do pracy.

— Chcę cię też przeprosić — dorzuciła zgaszonym głosem. — Przykro mi. Przesadziłam.

— Owszem — odciął się Will. — Zachowałaś się irracjonalnie. Coś jeszcze?

— I chcę też powiedzieć, że naprawdę spędziłam wczoraj bardzo przyjemny dzień. Z wyjątkiem samego końca.

— W porządku.

Nie bardzo wiedziała, co to ma znaczyć, ale kiedy rzucił jej lekki uśmiech, zaczęła się uspokajać.

— W porządku? I to wszystko? Nic więcej mi nie powiesz po tym, jak przyszłam tutaj, żeby cię przeprosić? Tylko „w porządku"?

Zamiast odpowiedzieć, Will zbliżył się do niej i wszystko stało się tak szybko, że nie zdążyła się zorientować, o co mu chodzi. W jednej chwili stał trzy stopy od niej, a już w następnej położył jej dłoń na biodrze, przyciągnął ją do siebie, pochylił się i pocałował. Miał miękkie usta i był zaskakująco delikatny. Może była zaskoczona, ale nawet jeśli tak, odwzajemniła jego pocałunek. Nie trwał on długo i nie przypominał porażających, obezwładniających pocałunków, które pokazywano w filmach; mimo to sprawił jej przyjemność i uświadomiła sobie, że właśnie czegoś takiego oczekiwała od Willa.

Kiedy się odsunął, poczuła, że krew napływa jej do twarzy. Miał poważną minę i nie było w niej nic nijakiego.

— Następnym razem, gdy się na mnie wściekniesz, wyjaśnij mi, o co chodzi — poprosił. — Nie odgradzaj się ode mnie. Nie lubię gierek. A przy okazji, też spędziłem bardzo miły dzień.

*

Podczas drogi powrotnej do domu wciąż czuła się trochę wytrącona z równowagi. Mimo że odtwarzała pocałunek w pamięci setny raz, nie bardzo wiedziała, jak do niego doszło.

Ale podobało jej się to. Bardzo jej się podobało. Wszystko to nasuwało pytanie, dlaczego później po prostu wyszła. Można by odnieść wrażenie, że powinni umówić się na spotkanie, ale ponieważ Scott stał z tyłu i gapił się na nich z otwartymi ustami, pocałowała Willa jeszcze raz i pozwoliła mu wrócić do pracy. Była dziwnie pewna, że zobaczą się jeszcze, i to prędzej niż później.

Lubił ją. Nie miała pojęcia dlaczego, ale lubił ją. Ta myśl była zdumiewająca i Ronnie żałowała, że nie ma tu Kayli, z którą by mogła porozmawiać. Myślała o tym, żeby do niej zadzwonić, ale to nie byłoby to samo, a poza tym nie wiedziała, co miałaby jej powiedzieć. Chyba potrzebowała tylko kogoś, kto by jej wysłuchał.

Gdy zbliżyła się do domu, drzwi warsztatu się otworzyły. Jonah wyszedł na słońce i ruszył w stronę domu.

— Hej, Jonah! — zawołała.

— O, Ronnie! — Brat odwrócił się i podbiegł do niej. Przyjrzał jej się, gdy był już blisko. — Mogę cię o coś zapytać?

— Jasne.

— Chcesz ciastko?

— Słucham?

— Ciastko. Oreo na przykład. Chcesz czy nie?

Nie miała pojęcia, o co mu chodzi, z tego prostego powodu,

że myśli brata biegły zupełnie innym torem niż jej. Odpowiedziała ostrożnie:

— Nie.

— Jak to, nie chcesz ciastka?

— Nie, i już.

— Dobra, niech ci będzie. — Machnął ręką. — Ale powiedzmy, że chcesz. Powiedzmy, że marzysz o ciastku, a w kredensie jest ich mnóstwo. Co byś zrobiła?

— Zjadłabym ciastko? — zapytała niepewnie.

Jonah pstryknął palcami.

— No właśnie. To mówię.

— Czyli co?

— Że jeśli ktoś ma ochotę na ciastko, powinien je sobie wziąć. Tak się robi.

Aha, pomyślała. Teraz to miało sens.

— Niech zgadnę. Tata nie pozwolił ci zjeść ciastka?

— Właśnie. Mimo że praktycznie umieram z głodu, nawet nie chce o tym słyszeć. Mówi, że najpierw mam zjeść kanapkę.

— A ty uważasz, że to nie fair.

— Dopiero co powiedziałaś, że wzięłabyś ciastko, gdybyś miała na nie ochotę. To dlaczego ja nie mogę? Nie jestem małym dzieckiem. Sam chcę decydować o sobie. — Popatrzył na nią z przejęciem.

Przytknęła palec do brody.

— Hm. Rozumiem, dlaczego to cię tak nurtuje.

— To niesprawiedliwe. Jeśli on ma ochotę na ciastko, bierze je sobie. Jeśli ty masz ochotę na ciastko, bierzesz je sobie. Ale jeśli ja mam ochotę na ciastko, zasady się nie liczą. Jak powiedziałaś, to nie fair.

— Więc co zamierzasz?

— Zjeść kanapkę. Bo muszę. Bo dziesięciolatki nie mają co liczyć na sprawiedliwość w tym świecie.

Powlókł się do domu, nie czekając na odpowiedź. Musiała się uśmiechnąć, gdy patrzyła, jak brat odchodzi. Może później, pomyślała, zabierze go na lody. Przez chwilę zastanawiała się, czy nie pójść za nim do domu, ale zamiast tego skierowała się do warsztatu. Pomyślała, że może już czas obejrzeć okno witrażowe, o którym tyle słyszała.

W drzwiach zobaczyła, że tata lutuje dwa ołowiane elementy.

— Cześć, kochanie. Wejdź.

Wkroczyła do środka; tak naprawdę widziała warsztat po raz pierwszy. Zmarszczyła nos na widok dziwacznych zwierząt na półkach i podeszła do stołu, na którym ujrzała witraż. Z tego, co widziała, tata i Jonah mieli jeszcze dużo roboty, nawet jedna czwarta nie była skończona, i sądząc po wzorze, należało jeszcze wstawić setki elementów.

Skończywszy lutowanie, tata wyprostował się i machnął ramionami.

— Ten stół jest dla mnie za niski. Bolą mnie plecy.

— Chcesz aspirynę?

— Nie, po prostu się starzeję. Aspiryna tego nie załatwi.

Uśmiechnęła się, odchodząc od stołu. Obok przybitego do ściany wycinka z gazety o pożarze wisiało zdjęcie okna. Pochyliła się, żeby lepiej mu się przyjrzeć, a potem zwróciła do ojca.

— Rozmawiałam z nim — wyznała. — Poszłam do garażu, w którym pracuje.

— I?

— Chyba mnie lubi.

Tata wzruszył ramionami.

— Powinien. Masz w sobie coś.

Uśmiechnęła się, czując przypływ wdzięczności. Usiłowała sobie przypomnieć — ale pamięć ją zawiodła — czy ojciec zawsze był taki miły.

— Dlaczego robisz witraż dla kościoła? Bo pastor Harris pozwala ci mieszkać w tym domu?

— Nie. I tak bym go zrobił... — Nie dokończył. Ronnie spojrzała na niego wyczekująco. — To długa historia. Jesteś pewna, że to cię interesuje?

Skinęła głową.

— Miałem sześć, może siedem lat, gdy po raz pierwszy zawędrowałem do kościoła pastora Harrisa. Schroniłem się tam przed deszczem... bo lało i przemokłem. Kiedy usłyszałem, jak gra na fortepianie, pomyślałem... pamiętam to... że zaraz każe mi wyjść. Ale nie zrobił tego. Przyniósł mi natomiast koc i kubek zupy, a potem zadzwonił do mojej matki, żeby po mnie przyjechała. Jednakże zanim tu dotarła, pozwolił mi zagrać. Byłem jeszcze mały, waliłem w klawisze, ale... no, w każdym razie skończyło się tak, że wróciłem tam następnego dnia, a on został moim pierwszym nauczycielem gry na fortepianie. Kochał muzykę. Mawiał, że piękna muzyka jest jak śpiew anielski, i złapałem bakcyla. Chodziłem do kościoła codziennie i godzinami grałem pod starym witrażem, w tym boskim świetle, które na mnie spływało. Zawsze widzę ten obraz, gdy przypominam sobie czas, który tam spędziłem. Ten piękny potok światła. A kilka miesięcy temu, kiedy kościół spłonął... — Wskazał wycinek z gazety na ścianie. — Tamtej nocy pastor Harris niemal stracił życie. Był w środku, wprowadzał ostatnie poprawki do kazania i ledwie się wydostał. Kościół... zajął się w minutę i spalił prawie doszczętnie. Pastor przez miesiąc leżał w szpitalu. Gdy z niego wyszedł, zaczął odprawiać nabożeństwa w starym magazynie, który ktoś mu udostępnił. Jest tam brudno i ciemno. Myślałem, że to tymczasowe rozwiązanie, dopóki mi nie powiedział, że ubezpieczenie pokrywa tylko połowę szkód i nie stać ich na nowy witraż. Kościół nie byłby już tym samym miejscem, które zapamiętałem, a to niedobrze. Więc zamierzam to skończyć. — Odchrząknął. — Muszę skończyć.

Kiedy opowiadał, Ronnie próbowała go sobie wyobrazić jako dziecko przy kościelnym fortepianie, a jej spojrzenie wędrowało od fotografii na ścianie do niedokończonego witrażu na stole.

— Robisz słuszną rzecz.

— Uhm... Zobaczymy, co z tego wyjdzie. Ale Jonah chyba lubi to zajęcie.

— Och, jeśli już mowa o Jonah. Jest rozgoryczony tym, że nie pozwoliłeś mu na ciastko.

— Najpierw ma zjeść lunch.

Uśmiechnęła się.

— Nie dyskutuję z tobą. Tylko wydało mi się to zabawne.

— Mówił ci, że zjadł już dziś dwa ciastka?

— Obawiam się, że o tym nie wspomniał.

— Tak myślałem. — Położył rękawice na stole. — Chcesz zjeść z nami lunch?

Pokiwała głową.

— Uhm. Chyba tak.

Ruszyli do drzwi.

— A przy okazji — rzucił, starając się, żeby zabrzmiało to od niechcenia — czy będę miał przyjemność poznać tego młodego człowieka, który lubi moją córkę?

Wyminęła go i wyszła na światło słoneczne.

— Być może.

— Zaprośmy go na kolację. A później moglibyśmy... no wiesz, co zwykle robiliśmy — dodał ojciec niepewnie.

Ronnie zastanowiła się nad tym.

— Nie wiem, tato. To może być ryzykowne.

— Powiem ci coś. Ty zdecydujesz, dobra?

18
Will

— No, stary. Musisz się skupić na grze. Bo inaczej nie pokonamy Landry'ego i Tysona w turnieju.

Will przerzucił piłkę z jednej ręki do drugiej. Obaj ze Scottem stali na piasku, ociekając potem po finałowym meczu. Było późne popołudnie. O trzeciej skończyli robotę w warsztacie i pojechali na plażę, żeby zagrać z dwoma zespołami z Georgii, które spędzały wakacje w okolicy. Wszyscy przygotowywali się do południowo-wschodniego turnieju siatkarskiego, który miał się odbyć pod koniec sierpnia w Wrightsville Beach.

— W tym roku ani razu jeszcze nie przegrali. A zwyciężyli w mistrzostwach kraju dla juniorów — zwrócił mu uwagę Will.

— No i co z tego? My w nich nie stratowaliśmy. Po prostu byli najlepsi z bandy słabeuszy.

Według Willa w mistrzostwach juniorów nie występowali słabeusze. Ale w świecie Scotta każdy, kto przegrywał, był słabeuszem.

— Dokopali nam w zeszłym roku.

— Tak, ale wtedy byłeś w gorszej formie niż teraz. Musiałem tyrać za nas dwóch.

— Dzięki.

— Tylko mówię. Jesteś nierówny. Co było wczoraj? Gdy ta panienka ze *Straconych chłopców* sobie poszła? Przez resztę meczu grałeś, jakbyś był ślepy.

— To nie żadna panienka ze *Straconych chłopców*. Ma na imię Ronnie.

— Nieważne. Wiesz, na czym polega problem?

Tak, Scott, kontynuował, na czym polega mój problem, pomyślał Will. Umieram z ciekawości, żeby poznać twoją opinię. Scott ciągnął dalej, nieświadom myśli Willa:

— Twój problem polega na tym, że się nie skupiasz. Coś się dzieje, a ty odpływasz do Nibylandii. Och, oblałem Elvirę, więc mogę sobie darować pięć następnych podań. Och, Wampirzyca wściekła się na Ashley, więc spalę następne dwa serwy...

— Przestaniesz wreszcie? — przerwał mu Will.

Scott sprawiał wrażenie zdezorientowanego.

— Co przestanę?

— Przeżywać ją.

— No tak! O tym właśnie mówię! Nie chodzi mi o nią. Chodzi mi o ciebie i twój brak koncentracji. O to, że nie jesteś w stanie skupić się na grze.

— Wygraliśmy dwa sety, a oni zdobyli tylko siedem punktów! Zmiażdżyliśmy ich — zaprotestował Will.

— A nie powinni zdobyć nawet pięciu! Mogliśmy ich wyeliminować.

— Mówisz poważnie?

— Tak. Są kiepscy.

— Ale wygraliśmy! Czy to nie wystarczy?

— Nie, jeśli można wygrać efektowniej. Mogliśmy złamać

ich ducha i kiedy spotkaliby się z nami podczas turnieju, poddaliby się jeszcze przed początkiem meczu. To się nazywa psychologia.

— Raczej cwaniactwo.

— Dobra, wszystko dlatego, że nie myślisz trzeźwo. Bo inaczej nie lizałbyś się z tą Cruellą de Mon.

Elvira, Wampirzyca, a teraz znowu Cruella. Przynamniej się nie powtarza, pomyślał Will.

— Sądzę, że jesteś zazdrosny — powiedział.

— Wcale nie. Ale uważam, że powinieneś wrócić do Ashley, bo wtedy miałbym szanse u Cassie.

— Wciąż o tym myślisz?

— A o czym miałbym myśleć? Szkoda, że wczoraj nie widziałeś jej w bikini.

— Więc umów się z nią.

— Nie będzie chciała. — Scott zmarszczył brwi z konsternacją. — To jak sprzedaż wiązana czy coś w tym stylu. Nie rozumiem tego.

— Może jej się nie podobasz.

Scott popatrzył na niego, a potem zaśmiał się nieszczerze.

— Cha, cha! Bardzo śmieszne. Powinieneś występować w telewizji w jakimś programie satyrycznym. — Wbił wzrok w Willa.

— Tylko mówię.

— Więc przestań, dobra? I co się dzieje między tobą a tą...

— Ronnie?

— Uhm. O co tu chodzi? Wczoraj spędziłeś z nią cały dzień, a dziś, gdy się zjawiła, całujesz ją? Ty z nią... na poważnie czy co?

Will nie odpowiedział.

Scott pokręcił głową i uniósł palec, żeby podkreślić swój punkt widzenia.

— Zrozum jedno. Nie możesz teraz związać się na poważnie z babą. Musisz skupić się na priorytetach. Masz robotę na cały etat, zgłosiłeś się na ochotnika, żeby ratować delfiny, wieloryby czy żółwie, a wiesz, ile musimy trenować w ramach przygotowań do turnieju. Nie masz czasu na inne sprawy!

Will wciąż milczał i widział, że Scott wpada w coraz większą panikę.

— Och, stary! Nie rób mi tego. Co, do licha, w niej widzisz?

Will trwał w milczeniu.

— Nie, nie, nie — Scott powtarzał jak mantrę. — Wiedziałem, że coś takiego się zdarzy. Dlatego cię namawiałam, żebyś wrócił do Ashley! Wtedy nie straciłbyś głowy. Wiem, co będzie dalej. Zamienisz się w pustelnika. Zostawisz kumpli, żeby spotykać się z panną. Uwierz, nie tego potrzebujesz, to nie czas, żeby chodzić na poważnie z...

— Z Ronnie — podsunął Will.

— Wszystko jedno — warknął Scott. — Chyba nie dociera do ciebie, co mówię.

Will się uśmiechnął.

— Czy zdajesz sobie sprawę, że bardziej interesujesz się moim życiem niż swoim?

— Dlatego że nie robię z niego pasztetu jak ty.

Will skrzywił się mimowolnie, powracając myślą do pożaru kościoła; ciekaw był, czy Scott naprawdę nic nie rozumie.

— Nie mam ochoty o tym rozmawiać — oświadczył, ale uświadomił sobie, że Scott nie słucha. Utkwił spojrzenie nad ramieniem Willa w jakimś punkcie na plaży.

— Chyba żartujesz — wymamrotał tylko.

Will odwrócił się i zobaczył, że zbliża się do nich Ronnie — oczywiście w dżinsach i ciemnej koszulce. Wydawała się tu równie nie na miejscu jak krokodyle na Antarktyce. Na twarzy miała szeroki uśmiech.

Podszedł do niej, chłonąc ją wzrokiem, ciekaw, o czym ona myśli. Podobało mu się, że nie może jej rozgryźć.

— Hej — zaczął, wyciągając do niej rękę.

Zatrzymała się w pewnej odległości od niego. Przybrała poważną minę.

— Nie całuj mnie. Tylko posłuchaj, dobrze?

*

Siedząc przy nim w pick-upie, zachowywała się równie tajemniczo jak zwykle. Wyglądała przez okno i uśmiechała się lekko; najwyraźniej chwilowo wystarczało jej oglądanie krajobrazu.

Splotła dłonie na kolanach.

— Dla mojego taty to nieważne, że jesteś w szortach i podkoszulku.

— Zajmie mi to tylko kilka minut.

— Ale to ma być zwykła kolacja.

— Jestem zgrzany i spocony. Nie pojadę na kolację z twoim tatą ubrany jak dupek.

— Mówię ci, że dla niego to nie ma znaczenia.

— Ale dla mnie ma. W przeciwieństwie do niektórych zależy mi na wrażeniu, jakie robię.

Ronnie się najeżyła.

— Masz na myśli mnie?

— Oczywiście, że nie. Wszyscy, których znam, są urzeczeni purpurowymi pasmami we włosach.

Choć wiedziała, że Will się z nią droczy, oczy jej się rozszerzyły, a potem nagle zwęziły.

— Chyba to nie jest dla ciebie problem.

— Nie, ale tylko dlatego, że jestem wyjątkowy.

Splotła ręce przed sobą i popatrzyła na niego.

— Zamierzasz zachowywać się tak przez cały wieczór?

— Jak?

— Jak ktoś, z kim nie mam ochoty się całować?

Zaśmiał się i zwrócił ku niej.

— Przepraszam. Nie miałem na myśli nic złego. I naprawdę podobają mi się te purpurowe pasma. Taka... właśnie jesteś.

— Niech ci będzie, ale następnym razem uważaj, co mówisz. — Otworzyła schowek na rękawiczki i zaczęła w nim grzebać.

— Co robisz?

— Tylko zaglądam. Dlaczego pytasz? Ukrywasz coś?

— Możesz sobie wszystko obejrzeć. A przy okazji zrób tam porządek.

Wyjęła ze środka pocisk i ujęła go w dwa palce.

— Tym chyba zabijasz kaczki, prawda?

— Nie, to na jelenie. Za duży kaliber na kaczki. Rozerwałoby je na strzępy, gdyby czymś takim dostały.

— Masz poważny problem.

— Już to słyszałem.

Zachichotała, a potem umilkła. Byli po drugiej stronie wyspy, tej przylegającej do lądu, i między wznoszonymi na brzegu domami lśnił ocean. Ronnie zamknęła schowek na rękawiczki i opuściła osłonę przeciwsłoneczną. Zobaczywszy wetknięte za nią zdjęcie ślicznej blondynki, wyjęła je i mu się przyjrzała.

— Ładna — zauważyła.

— Uhm.

— Stawiam dziesięć dolców, że wstawiłeś je na swoją stronę na Facebooku.

— Pudło. To moja siostra.

Spostrzegł, że przeniosła wzrok z fotografii na jego nadgarstek i przyjrzała się bransoletce z plecionki.

— Bliźniacze bransoletki? — zapytała.

— Robimy je z siostrą.

— Na pewno po to, żeby wesprzeć słuszną sprawę.

— Nie — zaprzeczył. Nic więcej nie powiedział i wyczuła intuicyjnie, że nie miał ochoty o tym rozmawiać. Starannie włożyła zdjęcie na miejsce i uniosła osłonę.

— Jak daleko mieszkasz? — zapytała.

— Już prawie jesteśmy na miejscu — zapewnił ją.

— Gdybym wiedziała, że to tak daleko, wróciłabym do domu. Bo oddalamy się od niego coraz bardziej.

— Ale straciłabyś szansę na błyskotliwą rozmowę.

— Tak to nazywasz?

— Zamierzasz mnie dalej obrażać? — Zerknął na nią. — Pytam, bo nie wiem, czy włączyć muzykę, żeby tego nie słuchać.

— Wiesz, chyba popełniłeś błąd, że mnie pocałowałeś. To zresztą nie było zbyt romantyczne — odcięła się Ronnie.

— Myślałem, że bardzo romantyczne.

— Byliśmy w warsztacie, miałeś usmarowane ręce i gapił się na nas twój kumpel.

— Wspaniała sceneria — rzucił.

Zwolnił i opuścił osłonę przeciwsłoneczną po swojej stronie. Potem skręcił, zatrzymał się na chwilę i nacisnął guzik pilota. Brama z kutego żelaza otworzyła się powoli i pick-up wjechał przez nią. Podniecony perspektywą kolacji u Ronnie, Will nie zauważył, że dziewczyna zamilkła.

19

Ronnie

Dobra, pomyślała, to było śmieszne. Nie sama posiadłość: zadbane ogrody różane, żywopłoty i posągi z marmuru, potężny dom w stylu georgiańskim z eleganckimi kolumnami ani nawet ekskluzywne samochody, które woskowano ręcznie na obszarze do tego przeznaczonym — ale wszystko razem.

To było nie tylko śmieszne. Przekraczało granice śmieszności.

Jasne, wiedziała, że w Nowym Jorku mieszkają ludzie, którzy mają dwudziestotrzypokojowe apartamenty przy Park Avenue albo domy w Hamptons, ale nie znała ich, nie przyjaźniła się z nimi i nie bywała u nich. Takie miejsca widywała jedynie w czasopismach, i to na zdjęciach zrobionych z ukrycia przez paparazzich.

A teraz znalazła się tutaj — w T-shircie i podartych dżinsach. Świetnie. Mógł ją chociaż uprzedzić.

Przyglądała się domowi, gdy pick-up mknął aleją dojazdową, skręcając na małym rondzie. Will zatrzymał się dokładnie przed wejściem. Odwróciła się ku niemu i już miała go zapytać, czy tu mieszka, ale uświadomiła sobie, że to głupie pytanie. Oczywiście, że tu mieszkał. A zresztą on już wysiadł.

Idąc za jego przykładem, otworzyła drzwi i wyskoczyła z samochodu. Dwaj mężczyźni, którzy myli wozy, spojrzeli na nią i zaraz wrócili do pracy.

— Tylko wezmę prysznic. To nie potrwa długo.

— Dobrze. — Nie wiedziała, co innego mogła powiedzieć. Był to największy dom, jaki widziała w życiu.

Weszła za Willem po schodach prowadzących na taras i przystanęła na moment przy drzwiach. Jednakże zdołała dostrzec obok wejścia małą mosiężną tabliczkę z napisem „Państwo Blakelee".

Jak w nazwie warsztatu, Blakelee Brakes. I w ogólnokrajowej sieci napraw. Ojciec Willa pewnie nie był jednym z ajentów, lecz właścicielem firmy.

Wciąż trawiła to odkrycie, gdy Will pchnął drzwi i wprowadził ją do wielkiego holu, którego centralne miejsce zajmowały szerokie schody. Po prawej stronie znajdowała się wyłożona ciemną boazerią biblioteka, a po lewej coś w rodzaju salonu muzycznego. Na wprost otwierał się ogromny zalany słońcem pokój, a za nim zobaczyła lśniące wody Intracoastal Waterway.

— Nie mówiłeś mi, że masz na nazwisko Blakelee — mruknęła.

— Nie pytałaś. — Wzruszył obojętnie ramionami. — Chodź dalej.

Poprowadził ją w stronę wielkiego pokoju. Na tyłach domu rozciągała się obszerna zadaszona weranda; nad wodą można było zobaczyć średnich rozmiarów jacht zacumowany na małej przystani.

Dobra, przyznała. Czuła się tu obco i to, że pewnie wszyscy, którzy znaleźli się tu po raz pierwszy, doświadczali podobnego uczucia, stanowiło niewielką pociechę. Równie dobrze mogłaby wylądować na Marsie.

— Napijesz się czegoś, gdy będę się przygotowywał?

— E nie, nie chce mi się pić. Dzięki — odparła, usiłując nie gapić się dookoła.

— Oprowadzić cię najpierw?

— Nie, nie.

Gdzieś z naprzeciwka, trochę z boku, dobiegł jakiś głos.

— Will?! Jesteś w domu czy słuch mnie myli?

Obróciła się w tamtą stronę i zobaczyła atrakcyjną kobietę po pięćdziesiątce, która miała na sobie drogi lniany kostium ze spodniami i trzymała w dłoni czasopismo o ślubach.

— Cześć, mamo. — Will wrzucił kluczyki samochodowe do misy stojącej na stoliku, tuż obok wazonu ze świeżo ściętymi liliami. — Kogoś przywiozłem. To Ronnie. A to moja mama, Susan.

— O. Witaj, Ronnie — chłodno rzuciła Susan.

Choć kobieta próbowała to ukryć, Ronnie zorientowała się, że nie jest zachwycona wizytą niespodziewanego gościa. Jej niezadowolenie budziło nie tylko to, że wizyta była niezapowiedziana, ale także sam gość.

Jeśli Ronnie wyczuła napięcie, to Will najwyraźniej był go nieświadomy. Może, pomyślała, coś takiego potrafią wyczuć tylko kobiety, bo Will swobodnie gawędził dalej z matką.

— Jest tata? — zapytał.

— Chyba w swoim gabinecie.

— Zanim wyjdę, muszę z nim porozmawiać.

Susan przełożyła czasopismo z jednej ręki do drugiej.

— Dokąd się wybierasz?

— Wieczorem jem kolację u Ronnie, z jej tatą i bratem.

— Och. To wspaniale.

— Powinnaś być zadowolona. Ronnie jest wegetarianką.

— O — rzuciła ponownie Susan. Zwróciła się do niej i spojrzała na nią uważnie. — Naprawdę?

Ronnie aż się skuliła.

— Tak.

— Interesujące — zauważyła Susan.

Ronnie widziała, że wcale jej to nie interesuje, ale Will najwyraźniej nie.

— Dobra, to ja biegnę na górę na kilka minut. Zaraz wrócę.

Ronnie miała ochotę mu powiedzieć, żeby się pospieszył, ale zamiast tego rzuciła tylko:

— Okay.

Kilkoma dużymi susami wbiegł na schody, zostawiając Ronnie i Susan same. W ciszy, która zapadła, Ronnie uświadomiła sobie, że choć niewiele je łączy, obu im ciąży to, że skazane są na swoje towarzystwo.

Miała ochotę udusić Willa. Szkoda, że jej nie uprzedził.

— Więc — zaczęła Susan, uśmiechając się z przymusem. Wydawała się niemal plastikowa. — To ty masz to gniazdo żółwi za domem?

— Tak, to ja.

Susan kiwnęła głową. Najwyraźniej skończyły jej się tematy do rozmowy, więc z kolei Ronnie usiłowała wypełnić ciszę. Wskazała w stronę holu.

— Mają państwo piękny dom.

— Dziękuję.

Ronnie straciła inwencję i przez chwilę obie patrzyły na siebie ze skrępowaniem. Nie miała pojęcia, co by było, gdyby dłużej zostały same. Ale na szczęście dołączył do nich mężczyzna przed sześćdziesiątką albo tuż po niej, ubrany w sportowe spodnie i koszulkę polo.

— Wydawało mi się, że ktoś przyjechał — powiedział, idąc w ich stronę. Mówił sympatycznym tonem, niemal żartobliwym. — Jestem Tom, czyli ojciec Willa, a ty jesteś Ronnie, prawda?

— Miło mi poznać pana — odpowiedziała.

— Cieszę się, że wreszcie mogę poznać dziewczynę, o której Will tyle mówi.

Susan odchrząknęła.

— Will został zaproszony do Ronnie na kolację.

Tom zażartował:

— Mam nadzieję, że nie przygotowaliście nic wymyślnego. Chłopak je tylko pizzę pepperoni i hamburgery.

— Ronnie jest wegetarianką — wyjaśniła Susan.

Dziewczyna pomyślała, że zabrzmiało to tak, jakby zamiast wegetarianką była terrorystką. A może nie. Nie była pewna. Will naprawdę powinien był jej powiedzieć, czego się ma spodziewać, wtedy mogłaby się przygotować. Ale Tom, tak samo jak Will, jakby nie zwracał na nic uwagi.

— Żartujesz? To świetnie. Przynajmniej Will zacznie się zdrowo odżywiać. — Urwał na chwilę. — Wiem, że czekasz na niego, ale masz kilka minut? Chcę ci coś pokazać.

— Na pewno nie zainteresuje jej twój samolot, Tom — zauważyła Susan.

— Skąd wiesz? A może tak — odparł. Odwracając się do Ronnie, zapytał: — Lubisz samoloty?

Oczywiście, pomyślała, pewnie mają jeszcze własny samolot. To pasuje do równania. Cała ta afera była winą Willa. Zamierzała go zabić, gdy tylko się stąd wydostanie. Ale co teraz mogła zrobić?

— Uhm. Oczywiście, że lubię samoloty.

*

Miała przed oczami obraz learjeta albo gulfstreama stojącego w małym hangarze po drugiej stronie posiadłości, ale był niewyraźny, bo prywatne samoloty widywała jedynie na zdjęciach. Tego jednak się nie spodziewała: widoku kogoś starszego niż jej ojciec, kto kieruje zdalnie sterowanym zabawkowym samolotem, wpatrując się w kontrolki.

Samolot zawył, lecąc nad drzewami i pikując w stronę Intracoastal Waterway.

— Zawsze chciałem mieć coś takiego. Wreszcie się złamałem i kupiłem sobie. Właściwie to już drugi. Pierwszy przez przypadek skończył w wodzie.

— To fatalnie — zauważyła ze współczuciem Ronnie.

— Uhm, ale nauczyłem się przez to czytać instrukcję obsługi.

— Rozbił go pan?

— Nie, skończyło mu się paliwo. — Spojrzał na nią. — Chcesz spróbować?

— Lepiej nie. — Zawahała się. — Nie jestem w tym dobra.

— To nie takie trudne — zapewnił ją. — To jeden z samolotów dla początkujących. Odporny na idiotów. Co prawda, pierwszy też był taki. O czym to świadczy?

— Że powinien pan czytać instrukcję obsługi?

— Słusznie. — W tonie jego głosu było coś, co przypominało jej Willa. — Rozmawiałyście z Susan o ślubie? — zapytał.

Ronnie zaprzeczyła ruchem głowy.

— Nie. Ale Will wspominał mi o nim.

— Spędziłem dziś dwie godziny u florystki, oglądając kompozycje kwiatowe. Oglądałaś kiedyś przez dwie godziny kompozycje kwiatowe?

— Nie.

— To możesz uważać się za szczęściarę.

Ronnie parsknęła śmiechem, pełna ulgi, że jest tu z nim. Zaraz potem nadszedł Will, odświeżony, ubrany starannie w koszulkę polo i szorty — jedno i drugie markowe, ale chyba powinna się była tego spodziewać.

— Musisz wybaczyć tacie. Czasami zapomina, że jest dorosły — zażartował.

— Jestem przynajmniej szczery. I jakoś nie widziałem, żebyś pędził do domu nam pomóc.

— Miałem mecz siatkówki.

— Uhm, na pewno dlatego. Ale muszę ci powiedzieć, że Ronnie jest o wiele ładniejsza, niż mówiłeś.

Choć uśmiechnęła się z zadowoleniem, Will najwyraźniej był speszony.

— Tato...

— To prawda — dodał szybko Tom. — Nie wstydź się. — Upewnił się, że samolot leci prosto, i spojrzał na Ronnie. — On często się wstydzi. Był najbardziej nieśmiałym dzieckiem na świecie. Nie mógł usiąść przy dziewczynie, żeby się nie zarumienić.

Will tymczasem kręcił głową ze zdumieniem.

— Nie wierzę, że to mówisz, tato. I to przy niej.

— W czym problem? — Tom zerknął na Ronnie. — Czy to ci przeszkadza?

— Wcale nie.

— No widzisz? — Zadowolony poklepał syna po piersi. — Jej to nie przeszkadza.

— Wielkie dzięki. — Will się skrzywił.

— Od czego są ojcowie? Hej, chcesz się tym pobawić? — zaproponował synowi.

— Naprawdę nie mogę. Muszę odwieźć Ronnie do domu, żebyśmy mogli zasiąść do kolacji.

— Posłuchaj mnie. Jeśli nawet będzie bakłażan z brukwią i tofu, masz zjeść, co ci podadzą, pochwalić i podziękować — upomniał go Tom.

— Prawdopodobnie będzie pasta — zdradziła Ronnie z uśmiechem.

— Naprawdę? — Tom wydawał się rozczarowany. — Makaron to on zje.

— Co? Wolałbyś, żebym nie zjadł?

— Zawsze lubił eksperymentować. Jak było dziś w warsztacie?

— O tym właśnie chciałem z tobą pogadać. Jay powiedział, że jest problem z komputerem czy z oprogramowaniem... wszystko drukuje się podwójnie.

— Tylko w salonie firmowym czy gdzie indziej też?

— Nie wiem.

Tom westchnął.

— Chyba będę musiał to sprawdzić. Oczywiście jeśli uda mi się ściągnąć to cholerstwo na ziemię. A wy dwoje bawcie się dobrze, okay?

Kilka minut później, gdy wsiedli do pick-upu, Will przed włączeniem silnika zadzwonił kluczykami.

— Przepraszam za to wszystko. Tata czasami mówi dziwne rzeczy.

— Nie przepraszaj. Polubiłam go.

— A przy okazji, wcale nie byłem nieśmiały. Nigdy się nie czerwieniłem.

— Oczywiście, że nie.

— Mówię serio. Zawsze byłem pewny siebie.

— Jasne. — Wyciągnęła rękę i poklepała go po kolanie. — Ale posłuchaj. Jeśli chodzi o dzisiejszy wieczór. W mojej rodzinie panuje taka dziwna tradycja.

*

— Kłamiesz! — wrzasnął Will. — Kłamiesz przez cały wieczór i mam już tego dość, niedobrze mi się robi.

— Nawet się nie waż! — krzyknęła Ronnie. — To ty kłamiesz!

Już dawno posprzątali po kolacji — tata podał spaghetti w sosie marinara i Will zmiótł wszystko z talerza — a teraz siedzieli przy stole kuchennym z kartami przy twarzach, grając w pokera kłamców. Will miał ósemkę kier, Steve — trójkę kier, a Jonah — dziewiątkę pik. Przed każdym z nich stały słupki monet, a z miski ustawionej pośrodku wysypały się już drobniaki.

— Oboje kłamiecie — włączył się Jonah. — Żadne z was nie mówi prawdy.

Will spojrzał na niego z pokerową miną i sięgnął do swojego słupka z monetami.

— Ta dwudziestocentówka świadczy, że nie wiesz, o czym mówisz.

Ojciec pokręcił głową.

— Złe zagranie, młody człowieku. To koniec. Podnoszę do pięćdziesięciu centów.

— Zobaczymy! — zawołała Ronnie.

I Jonah, i Will dorzucili tę samą sumę.

Znieruchomieli, patrząc na siebie nawzajem, a potem wyłożyli karty na stół. Ronnie, która miała ósemkę, zauważyła, że wygrał Jonah. Znowu.

— Wszyscy jesteście kłamcami! — oświadczył.

Ronnie dostrzegła, że wygrał dwa razy więcej niż reszta, i patrząc, jak brat zgarnia stos drobnych, pomyślała, że przynajmniej jak dotąd wieczór był bardzo przyjemny. Nie wiedziała, czego się spodziewać, gdy zapraszała tu Willa, zwłaszcza że pierwszy raz przedstawiała swojego chłopaka ojcu. Czy tata umknie do kuchni i zostawi ich samych? Czy będzie próbował zaprzyjaźnić się z Willem? Powie albo zrobi coś, co wprawi ją w zakłopotanie? Podczas jazdy do domu już zaczęła kombinować, jak urwać się po kolacji.

Jednakże gdy tylko weszli do środka, uspokoiła się trochę. Po pierwsze, dom był wysprzątany, a Jonah najwyraźniej dostał polecenie, żeby nie naprzykrzać się im ani nie wypytywać Willa jak prokurator. Tata przywitał się z Willem zwyczajnym uściskiem dłoni i swobodnym „Miło cię poznać". Will oczywiście stanął na wysokości zadania i odpowiadał: „Tak, proszę pana" albo „Nie, proszę pana", co wydało jej się ujmujące i bardzo w południowym stylu. Rozmowa przy kolacji toczyła się gładko; tata pytał Willa o pracę w warsztacie samochodowym i oceanarium, a Jonah nawet położył sobie serwetkę na kolanach. Ale najważniejsze, że ojciec nie palnął nic żenującego i chociaż wspomniał o tym, że uczył w szkole u Juilliarda, nie powiedział, że był także jej nauczycielem, że kiedyś wystąpiła w Carnegie Hall ani że napisali razem kilka utworów, nie zdradził też, że jeszcze kilka dni temu prawie z sobą nie rozmawiali. Kiedy po kolacji Jonah poprosił o ciastka, Ronnie z tatą wybuchnęli śmiechem, więc Will zapytał, co ich tak śmieszy. We czwórkę posprzątali ze stołu i gdy Jonah zaproponował, żeby zagrali w pokera kłamców, Will zgodził się z ochotą.

Co do Willa, był typem chłopaka, który spodobałby się jej matce: dobrze wychowany, miły, inteligentny i co najważniejsze, bez tatuaży... Dobrze by było, gdyby mama siedziała tu z nimi. Przekonałaby się, że Ronnie nie jest jeszcze kompletnie stracona dla świata. Lecz pewnie byłaby tak podniecona, że albo od razu próbowałaby zaadoptować Willa, albo po jego wyjściu tysiąc razy zapewniałaby Ronnie, jaki to uroczy młody człowiek, wskutek czego ona tylko miałaby ochotę natychmiast z nim zerwać, zanim mamę całkiem poniesie. Tata tak się nie zachowywał — jakby ufał ocenie Ronnie i pozwalał jej podejmować decyzje, nie wypowiadając własnych opinii.

Wydawało się to naprawdę dziwne, zważywszy na to, że dopiero ją poznawał, i jednocześnie trochę smutne, ponieważ zaczęła zdawać sobie sprawę, że popełniła błąd, unikając go przez ostatnie trzy lata. Dobrze by było z nim porozmawiać, gdy mama doprowadzała ją do szału.

W sumie więc się cieszyła, że zaprosiła Willa do domu. Z pewnością łatwiej mu było poznać jej tatę, niż jej poznać Susan. Jego matka przeraziła ją na śmierć. Cóż, może to przesada, ale Ronnie niewątpliwie czuła się przy niej onieśmielona. Susan nie ukrywała niechęci: albo nie podobała jej się sama Ronnie, albo to, że syn się z nią spotyka.

W normalnych okolicznościach Ronnie nie przejmowałaby się tym, co myśli o niej czyjś rodzic, ani nie zastanawiała się nad swoim strojem. Jest, kim jest, ostatecznie... Pierwszy raz w życiu poczuła, że nie spełnia czyichś oczekiwań, i to gnębiło ją bardziej, niż mogłaby się spodziewać.

Gdy zapadł zmrok i gra w pokera kłamców dobiegała końca, Ronnie zauważyła, że Will na nią patrzy. Odpowiedziała na jego spojrzenie uśmiechem.

— Jestem prawie zrujnowany — oznajmił, wskazując swój stosik monet.

— Wiem. Ja też.

Zerknął w stronę okna.

— Myślisz, że możemy pójść na spacer?

Wiedziała, że zapytał, bo chciał pobyć z nią sam — ponieważ mu na niej zależało, nawet jeśli nie był pewny, czy ona to odwzajemnia.

Spojrzała mu w oczy.

— Bardzo chętnie się przejdę.

20

Will

Plaża ciągnęła się milami, od Wilmington oddzielał ją most nad Intracoastal Waterway. Oczywiście zmieniła się od czasu, gdy Will był mały — latem panował na niej większy tłok, okazałe wille na brzegu stopniowo zastępowały małe domki, jak ten, w którym mieszkała Ronnie — ale mimo to wciąż kochał ocean nocą. W dzieciństwie jeździł po plaży rowerem, w nadziei, że zobaczy coś ciekawego, i prawie nigdy nie spotykało go rozczarowanie. Widział wielkie rekiny wyrzucone na brzeg, tak kunsztowne zamki z piasku, że wygrałyby każdy ogólnokrajowy konkurs, a kiedyś nawet, niecałe pięćdziesiąt jardów od brzegu, dostrzegł wieloryba, który wynurzył się na chwilę zza wielkiej fali.

Tego wieczoru na plaży było pusto i gdy oboje z Ronnie szli boso po wodzie, uświadomił sobie, że z tą dziewczyną chciałby stawić czoło przyszłości.

Wiedział, że jest za młody na takie refleksje i w ogóle nie ma co myśleć o małżeństwie, a jednak czuł, że gdyby spotkał Ronnie za dziesięć lat, byłaby tą jedyną. Zdawał sobie sprawę, że Scott tego nie zrozumie — Scott nie umiał wyobrazić sobie przyszłości, która wykraczała poza nadchodzący tydzień — ale przecież nie różnił się pod tym względem od większości jego rówieśników. Można by odnieść wrażenie, że ich myśli biegną dwoma różnymi torami; jego nie interesowały przygody na jedną noc, nie korciło go, żeby sprawdzić, jak daleko uda mu się posunąć z dziewczyną, nie miał ochoty czarować panienek, żeby dostać to, czego chce, a potem przerzucić się na jakąś nową, atrakcyjniejszą. Nie był taki. I wiedział, że nigdy nie będzie. Kiedy poznawał jakąś dziewczynę, zadawał sobie pytanie, czy chce się z nią spotykać; czy wyobraża sobie, że będzie z nią chodził przez dłuższy czas.

Przypuszczał, że częściowo to zasługa jego rodziców. Byli małżeństwem od trzydziestu lat, na początku ciężko im się żyło, jak wielu innym parom, a potem przez lata rozwijali firmę i dorobili się dzieci. Przez cały ten czas się kochali, cieszyli ze swoich sukcesów i wspierali nawzajem podczas tragedii. Żadne z nich nie było ideałem, ale dojrzewali w przekonaniu, że stanowią zespół, i w końcu także on tym przesiąknął.

Można by pomyśleć, że chodził dwa lata z Ashley, bo była bogata i śliczna, i choć kłamałby, gdyby powiedział, że uroda nie grała żadnej roli, to miała ona mniejsze znaczenie niż inne rzeczy, które widział w tej dziewczynie. Słuchała go tak, jak on słuchał jej, sądził, że mogą sobie powiedzieć wszystko. Ale z czasem zawodziła go coraz bardziej, zwłaszcza gdy ze strachem przyznała, że obściskiwała się na imprezie z facetem z miejscowego college'u. Wcale się nie bał, że Ashley zrobi to kolejny raz — każdy może popełnić błąd, a to był tylko pocałunek — ale dzięki temu zdarzeniu uzmysłowił sobie, czego oczekuje od bliskich mu ludzi. Zaczął zwracać uwagę na to, jak Ashley odnosi się do innych, i nie bardzo mu się podobało to, co widział. Jej ciągłe plotkowanie — które kiedyś uważał za nieszkodliwe — zaczęło go drażnić, tak jak długie przygotowania do wieczornych wyjść, kiedy kazała mu na siebie czekać. Gnębiły go wyrzuty sumienia, kiedy w końcu z nią zerwał, ale pocieszał się myślą, że miał zaledwie piętnaście lat, gdy zaczęli się z sobą spotykać, i była to jego pierwsza dziewczyna. W końcu zrozumiał, że nie miał innego wyjścia. Wiedział, kim jest i co się dla niego liczy, a Ashley tego nie odzwierciedlała. Uznał, że lepiej zakończyć ten związek, zanim sprawy zajdą za daleko.

Jego siostra Megan była do niego podobna pod tym względem. Piękna i inteligentna onieśmielała większość chłopaków, z którymi umawiała się na randki. Przez długi czas odchodziła od jednego do drugiego, ale nie dlatego, że była próżna czy niestała. Kiedy zapytał ją, dlaczego nie może się ustatkować, odpowiedziała wprost: „Są faceci, którzy dorastają z myślą, że kiedyś w przyszłości założą rodzinę, i tacy, którzy są gotowi do małżeństwa, gdy tylko poznają właściwą dziewczynę. Ci pierwsi mnie nudzą głównie dlatego, że są żałośni; na drugich, szczerze mówiąc, trudno trafić. To ci drudzy, ci poważni, mnie interesują i trzeba czasu, żeby znaleźć tego, który zainteresuje się mną. Chcę powiedzieć, że jeśli związek nie przetrwa długo, to po co, u licha, w ogóle tracić na niego czas i energię".

Megan. Uśmiechnął się, myśląc o niej. Żyła według własnych zasad. W ciągu ostatnich sześciu lat swoim podejściem oczywiście doprowadzała mamę do furii, bo szybko wyeliminowała prawie wszystkich chłopaków z miasteczka, którzy pochodzili z „dobrych" rodzin. Ale według niego Megan miała rację i na szczęście poznała w Nowym Jorku faceta, który spełniał wszystkie jej kryteria.

Dziwnym trafem Ronnie przypominała mu Megan. Też

była indywidualistką o wolnomyślicielskich przekonaniach, uparcie niezależną osobą. Pozornie nie należała do tych dziewczyn, które mu się podobały, ale... miała świetnego ojca, prześmiesznego brata, była mądra i wrażliwa. Kto by spędził całą noc na dworze, żeby chronić gniazdo żółwi? Kto przerwałby bójkę, żeby pomóc dzieciakowi? Kto czytałby Tołstoja w wolnym czasie?

I kto, przynajmniej w tym miasteczku, zakochałby się w nim, zanim dowiedziałby się o jego pochodzeniu?

To, nie ukrywał, też było dla niego ważne, choć żałował, że tak jest. Kochał ojca i swoje nazwisko, był dumny z rodzinnej firmy. Doceniał to, co dostał od życia, ale... chciał być sobą. Chciał, żeby ludzie widzieli w nim Willa, nie Willa Blakelee, i poza siostrą nie miał z kim o tym porozmawiać. Nie mieszkał w Los Angeles, gdzie w każdej szkole można by znaleźć dzieci celebrytów, czy w Andover, gdzie niemal każdy miał znajomego ze sławnej rodziny. Niełatwo było żyć w takim miejscu jak to, gdzie wszyscy się znali, i gdy trochę dorósł, zaczął podchodzić z rezerwą do nowych przyjaźni. Chętnie rozmawiał z prawie każdym, ale nauczył się odgradzać niewidzialnym murem, przynajmniej dopóki nie zyskał pewności, że ktoś nie chce się z nim zaprzyjaźnić ze względu na jego nazwisko i nie dla nazwiska interesuje się nim jakaś dziewczyna. I jeśli nie był pewny, czy Ronnie wie coś o jego rodzinie, przekonał się, gdy po południu zajechał pod swój dom.

— O czym myślisz? — zapytała go teraz. Lekki powiew wiatru rozwiewał jej włosy i daremnie próbowała ująć je w luźny kucyk. — Jesteś jakiś milczący.

— Myślę o tym, jak się cieszę, że byłem u was.

— U nas, w naszym domku? Jest trochę inny od tego, do czego się przyzwyczaiłeś.

— Masz wspaniały dom — nie ustępował. — Tak samo jak ojca i brata. Mimo że mały ograł mnie w pokera.

— On zawsze wygrywa, od czasu gdy był malutki, ale nie pytaj, jak to się dzieje. Myślę, że oszukuje, ale nie wpadłam na to jak.

— Może po prostu powinnaś lepiej kłamać.

— Och, tak jak ty, mówiąc mi, że pracujesz u ojca?

— Pracuję u ojca — zaperzył się.

— No, wiesz, o co mi chodzi.

— Już mówiłem, nie sądziłem, że to ma znaczenie. — Przystanął i odwrócił się do niej. — A ma?

Wyglądała tak, jakby zastanawiała się nad doborem słów.

— To ciekawe i wyjaśnia parę rzeczy w związku z tobą, ale gdybym ci powiedziała, że moja mama pracuje jako prawniczka w firmie przy Wall Street, zmieniłoby to twój stosunek do mnie?

Na to mógł odpowiedzieć z całkowitą szczerością.

— Nie. Ale to co innego.

— Dlaczego? — spytała. — Bo twoi rodzice są bogaci? Takie rozumowanie ma sens tylko dla kogoś, kto uważa, że pieniądze są najważniejsze.

— Tak nie powiedziałem.

— To co miałeś na myśli? — zapytała wyzywająco, a później pokręciła głową. — Słuchaj, wyjaśnijmy sobie coś. Nie obchodzi mnie, czy twój ojciec jest sułtanem Brunei, czy nie. Akurat urodziłeś się w uprzywilejowanej rodzinie. Co z tym zrobisz, zależy tylko od ciebie. Jestem tutaj z tobą, bo chcę. Gdybym nie chciała, nie zmieniłyby tego żadne pieniądze.

Widział, że mówiąc to, była coraz bardziej poruszona.

— Dlaczego mam wrażenie, że nie pierwszy raz wygłaszasz ten tekst?

— Bo tak jest. — Zatrzymała się i zwróciła ku niemu

twarz. — Przyjedź do Nowego Jorku, to zrozumiesz, dlaczego umiem to na pamięć. W niektórych klubach spotyka się samych snobów, mówiących tylko o tym, z jakiej rodziny pochodzą albo ile zarabiają ich rodzice... to mnie nudzi. Stoję tam i mam ochotę powiedzieć: „To super, że inni w twojej rodzinie do czegoś doszli, ale co ty osiągnąłeś?". Milczę jednak, bo oni by tego nie zrozumieli. Sądzą, że należą do wybrańców. Nie ma sensu nawet pieklić się z tego powodu, bo cała sprawa jest śmieszna. Ale jeśli wydaje ci się, że zaprosiłam cię ze względu na nazwisko...

— Wcale nie — przerwał jej. — Nawet nie przyszło mi to do głowy.

Wiedział, że nie była pewna, czy jest szczery, czy tylko mówi to, co chciała usłyszeć. Mając nadzieję, że zakończy rozmowę na ten temat, obrócił się i wskazał za siebie na szopę za domkiem.

— Co tam jest? — zapytał.

Nie odpowiedziała od razu; czuł, że wciąż usiłuje się zorientować, czy ma mu wierzyć, czy nie.

— To warsztat — wyjaśniła w końcu. — Tata i Jonah pracują tego lata nad witrażem.

— Twój tata robi witraż?

— Tak.

— Zawsze się tym zajmował?

— Nie. Jak ci mówił przy kolacji, kiedyś uczył gry na fortepianie. — Przerwała, żeby strzepnąć coś ze stóp, a potem zmieniła temat. — A ty co będziesz robił? Zamierzasz dalej pracować u ojca?

Przełknął ślinę, opierając się pokusie, żeby znowu ją pocałować.

— Tak, ale tylko do końca sierpnia. Jesienią zaczynam naukę w college'u przy Uniwersytecie Vanderbilta.

Z któregoś domu na plaży dobiegły ciche dźwięki muzyki; Will zmrużył oczy i zobaczył grupę ludzi na tarasie. Piosenka pochodziła z lat osiemdziesiątych, choć nie potrafił jej zidentyfikować.

— Powinno być fajnie — zauważyła.

— Chyba tak.

— Nie wydajesz się szczególnie podekscytowany.

Will wziął ją za rękę i znowu ruszyli przed siebie.

— To świetna szkoła i kampus jest piękny — wyrecytował sztucznie.

Przyjrzała mu się uważnie.

— Nie chcesz tam pójść?

Jakby wyczuwała wszystkie jego reakcje i myśli, co było jednocześnie niepokojące i przynosiło ulgę. Przynajmniej mógł jej powiedzieć prawdę.

— Chciałem pójść gdzie indziej i zostałem nawet przyjęty na uczelnię, która ma niewiarygodny program studiów ochrony środowiska, ale mamie zależało, żebym studiował na Vanderbilcie. — Gdy szedł, czuł, jak piasek przesypuje mu się przez palce u nóg.

— Zawsze robisz to, co chce twoja mama?

— Nie rozumiesz. — Pokręcił głową. — To tradycja rodzinna. Chodzili tam moi dziadkowie, chodzili rodzice, tak samo jak moja siostra. Mama zasiada w zarządzie... ona...

Starał się znaleźć właściwe słowa. Czuł, że Ronnie mu się przygląda, ale nie mógł spojrzeć jej w oczy.

— Wiem, że bywa trochę... powściągliwa przy pierwszym kontakcie. Ale jest bardzo serdeczna, gdy się ją lepiej pozna. Zrobiłaby dla mnie wszystko... naprawdę wszystko. W ostatnich latach nie było jej łatwo.

Pochylił się i podniósł muszelkę. Obejrzał ją i odrzucił łukiem do wody.

239

— Pamiętasz, jak zapytałaś mnie o bransoletkę?

Ronnie skinęła głową, czekając na dalszy ciąg.

— Siostra i ja nosimy te bransoletki na pamiątkę naszego braciszka Mike'a. Był świetnym dzieciakiem.. z tych, które uwielbiają towarzystwo. Miał zaraźliwy śmiech, trudno było nie śmiać się z nim, gdy stało się coś zabawnego. — Urwał, patrząc na ocean. — Kiedyś Scott i ja mieliśmy rozegrać mecz siatkarski, umówiliśmy się, że mama nas zawiezie, więc jak zwykle Mike pojechał z nami. Przez cały dzień padał deszcz i drogi były śliskie. Powinienem był bardziej uważać, ale obaj ze Scottem zaczęliśmy siłować się na tylnym siedzeniu. No wiesz, na ręce, sprawdzając, który z nas przegnie nadgarstek drugiego. — Zawahał się, zbierając siły, żeby powiedzieć, co miał do powiedzenia. — Mocowaliśmy się z sobą... rzucaliśmy się z tyłu i kopaliśmy... i mama mówiła nam, żebyśmy przestali, ale nie zwracaliśmy na nią uwagi. W końcu pokonałem Scotta, włożyłem w to całą siłę, tak że wrzasnął. Mama odwróciła się, żeby zobaczyć, co się dzieje, i to wystarczyło. Straciła panowanie nad kierownicą. No i... — Przełknął ślinę, bo słowa więzły mu w gardle. — Mike z tego nie wyszedł. Do diabła, gdyby nie Scott, mama i ja też pewnie byśmy nie przeżyli. Samochód przeleciał przez barierkę i wpadł do wody. Scott świetnie pływa, wychował się na plaży i tak dalej... i udało mu się wyciągnąć nas troje, choć miał wtedy dopiero dwanaście lat. Ale Mikey... — Ucisnął palcami nasadę nosa. — Mikey zginął na skutek uderzenia. Skończył dopiero pierwszy rok przedszkola.

Ronnie ujęła go za rękę.

— Przykro mi.

— Mnie też. — Zamrugał powiekami, żeby powstrzymać łzy, które wciąż napływały mu do oczu na wspomnienie tamtego dnia.

— Zdajesz sobie sprawę, że to był wypadek?

— Tak, tak. Mama też. Ale wini się za to, że do niego doprowadziła, i wiem, że gdzieś w głębi duszy obwinia i mnie. — Pokręcił głową. — Od tej pory czuje potrzebę kontrolowania wszystkiego. Mnie również. Mam świadomość, że stara się zapewnić mi bezpieczeństwo, uchronić przed złem. Z powodu tego, co się stało. Kompletnie załamała się na pogrzebie i miałem straszne wyrzuty sumienia. Czułem się odpowiedzialny. I obiecałem sobie, że spróbuję jej to jakoś zrekompensować. Chociaż wiedziałem, że mi się to nie uda.

Mówiąc to, zaczął bawić się bransoletką.

— Co znaczą te litery? NZWMM?

— „Na zawsze w moich myślach". To był pomysł siostry, żeby upamiętnić Mike'a. Powiedziała mi o tym zaraz po pogrzebie, ale ledwie ją słuchałem. To było takie straszne... tamtego dnia w kościele. Mama zawodziła, Mike leżał w trumnie, tata z siostrą płakali... przysiągłem sobie, że już nigdy nie pójdę na żaden pogrzeb.

Odniósł wrażenie, że pierwszy raz Ronnie zabrakło słów. Wyprostował się; wiedział, że trudno to wszystko ogarnąć, i zastanawiał się, dlaczego jej o tym mówi.

— Przepraszam. Nie powinienem był cię tym obarczać.

— W porządku — odparła szybko, ściskając mu rękę. — Cieszę się, że to zrobiłeś.

— To nie jest idealne życie, które sobie wyobrażałaś, co?

— Nigdy nie uważałam, że twoje życie jest idealne.

Nie odpowiedział, więc Ronnie pod wpływem impulsu pochyliła się i pocałowała go w policzek.

— Przykro mi, że musiałeś przez to wszystko przejść.

Odetchnął głęboko i znowu ruszył plażą.

— No i mamie zależy, żebym studiował na Vanderbilcie. Więc tam idę.

— Na pewno będzie fajnie. Słyszałam, że to świetna uczelnia.

Splótł palce z jej palcami, myśląc, jakie są miękkie w porównaniu z jego stwardniałą skórą.

— Teraz twoja kolej. Czego o tobie nie wiem?

— W moim życiu nie wydarzyło się nic, co by dorównywało twoim przeżyciom — powiedziała, kręcąc głową. — Nie ma porównania.

— Nie musi być ważne. Ma tylko mówić coś o tobie.

Spojrzała przez ramię na dom.

— Hm... nie odzywałam się do taty przez trzy lata. Zaczęłam z nim rozmawiać dopiero kilka dni temu. Gdy on i mama się rozeszli, byłam... na niego wściekła. Naprawdę nie chciałam go więcej widzieć, a już na pewno nie zamierzałam spędzić u niego wakacji.

— A teraz? — Zauważył, że blask księżyca odbija się w jej oczach. — Cieszysz się, że tu przyjechałaś?

— Może — odparła.

Zaśmiał się i żartobliwie szturchnął ją w bok.

— Jaka byłaś w dzieciństwie?

— Nudna — wyjaśniła. — Stale grałam na fortepianie.

— Chciałbym usłyszeć, jak grasz.

— Już nie gram — wyjaśniła szybko, z nutą uporu w głosie.

— Nigdy nie zagrasz?

Pokręciła głową i chociaż wiedział, że to nie wszystko, najwyraźniej nie chciała o tym rozmawiać. Wysłuchał więc jej opowieści o przyjaciołach z Nowego Jorku, o tym, jak zwykle spędza weekendy, i uśmiechał się, gdy mówiła o Jonah. Czuł się z nią tak swobodnie, naturalnie. Mówił jej o rzeczach, o których nigdy nawet nie wspomniał Ashley. Chyba chciał, żeby poznała go takiego, jaki był, bo jej ufał.

Nie przypominała nikogo z ludzi, których znał. Nie miał

ochoty puścić jej ręki; ich palce pasowały do siebie idealnie — splecione bez wysiłku jak dwie komplementarne części.

Gdyby nie przyjęcie w jednym z domów, byliby zupełnie sami. Dochodziły do nich ciche, odległe dźwięki muzyki i uniósłszy głowę, zauważył błysk spadającej gwiazdy. Spojrzał na Ronnie i zorientował się po wyrazie jej twarzy, że też ją widziała.

— Jakie masz życzenie? — zapytała, zniżając głos do szeptu.

Ale nie mógł odpowiedzieć. Podniósł jej rękę i objął ją w pasie. Patrzył na nią, świadom, że się w niej zakochuje. Przyciągnął ją do siebie i pocałował pod gwiazdami, myśląc, jakim jest szczęściarzem, że ją znalazł.

21

Ronnie

Dobra, mogłaby przyzwyczaić się do takiego życia: leżenia na trampolinie nad basenem za domem, z mrożoną herbatą obok na stoliku i misą owoców w przebieralni, które przyniósł szef kuchni, i to na srebrnej zastawie i z wymyślnym garnirunkiem z mięty.

Mimo to nie umiała sobie wyobrazić, jak Will się czuł, dorastając w takim świecie. Ale ponieważ nie znał innego życia, pewnie było to dla niego normalne. Opalając się na trampolinie, spojrzała na niego: stał na dachu przebieralni i przygotowywał się do skoku. Wspiął się na nią jak gimnastyk i nawet z tej odległości widziała, jak napinają mu się mięśnie na ramionach i brzuchu.

— Hej! — zawołał. — Zrobię koziołka! Patrz!

— Koziołka?! Co to ma być? Włazisz tak wysoko i zrobisz tylko jednego koziołka?

— A co w tym złego? — zapytał.

— Mówię tylko, że coś takiego każdy by potrafił — przekomarzała się z nim. — Nawet ja zrobiłabym koziołka.

— Chętnie to zobaczę. — W jego głosie zabrzmiało niedowierzanie.

— Nie chcę się zamoczyć.

— Ale przecież zaprosiłem cię tu, żebyśmy popływali!

— To właśnie oznacza pływanie dla takich dziewczyn jak ja. Znane również jako opalanie.

Zaśmiał się.

— Właściwie to może nawet dobrze, że złapiesz trochę słońca. W Nowym Jorku go chyba nie ma, co?

— Chcesz powiedzieć, że jestem blada? — Ściągnęła brwi.

— Nie — zaprzeczył. — Tego słowa bym nie użył. „Ziemista" wydaje się odpowiedniejsze.

— O rany, ale z ciebie czaruś. Zaczynam się zastanawiać, co ja w tobie widziałam.

— Widziałaś?

— Tak, i muszę powiedzieć, że jeśli będziesz używał na określenie mnie takich słów, jak „ziemista", to nie widzę dla nas przyszłości.

Spojrzał na nią badawczo.

— A jeżeli zrobię dwa koziołki? Przebaczysz mi?

— Tylko jeśli zakończysz je idealnym wślizgiem do wody. A jeżeli nie, będę udawać zachwyt, pod warunkiem że mnie nie zamoczysz.

Uniósł brew, cofnął się o kilka kroków, a potem skoczył z rozbiegu. Złożył się wpół, obrócił dwa razy w powietrzu i wyprostowany jak struna wpadł do wody, tnąc ją ramionami, tak że nawet nie spowodował zmarszczek na powierzchni.

Imponujące, pomyślała, jeśli nawet nie była zaskoczona, mając w pamięci grację, z jaką poruszał się na boisku do siatkówki. Wiedziała, że był zadowolony z siebie, gdy wypłynął z basenu przy trampolinie.

— Nieźle ci poszło — rzekła.

— Nieźle?

— Dałabym ci notę cztery i sześć dziesiątych.

— Na pięć punktów?

— Na dziesięć — sprostowała.

— Zasłużyłem przynajmniej na osiem!

— Tak ci się wydaje. Ale ja tu jestem jurorem.

— Jak mam do ciebie przemówić? — zapytał, chwytając się trampoliny.

— Nie masz szans. To oficjalny werdykt.

— A jeśli mnie nie zadowala?

— To może na przyszłość dwa razy się zastanowisz, zanim wypowiesz słowo „ziemista".

Znowu parsknął śmiechem i zaczął się podciągać. Ronnie kurczowo przytrzymała się deski.

— Hej... przestań... nie rób tego... — ostrzegła go.

— Czego? — zapytał, wyginając trampolinę jeszcze bardziej.

— Powiedziałam ci, że nie chcę się zamoczyć! — wykrzyknęła.

— A ja chcę, żebyś ze mną popływała!

Bez ostrzeżenia chwycił ją za ramię i pociągnął. Wpadła z piskiem do wody. Gdy wypłynęła na powierzchnię, żeby zaczerpnąć powietrza, próbował ją pocałować, ale umknęła mu.

— Nie! — zawołała ze śmiechem, rozkoszując się chłodną wodą i jedwabistym dotykiem jego skóry. — Nie wybaczę ci!

Gdy wyrywała mu się żartobliwie, zauważyła, że Susan przygląda im się z werandy. Sądząc po jej minie, nie była zadowolona.

*

Po południu wrócili na plażę, żeby sprawdzić, co z żółwim gniazdem, a potem wybrali się na lody. Ronnie szła przy boku Willa i lizała szybko topniejącego loda w rożku, myśląc, jakie to dziwne, że pierwszy raz pocałowali się zaledwie poprzedniego dnia. Ostatni wieczór był wręcz idealny, a dzień, który po nim nastąpił, jeszcze cudowniejszy. Zachwycało ją to, jak łatwo przechodzą od spraw poważnych do żartów i że tak fajnie jest się z nim drażnić.

Oczywiście wciągnął ją do basenu i musiała się zemścić. Nie było to trudne, bo Will nie spodziewał się tego i gdy uniósł do ust lody, dała mu kuksańca, tak że usmarował się nimi po twarzy. Chichocząc, umknęła za róg i... wpadła prosto w ramiona Marcusa.

Byli z nim Blaze, Teddy i Lance.

— Czyż to nie miła niespodzianka? — powiedział przeciągle Marcus, ściskając ją mocniej.

— Puść mnie! — zawołała niezadowolona, że w jej głosie dał się słyszeć strach.

— Puść ją — powtórzył Will zza jej pleców. Mówił stanowczo. Poważnie. — I to już.

Marcus sprawiał wrażenie rozbawionego.

— Powinnaś patrzeć, dokąd idziesz, Ronnie.

— Już! — rzucił Will ostro, gniewnie, i podszedł bliżej.

— Spokojnie, nadziany chłopczyku. Wpadła na mnie... Gdyby nie ja, toby się przewróciła. A przy okazji, co u Scotta? Bawił się ostatnio rakietami butelkowymi?

Ku zaskoczeniu Ronnie Will znieruchomiał. Uśmiechnięty szyderczo Marcus spojrzał znowu na nią. Uścisnął ją jeszcze mocniej, a potem puścił. Gdy się cofnęła, Blaze z nonszalancką miną zapaliła piłeczkę.

— Cieszę się, że mogłem ci pomóc — oświadczył Marcus. — Nie byłoby dobrze, gdybyś wystąpiła we wtorek przed sądem cała posiniaczona, prawda? Sędzia mógłby pomyśleć, że nie tylko kradniesz, ale jeszcze lubisz przemoc, a tego byś przecież nie chciała.

Ronnie, której odebrało mowę, tylko spojrzała na niego. Potem Marcus się odwrócił i zobaczyła, że gdy odchodzili, Blaze rzuciła mu piłkę, a on złapał ją bez trudu i odrzucił do niej.

*

Siedzieli na plaży za domem, Will milczał, gdy relacjonowała mu wszystko, co zdarzyło się od czasu, gdy tu przyjechała, włącznie z wydarzeniami w sklepie muzycznym. Skończywszy opowieść, splotła ręce na kolanach.

— I to tyle. Jeśli chodzi o kradzieże w Nowym Jorku, nawet nie wiem, po co brałam te rzeczy. Wcale nie były mi potrzebne. Ale tak robili moi znajomi i mnie też podkusiło. Przed sądem przyznałam się do wszystkiego, bo wiedziałam, że postępowałam źle i że więcej tego nie zrobię. I już potem nie kradłam, ani tam, ani tutaj. Ale jeśli oskarżenie nie zostanie wycofane albo Blaze nie powie prawdy, będę miała kłopoty i tu, i w domu. Wiem, że to brzmi niedorzecznie i pewnie mi nie wierzysz, ale przysięgam, że nie kłamię.

Położył rękę na jej splecionych dłoniach.

— Wierzę ci. Poza tym, jeśli chodzi o Marcusa, nic mnie nie zdziwi. Jest szurnięty od dzieciństwa. Moja siostra chodziła z nim do jednej klasy i powiedziała mi, że kiedyś nauczyciel znalazł w szufladzie zdechłego szczura. Wszyscy wiedzieli, czyja to sprawka, nawet dyrektor, ale nie mogli niczego dowieść, wiesz? I Marcus wciąż wycina te swoje numery, tylko teraz wysługuje się jeszcze Teddym i Lance'em. Słyszałem o nim różne historie, okropne... Ale Galadriel... kiedyś była z niej przemiła dziewczyna. Znam ją od małego i nie wiem, co się z nią ostatnio dzieje. Jej rodzice się rozwiedli i słyszałem, że bardzo to przeżywała. Nie mam pojęcia, co widzi w Marcusie ani dlaczego tak rujnuje sobie życie. Współczułem jej, ale zrobiła ci świństwo.

Nagle Ronnie poczuła się zmęczona.

— W przyszłym tygodniu mam rozprawę.

— Pójść z tobą?

— Nie. Nie chcę, żebyś widział mnie przed sądem.

— To nie ma znaczenia.

— Będzie miało, jeśli twoja mama się dowie. Mam wrażenie, że nie przepada za mną.

— Dlaczego tak mówisz?

Bo widziałam, jak na mnie patrzy — chciała odpowiedzieć.

— Po prostu czuję.

— Wszystkim się tak wydaje przy pierwszym spotkaniu — zapewnił. — Jak mówiłem, gdy lepiej ją poznasz, zobaczysz, że jest fajna.

Nie była tego taka pewna. Słońce z tyłu zaczęło zachodzić i niebo przybrało barwę jaskrawego pomarańczu.

— Co to za sprawa między Marcusem a Scottem?

Will zesztywniał.

— Co masz na myśli?

— Pamiętasz tamten wieczór po jarmarku? Po występie Marcus był jak na haju, więc trzymałam się od niego z daleka. Wydawało mi się, że rozgląda się w tłumie, a gdy zobaczył Scotta, zrobił... taką minę, jakby właśnie jego szukał. Chwilę później rzucił w niego pudełkiem po frytkach.

— Ja też tam byłem, zauważyłaś?

— A pamiętasz, co wtedy powiedział? To dziwne. Zapytał, czy Scott walnie w niego rakietą butelkową. Kiedy przed chwilą znowu o tym wspomniał, cały stężałeś.

Will umknął wzrokiem w bok.

— To nic ważnego — odparł wymijająco i uścisnął jej rękę. — I nie pozwoliłbym, żeby coś ci się stało. — Odchylił się do tyłu i opadł na łokcie. — Mogę zadać ci pytanie? Na zupełnie inny temat?

Uniosła brew; była nieusatysfakcjonowana jego odpowiedzią, ale dała za wygraną.

— Dlaczego fortepian w twoim domu stoi za ścianką ze sklejki? — Kiedy się zdziwiła, że to zauważył, wzruszył ramionami. — Widać go przez okno, a ta ścianka nie pasuje do reszty wnętrza.

Tym razem to ona odwróciła wzrok. Cofnęła ręce i zagrzebała je w piasku.

— Powiedziałam tacie, że nie chcę więcej widzieć fortepianu, więc postawił tę ściankę.

Will zamrugał powiekami.

— Tak bardzo nie cierpisz tego instrumentu?

— Tak — odparła.

— Bo tata był twoim nauczycielem? — Uniosła głowę i spojrzała ze zdumieniem, a Will mówił dalej: — Uczył w Juilliardzie, prawda? Więc to on musiał cię nauczyć grać. I założyłbym się, że świetnie ci szło, choćby dlatego, że trzeba coś kochać, żeby to znienawidzić.

Jak na mechanika i siatkarza był bardzo bystry. Jeszcze bardziej zagłębiła palce w piasek, w jego chłodniejsze, twardsze warstwy.

— Uczył mnie grać, odkąd zaczęłam chodzić. Grałam godzinami, siedem dni w tygodniu, przez lata. Nawet razem komponowaliśmy. To była nasza wspólna pasja, rozumiesz? Tylko nasza. A kiedy się od nas wyprowadził... Miałam wrażenie, że zdradził nie tylko rodzinę. Czułam się tak, jakby zdradził mnie osobiście, i byłam tak zła, że przysięgłam sobie: nigdy więcej nie zagram ani niczego nie skomponuję. Gdy tu przyjechałam, zobaczyłam fortepian i usłyszałam, że ojciec gra na nim zawsze wtedy, kiedy jestem w pobliżu, pomyśłałam, że usiłuje tamto zatrzeć, zbagatelizować. Jakby sądził, że możemy zacząć od nowa. Ale nie możemy. Nie da się wrócić do przeszłości.

— Zeszłego wieczoru wydawało mi się, że jesteś z nim w dobrych stosunkach — zauważył Will.

Ronnie powoli wyciągnęła palce z piasku.

— Uhm, w ostatnich dniach lepiej się dogadujemy. Co nie znaczy, że wrócę do grania.

— To nie moja sprawa, ale jeśli rzeczywiście byłaś w tym dobra, tylko wyrządzasz sobie krzywdę. To dar, no nie? A kto wie? Może poszłabyś do szkoły Juilliarda?

— Wiem, że mogłabym. Wciąż do mnie piszą. Obiecali, że mnie przyjmą, jeśli zmienię zdanie. — Poczuła, że ogarnia ją rozdrażnienie.

— To dlaczego tam nie pójdziesz?

— Tak cię to obchodzi? — Spojrzała na niego. — Bo jestem inna, niż myślałeś? Bo mam jakiś szczególny talent? I nagle stałam się bardziej godna ciebie?

— Wcale nie — zaprzeczył. — Jesteś taka, jak myślałem. Od pierwszej chwili gdy się poznaliśmy. I nie możesz już bardziej do mnie pasować.

Gdy tylko to powiedział, poczuła straszny wstyd. Usłyszała szczery ton w jego głosie i zrozumiała, że mówił prawdę.

Przypomniała sobie, że znają się zaledwie kilka dni, a jednak... był dobry, inteligentny i wiedziała, że się w niej zakochał. Jakby czytając jej w myślach, wyprostował się i przysunął do niej. Pochyliwszy się, pocałował ją delikatnie w usta i nagle nabrała pewności, że niczego bardziej nie pragnię jak tylko tkwić w jego objęciach godzinami, tak jak w tej chwili.

22

Marcus

Marcus obserwował ich z daleka. Więc na to się zanosi, co? — pomyślał.

Pieprzyć to. Pieprzyć ją. Pora się zabawić.

Teddy i Lance przynieśli flaszkę i ludzie już zaczęli się schodzić. Wcześniej widział, jak pod jednym z domów niedaleko bungalowu Ronnie rodzina urlopowiczów pakuje się do zdezelowanego minivana ze swoim brzydkim psem i jeszcze brzydszymi dzieciakami. Wiedział, że następni goście przyjadą dopiero jutro, gdy dom zostanie wysprzątany, co oznaczało, że wystarczy tylko dostać się do środka i chata będzie ich do rana.

Betka, biorąc pod uwagę to, że miał klucz i znał kod. Urlopowicze nigdy nie zamykali domów, gdy szli na plażę. Po co mieliby to robić? Przeważnie nie przywozili z sobą nic poza żarciem i może kilkoma grami wideo, które zabierali na plażę, zwłaszcza że większość z nich przyjeżdżała tylko na tydzień. A właściciele domów — z takich miejsc jak Charlotte, zmęczeni telefonami od agencji ochroniarskich, kiedy ci durni lokatorzy uruchamiali alarm w środku nocy — byli tak mili, że zostawiali kod nad panelem systemu w kuchni.

Sprytne. Naprawdę sprytne. Przy odrobinie cierpliwości zawsze można było znaleźć dom albo dwa, żeby urządzić imprezę, ale cała tajemnica polegała na tym, żeby nie przesadzić. Teddy i Lance uwielbiali imprezować w takich miejscach, ale Marcus wiedział, że jeśli będą to robić za często, zarządcy nabiorą podejrzeń. Wyślą ludzi, żeby sprawdzili, co jest grane, poproszą policję, żeby patrolowała domy, ostrzegą urlopowiczów i właścicieli. I co wtedy? Będą skazani wyłącznie na Bower's Point.

Raz w roku. Raz w ciągu lata. Taką miał zasadę, tyle wystarczy, chyba że potem palił chałupę. Uśmiechnął się. W ten sposób problem był rozwiązany. Nikt nigdy nie będzie podejrzewał, że w ogóle była tu jakaś impreza. Nie ma to jak wielki ogień, bo ogień jest żywy. Pożary, zwłaszcza duże, przenoszą się, tańczą, niszczą i pożerają. Pamiętał, jak podpalił stodołę, gdy miał dwanaście lat; przez wiele godzin patrzył, jak płonęła, i myślał o tym, że nie widział w życiu nic bardziej niesamowitego. Więc podpalił znowu, tym razem opuszczony magazyn. Przez lata dużo się tego nazbierało. Uważał, że nie ma nic lepszego; nic go tak nie podniecało jak poczucie władzy, gdy trzymał w ręku zapalniczkę.

Ale nie zrobi tego. Nie tego wieczoru, bo nie chciał, żeby Teddy i Lance dowiedzieli cię czegoś o jego przeszłości. Zresztą impreza zapowiadała się nieźle. Alkohol, prochy, muza. No i dziewczyny. Zalane dziewczyny. Najpierw przeleciałby Blaze, potem może kilka innych, jeśli udałoby mu się upić ją na tyle, żeby przestała jarzyć. Zresztą mógłby dobrać się do jakiejś napalonej gówniary, nawet gdyby Blaze była trzeźwa i zorientowała się, co jest grane. Och, najwyżej urządzi scenę, przecież może ją olać albo kazać Teddy'emu czy Lance'owi się jej pozbyć. I tak wróci. Zawsze wracała, błagając i płacząc.

Była taka przewidywalna. I skomlała cały czas.

Nie jak panna Jędrne Ciałko tam na plaży.

Starał się nie myśleć o Ronnie. Nie przypadł jej do gustu, wolała obściskiwać się z bogatym chłoptasiem, księciem z warsztatu samochodowego. Pewnie nawet nie była do wyrwania. Po prostu zimna z niej flirciara. Mimo to ciekaw był, gdzie popełnił błąd i jak to się stało, że go przejrzała.

Było mu lepiej bez niej. Nie potrzebował jej. Nie potrzebował nikogo, dlatego sam się dziwił, dlaczego ciągle ją obserwuje i w ogóle przejmuje się tym, że smarkata zadaje się z Willem.

Oczywiście przez to cała sprawa stała się jeszcze ciekawsza choćby dlatego, że znał słaby punkt Willa.

Mógł się nawet zabawić. Tak jak zamierzał zabawić się dziś wieczorem.

23
Will

Lato mijało Willowi zbyt szybko. Dni upływały mu na pracy w warsztacie samochodowym i spotkaniach z Ronnie, z którą spędzał większość wolnego czasu. Z początkiem sierpnia coraz bardziej niepokoiła go myśl, że dziewczyna za kilka tygodni wróci do Nowego Jorku, a on sam wyjedzie kontynuować naukę na Vanderbilcie.

Ronnie stała się częścią jego życia — pod wieloma względami tą najlepszą. Mimo że nie zawsze ją rozumiał, to, czym się różnili, jakby jeszcze umacniało ich związek. Pokłócili się o to, czy Will ma pójść z nią do sądu, na co stanowczo się nie zgadzała, ale pamiętał jej zaskoczenie, kiedy wyszła z budynku i zobaczyła go z bukietem kwiatów. Wiedział, że jest przybita, bo sprawy nie umorzono — druga rozprawa miała się odbyć dwudziestego ósmego sierpnia, trzy dni po jego wyjeździe do college'u — ale kiedy przyjęła kwiaty i pocałowała go nieśmiało, zrozumiał, że dobrze zrobił, przychodząc po nią.

Zrobiła mu niespodziankę, bo zgłosiła się do pracy w oceanarium. Nie uprzedziła go o tym ani nie zapytała, czy mógłby się za nią wstawić. Szczerze mówiąc, nawet nie zdawał sobie sprawy, że miała ochotę tam pracować. Kiedy później zapytał ją o to, wyjaśniła:

— Ty pracujesz przez cały dzień, a tata i Jonah robią witraż. Musiałam znaleźć sobie jakieś zajęcie, a poza tym chcę sama zapłacić za adwokata. Tata nie ma za dużo pieniędzy.

Kiedy przyjechał po nią na koniec pierwszego dnia pracy w oceanarium, zauważył, że ma zielonkawą cerę.

— Kazali mi nakarmić wydry — wyznała. — Wsadziłeś kiedyś rękę do wiadra z martwymi, śliskimi rybami? Obrzydliwość!

Rozmawiali z sobą bez końca. Można by odnieść wrażenie, że zabraknie im czasu, aby opowiedzieć sobie nawzajem o tym, o czym chcieli. Czasami gawędzili, żeby wypełnić ciszę — wtedy na przykład, gdy omawiali swoje ulubione filmy albo gdy Ronnie mu powiedziała, że choć jest wegetarianką, wciąż nie może się zdecydować, czy jeść jajka i pić mleko. Ale od czasu do czasu rozmowa schodziła na poważne tematy. Ronnie opowiadała mu o swoich relacjach z ojcem, jak grała z nim na fortepianie; musiał przyznać, że czasami przeszkadzało mu to, iż usiłuje stać się taki, jak pragnęła jego mama. Gadali o swoim rodzeństwie, o Jonah i Megan; snuli marzenia i spekulowali, dokąd zajdą w życiu. Jego przyszłość wydawała się starannie zaplanowana: cztery lata w college'u, po skończeniu studiów praktyka w jakiejś innej firmie, a potem powrót pod skrzydła ojca. Gdy jednak przedstawiał ten plan, słyszał w głowie pełen aprobaty głos matki i zaczynał się zastanawiać, czy sam naprawdę tego chce. Jeśli chodzi o Ronnie, przyznawała, że nie bardzo wie, co przyniesie jej następny rok, co będzie za dwa lata. Ta niepewność jednak jej nie niepokoiła, przez co podziwiał ją jeszcze bardziej. Później, kiedy wracał pamięcią do planów życiowych jej i swoich, uświadamiał sobie z całą mocą, że z nich dwojga to ona bardziej świadomie kierowała swoim losem.

Mimo klatek, które rozstawiono na całej plaży, żeby chronić żółwie jaja, szopy przekopały się pod siatkami i dobrały do sześciu gniazd. Ronnie, dowiedziawszy się o tym, nalegała, aby na zmianę czuwali przy gnieździe za jej domem. Nie było powodu, żeby razem tkwili przy nim całą noc, ale skończyło się tak, że leżeli tam obok siebie, tulili się, całowali i gadali jeszcze po północy.

Scott oczywiście zupełnie tego nie rozumiał. Will nieraz spóźniał się na treningi i po przyjeździe widział, jak Scott kręci się nerwowo, zachodząc w głowę, co wstąpiło w jego przyjaciela. W pracy, przy rzadkich okazjach, gdy pytał, co z Ronnie, Will mówił niewiele — miał świadomość, że Scott nie pyta z ciekawości. Robił, co mógł, żeby skupić uwagę Willa na nadchodzącym turnieju siatkówki plażowej i zazwyczaj zachowywał się tak, jakby sądził, że ten niebawem odzyska rozum, albo jakby Ronnie w ogóle nie istniała.

Ronnie nie myliła się co do jego matki. Choć mama nic nie mówiła na temat jego nowego związku, czuł jej dezaprobatę; uśmiechała się z przymusem, gdy padało imię Ronnie, i zachowywała bardzo oficjalnie, kiedy przyprowadzał ją do domu. Nigdy o nią nie pytała, a kiedy sam coś mówił — o tym, jak świetnie się bawili, jaka jest inteligentna albo jak dobrze go rozumie, lepiej niż inni — odpowiadała w stylu: „Niedługo wyjedziesz do college'u, a związek na odległość to trudna sprawa" albo głośno wyrażała wątpliwość, czy jego zdaniem naprawdę „spędzili już z sobą dość czasu", żeby mogło im się udać. Nie cierpiał, gdy tak mówiła. Starał się odpowiadać grzecznie, choć wiedział, że jest niesprawiedliwa. W przeciwieństwie do prawie wszystkich jego znajomych Ronnie nie piła, nie przeklinała ani nie plotkowała, i nie posunęli się dalej niż pocałunki, ale intuicja podpowiadała mu, że to dla matki nie ma znaczenia. Nie mogła pozbyć się uprzedzeń i wszelkie wysiłki zmierzające do tego, żeby zmieniła zdanie o Ronnie, były bezcelowe. Sfrustrowany zaczął wynajdywać wymówki, żeby znikać z domu. Nie tylko z powodu stosunku mamy do Ronnie, ale też z powodu własnych odczuć wobec matki.

I wobec samego siebie za to, że nie potrafił się jej przeciwstawić.

Poza niepokojem o wynik następnej rozprawy sądowej Ronnie to niemal idylliczne lato zakłócała im stała obecność Marcusa. Choć przeważnie udawało im się go unikać, czasami było to niemożliwe. Gdy już się na niego natknęli, zawsze znalazł sposób, żeby sprowokować Willa, zazwyczaj wspominając o Scotcie. Will czuł się wtedy jak sparaliżowany. Gdyby dał się ponieść emocjom, Marcus mógłby pójść na policję; nie robił więc nic i było mu wstyd. Chodził z dziewczyną, która stanęła przed sądem i przyznała się do winy, i to, że sam nie potrafi zdobyć się na odwagę, aby postąpić podobnie, stało się dla niego udręką. Próbował namówić Scotta, żeby załatwił sprawę i zgłosił się na policję, ale on nie chciał się na to zgodzić. W swój niebezpośredni sposób nie pozwalał Willowi zapomnieć, co zrobił dla niego i jego rodziny tamtego dnia, gdy zginął Mikey. Will przyznawał, że Scott wykazał się bohaterstwem, ale z biegiem lata zaczął się zastanawiać, czy komuś, kto dokonał szlachetnego czynu, można wybaczyć przestępstwo — a w gorszych chwilach rozmyślał, czy zdoła ponieść rzeczywisty koszt przyjaźni ze Scottem.

*

Pewnego wieczoru na początku sierpnia Will zgodził się zabrać Ronnie na plażę, żeby łapać kraby.

— Mówiłam ci, że ich nie lubię! — pisnęła już na miejscu, łapiąc go za ramię.

Zaśmiał się.

— To tylko kraby długonogie. Nic ci nie zrobią.

Zmarszczyła nos.

— Są jak ohydne pełzające robaki z kosmosu.

— Zapominasz, że to był twój pomysł.

— Nie mój, tylko Jonah. Mówił, że to fajna zabawa. Dostałam nauczkę za to, że słucham kogoś, kto uczy się życia, oglądając kreskówki.

— A wydawałoby się, że kilka nieszkodliwych krabów na plaży nie zrobi wrażenia na osobie, która karmi śliskimi rybami wydry. — Omiótł światłem latarki ziemię, wydobywając z mroku te szybko poruszające się stworzenia.

Ronnie przyjrzała się piaskowi przestraszona, że wstrętny skorupiak zbliży się do niej.

— Po pierwsze, to nie kilka nieszkodliwych krabów. Są ich tu setki. Po drugie, gdybym wiedziała, co się dzieje w nocy na plaży, to nie ja spałabym co noc przy żółwim gnieździe, ale ty. Więc jestem na ciebie trochę zła, że ukrywałeś przede mną ten fakt. A po trzecie, mimo że pracuję w oceanarium, nie lubię, gdy kraby biegają mi po nogach.

Starał się zachować kamienną twarz, ale okazało się to za trudne. Zauważyła jego minę, gdy uniosła głowę i spojrzała na niego.

— Przestań się śmiać. To wcale nie jest zabawne.

— Owszem, jest... To samo co my robi właśnie ze dwadzieścioro małych dzieci z rodzicami.

— To nie moja wina, że ich rodzicom brakuje rozumu.

— Chcesz wracać?

— Nie, nie musimy — przyznała. — Skoro już zwabiłeś mnie w środek tego rojowiska. Jakoś to zniosę.

— Wiesz, że ostatnio dużo chodzimy po plaży?

— No, wiem. Więc dzięki, że wziąłeś z sobą latarkę i zrujnowałeś wspomnienia.

— Dobra — oświadczył i wyłączył światło.

Wbiła mu paznokcie w ramię.

— Co robisz? Włącz ją!

— Właśnie powiedziałaś, że przeszkadza ci światło latarki.

— Ale kiedy je wyłączysz, nie będę widziała krabów!

— No tak.

— Co oznacza, że zaraz mnie oblezą. Włącz ją — poprosiła.

Zrobił to i roześmiał się, kiedy ruszyli dalej w drogę.

— Któregoś dnia cię rozgryzę.

— Nie sądzę. Skoro do tej pory ci się nie udało, chyba przekracza to twoje możliwości.

— Niewykluczone — przyznał. Otoczył ją ramieniem. — Nie powiedziałaś mi, czy przyjdziesz na wesele mojej siostry.

— Bo jeszcze się nie zdecydowałam.

— Chciałbym, żebyś poznała Megan. Jest świetna.

— To nie ona mnie niepokoi. Mam wrażenie, że twoja mama nie chce, żebym przyszła.

— No i co z tego? To nie jej ślub. Moja siostra cię zaprasza.

— Rozmawiałeś z nią o mnie?

— Oczywiście.

— Co jej powiedziałeś?

— Prawdę.

— Że mam ziemistą cerę?

Zmrużył oczy, patrząc na nią.

— Wciąż o tym pamiętasz?

— Nie. Zapomniałam zupełnie.

Parsknął śmiechem.

— Dobra, jeśli chcesz wiedzieć, nie powiedziałem jej, że masz ziemistą cerę. Tylko że kiedyś miałaś.

Dźgnęła go w żebra, a on zaczął udawać, że błaga o litość.

— Żartuję, żartuję... Nigdy bym tego nie powiedział.

— To co jej powiedziałeś?

Zatrzymał się i obrócił ją ku sobie.

— Prawdę. Że jesteś inteligentna, zabawna, naturalna i piękna.

— No to w porządku.

— Nie odpowiesz, że też mnie kochasz?

— Nie jestem pewna, czy potrafię kochać takiego ubogiego faceta — zaczęła się z nim droczyć. Zarzuciła mu ręce na szyję. — Możesz to potraktować jako rewanż za kraby, które łażą mi po nogach. Oczywiście, że cię kocham.

Pocałowali się, a potem poszli dalej. Dotarli prawie do molo i już mieli zawrócić, gdy zobaczyli Scotta, Ashley i Cassie idących z przeciwnej strony. Will wyczuł, że Ronnie napięła mięśnie, kiedy Scott pomachał do nich.

— Jesteś, stary! — zawołał, zbliżając się. Zatrzymał się przed nimi. — Cały wieczór wysyłam ci esemesy.

Will mocniej objął Ronnie.

— Przepraszam. Zostawiłem telefon u Ronnie. Co tam?

Mówiąc to, czuł, że Ashley z daleka przygląda się Ronnie.

— Odebrałem telefony od pięciu drużyn, które wezmą udział w turnieju. Chcą się zmierzyć jeszcze przed zawodami. Wszystkie są dobre i proponują zorganizowanie wspólnego miniobozu szkoleniowego, żeby przygotować się do spotkania z Landrym i Tysonem. Treningi, ćwiczenia, mecze próbne. Myślimy nawet o tym, żeby powymieniać się członkami zespołów i popracować nad czasem reakcji, bo wszyscy gramy w innym stylu.

— Kiedy przyjeżdżają?

— Gdy będą gotowi, ale chyba jeszcze w tym tygodniu.

— A jak długo zostaną?

— Nie wiem. Trzy, cztery dni? Pewnie aż do turnieju. Wiem, że masz wesele siostry i próby, ale jakoś to wszystko zgramy.

Znowu przyszło mu do głowy, że czas spędzany z Ronnie wkrótce się skończy.

— Trzy, cztery dni?

Scott zmarszczył czoło.

— No, stary. Tego nam właśnie potrzeba, żeby się przygotować.

— Nie sądzisz, że już jesteśmy przygotowani?

— Co w ciebie wstąpiło? Przecież wiesz, ilu trenerów z Zachodniego Wybrzeża przyjeżdża, żeby obejrzeć nasz turniej. — Wymierzył palec w Willa. — Może ty nie potrzebujesz stypendium sportowego, żeby pójść do college'u, ale ja tak. A to jedyna okazja, żeby zobaczyli, jak gram.

Will się zawahał.

— Daj mi się zastanowić, dobra?

— Będziesz się nad tym zastanawiał?

— Muszę najpierw porozmawiać z ojcem. Nie mogę obiecać, że urwę się z pracy na cztery dni, i to bez uprzedzenia, nie uzgadniając tego z nim. Zresztą myślę, że ty też nie powinieneś.

Scott zerknął na Ronnie.

— Na pewno chodzi tylko o pracę?

Will zorientował się, że to zaczepka, ale nie chciał w tej chwili spierać się ze Scottem. On też się zreflektował i zrobił krok do tyłu.

— Dobrze, w porządku. Pogadaj z ojcem. Czy co tam — odpuścił. — Może uda ci się znaleźć czas w swoim grafiku.

Odwrócił się i odszedł, nie oglądając się za siebie. Will,

który nie bardzo wiedział, co innego mógłby zrobić, postanowił odprowadzić Ronnie do domu. Gdy znaleźli się poza zasięgiem słuchu Scotta, Ronnie objęła go w pasie i zapytała:

— Czy on mówił o tym turnieju, o którym mi opowiadałeś? Will kiwnął głową.

— Ma się odbyć w następnym tygodniu. Dzień po ślubie mojej siostry — wyjaśnił.

— W niedzielę?

Przytaknął.

— To turniej dwudniowy, ale w sobotę grają kobiety.

Ronnie zastanawiała się przez chwilę.

— I Scott potrzebuje stypendium sportowego, żeby pójść do college'u?

— To na pewno by mu pomogło.

Pociągnęła go za ramię, tak że się zatrzymali.

— To wygospodaruj czas na ten obóz szkoleniowy. Na treningi i ćwiczenia. Zrób, co trzeba, żeby się dobrze przygotować. To twój przyjaciel, prawda? Znajdziemy czas, żeby się spotykać. Nawet gdybyśmy oboje musieli siedzieć przy żółwim gnieździe. Najwyżej będę chodzić do pracy niewyspana.

Gdy to mówiła, Will myślał tylko o tym, jaka jest śliczna i jak bardzo będzie za nią tęsknił.

— Co się z nami stanie, Ronnie? Gdy skończy się lato? — Spojrzał jej w twarz.

— Ty wyjedziesz do college'u — odparła, nie patrząc mu w oczy. — A ja wrócę do Nowego Jorku.

Uniósł jej głowę.

— Wiesz, co mam na myśli.

— Tak, wiem doskonale. Ale co mam powiedzieć? Co oboje mamy powiedzieć?

— Może: „Nie chcę, żeby to się skończyło"?

W jej zielonkawych oczach koloru morza pojawiła się czułość.

— Nie chcę, żeby to się skończyło — powtórzyła za nim.

Choć to właśnie chciał usłyszeć i najwyraźniej mówiła szczerze, zdał sobie sprawę, że już wiedziała: słowa, nawet prawdziwe, nie mogły zmienić tego, co nieuniknione, nie miały też mocy uspokojenia go.

— Przyjadę do ciebie do Nowego Jorku — obiecał.

— Mam nadzieję.

— I chciałbym, żebyś ty przyjechała do Tennessee.

— Myślę, że mogłabym znowu wybrać się na południe, gdybym miała dla kogo.

Uśmiechnął się, gdy zaczęli iść dalej plażą.

— Powiem ci coś. Zrobię wszystko, co Scott chce, przygotuję się do turnieju, jeśli pójdziesz ze mną na ślub mojej siostry.

— Innymi słowy, zrobisz to, co i tak powinieneś, a w zamian dostaniesz to, czego chcesz.

Nie tak by to wyraził. Ale miała rację.

— Uhm — przyznał. — Chyba tak.

— Coś jeszcze? Skoro tak ostro się targujesz?

— Jeśli już o tym mowa, to owszem. Chciałbym, żebyś spróbowała jeszcze raz przemówić Blaze do rozsądku.

— Już z nią rozmawiałam.

— Wiem, ale kiedy to było? Sześć tygodni temu? Widuje nas razem, więc wie, że Marcus cię nie interesuje. A miała czas, żeby to wszystko przetrawić.

— Nie powie prawdy — zaprotestowała Ronnie. — Sama narobiłaby sobie kłopotów.

— Jakich? O co mogą ją oskarżyć? Nie chcę, żebyś poniosła karę za coś, czego nie zrobiłaś. Właścicielka sklepu cię nie słucha, prokurator nie słucha i nie twierdzę, że Blaze posłucha, ale nie widzę innej możliwości, jeśli zamierzasz się z tego wyplątać.

— To nic nie da — nie ustępowała Ronnie.

— Może nie. Ale myślę, że warto spróbować. Znam ją od dawna i kiedyś taka nie była. Może gdzieś w głębi duszy zdaje sobie sprawę, że postąpiła źle, i tylko trzeba ją przekonać, żeby to naprawiła.

Choć Ronnie nie zgadzała się z nim, nie uważała też, że nie miał racji, i w milczeniu wrócili pod dom. Gdy byli już blisko, zobaczył światło w warsztacie.

— Twój tata pracuje jeszcze nad witrażem?

— Na to wygląda.

— Mogę tam zajrzeć?

— Czemu nie?

Razem ruszyli w stronę szopy. Gdy stanęli w drzwiach, Will zauważył, że pod sufitem wisi goła żarówka rzucająca światło na duży stół do pracy pośrodku pomieszczenia.

— Chyba taty nie ma — powiedziała Ronnie, rozglądając się.

— To ten witraż? — zapytał Will i podszedł do stołu. — Wielki.

Stanęła obok niego.

— Niesamowity, prawda? To do kościoła, tego, który odbudowują.

— Nie mówiłaś mi. — W jego głosie zabrzmiało napięcie, sam je słyszał.

— Nie sądziłam, że to ma znaczenie — odparła automatycznie. — A dlaczego? To ważne?

Will odsunął od siebie prześladujący go obraz Scotta na tle pożaru.

— Nie, właściwie nie — rzucił szybko, udając, że ogląda witraż. — Nie przypuszczałem, że twój tata umie zrobić coś tak skomplikowanego.

— Ja też nie. Ani on sam, dopóki się do tego nie zabrał. Ale powiedział mi, że to dla niego ważne, więc może z tego powodu tak dobrze mu idzie.

— A dlaczego to dla niego takie ważne?

Gdy opowiedziała mu historię, którą znała od ojca, Will zapatrzył się w witraż, przypominając sobie, co zrobił Scott. I oczywiście, jak sam wobec tego postąpił. Ronnie musiała coś dostrzec w jego twarzy, bo kiedy skończyła, przyjrzała mu się uważnie.

— O czym myślisz?

Przesunął dłonią po szkle, a potem zapytał w odpowiedzi:

— Zastanawiałaś się kiedykolwiek, co znaczy być przyjacielem?

— Nie bardzo wiem, o co ci chodzi.

Spojrzał na nią.

— Jak daleko byś się posunęła, żeby chronić przyjaciela?

Zawahała się.

— To chyba zależałoby od tego, co ten przyjaciel zrobił. I jak poważna jest to sprawa. — Położyła mu dłoń na plecach. — Czego mi nie mówisz?

Nie odpowiedział, więc przysunęła się do niego.

— Zawsze powinno się postępować właściwie, nawet jeśli to trudne. Wiem, że niewiele ci to pomoże i że nie zawsze można ocenić, co jest słuszne, a co nie. Przynajmniej na pierwszy rzut oka. Ale nawet gdy usprawiedliwiałam samą siebie, że kradzież to nic takiego, w gruncie rzeczy wiedziałam, że robię źle. Czułam się... nie w porządku. — Zbliżyła twarz do niego, tak że poczuł zapach piasku i morza na jej skórze. — Nie walczyłam przed sądem, bo w głębi duszy zdawałam sobie sprawę, że postępowałam źle. Niektórzy ludzie umieją z tym żyć, dopóki nie zostaną zdemaskowani. Widzą odcienie szarości tam, gdzie ja widzę czerń i biel. Ale ja nie jestem kimś takim... i myślę, że ty też nie.

266

Opuścił wzrok. Chciał jej powiedzieć, pragnął jej powiedzieć wszystko, bo wiedział, że Ronnie ma rację, ale jakoś nie potrafił znaleźć słów. Rozumiała go tak, jak nikt dotąd go nie rozumiał. Mógłby się od niej uczyć, pomyślał. Z nią przy boku byłby lepszym człowiekiem. Potrzebował jej pod wieloma względami. Kiedy z przymusem kiwnął głową, oparła czoło na jego ramieniu.

Gdy wreszcie wyszli z warsztatu, wyciągnął rękę i zatrzymał Ronnie, zanim poszła do domu. Przytulił ją do siebie i zaczął całować. Najpierw w usta, potem policzki, a potem szyję. Skórę miała jak ogień, jakby godzinami leżała na słońcu, i kiedy znowu pocałował ją w usta, przywarła do niego całym ciałem. Wsunął jej palce we włosy, wciąż ją całując, i delikatnie oparł o ścianę warsztatu. Kochał ją, pragnął jej i gdy się całowali, poczuł, że Ronnie przesuwa dłońmi po jego plecach i ramionach. Jej dotyk był wręcz elektryzujący, a oddech pełen żaru, i Will odniósł wrażenie, że osuwa się w krainę, w której rządzą zmysły.

Wodził dłońmi po jej plecach i brzuchu, aż w końcu Ronnie położyła ręce na jego piersi i odepchnęła go.

— Proszę — wydyszała — przestańmy.

— Dlaczego?

— Bo nie chcę, żeby mój tata nas przyłapał. Może patrzeć w tej chwili z okna.

— Tylko się całujemy.

— Uhm. I okazujemy, jak bardzo się lubimy. — Parsknęła śmiechem.

Na jego twarzy pojawił się leniwy uśmiech.

— Co? Nie całujemy się tylko?

— Miałam wrażenie, że to, co robiliśmy... prowadzi do czegoś więcej — powiedziała, obciągając bluzkę.

— I co w tym złego?

Widząc wyraz jej twarzy, zorientował się, że pora skończyć z wygłupami; miała rację, choć niechętnie to przyznawał.

— Słusznie. — Westchnął, opuszczając ręce i lekko obejmując ją w pasie. — Spróbuję się opanować.

Pocałowała go w policzek.

— Mam do ciebie całkowite zaufanie.

— Jezu, dzięki — mruknął.

Mrugnęła okiem.

— Zajrzę do taty, dobrze?

— Dobrze. I tak jutro rano idę wcześnie do pracy.

Uśmiechnęła się.

— Fatalnie. Ja muszę być w oceanarium dopiero o dziesiątej.

— Wciąż każą ci karmić wydry?

— Umarłyby z głodu, gdyby nie ja. Jestem teraz niezastąpiona.

Rozbawiło go to.

— Mówiłem ci już, że według mnie jesteś typem opiekunki?

— Chyba tego jeszcze od nikogo nie słyszałam. Ale gdybyś chciał wiedzieć... też dobrze cię mieć przy sobie.

24

Ronnie

Patrzyła, jak Will odchodzi, a potem ruszyła do domu, myśląc o tym, co powiedział, i zastanawiając się, czy miał rację co do Blaze. Zbliżająca się rozprawa sądowa rzucała cień na całe to lato: Ronnie czasami nachodziła refleksja, czy czekanie na ewentualną karę nie jest gorsze od samej kary. W minionych tygodniach budziła się w środku nocy i nie mogła ponownie zasnąć. Nie bała się, że pójdzie do więzienia — wątpiła, żeby ją zamknęli — ale obawiała się, że błędy, które popełniła, będą ją prześladować do końca życia. Czy będzie musiała ujawnić swoją przeszłość w college'u, do którego pójdzie? Opowiedzieć o niej swoim przyszłym pracodawcom? Czy będzie mogła potem uczyć? Nie wiedziała, czy chce chodzić do college'u albo zostać nauczycielką, ale niepokój pozostał. Czy miał ją nękać już zawsze?

Adwokatka nie sądziła, żeby tak było, ale niczego nie obiecywała.

I ten ślub. Willowi łatwo było prosić, żeby przyszła, nie widział w tym nic wielkiego. Ale Ronnie miała świadomość, że Susan niechętnie będzie ją tam widziała, a nie chciała powodować żadnego zamętu. To miał być przecież dzień Megan.

Dotarłszy na ganek, już miała wejść do domu, gdy usłyszała skrzypnięcie bujanego fotela. Podskoczyła ze strachu, ale zobaczyła, że to tylko Jonah, który patrzył na nią.

— To. Było. O-brzyd-li-we.

— Co tu robisz? — zapytała ostro; serce wciąż waliło jej w piersi.

— Obserwowałem ciebie i Willa. Powtarzam, to było naprawdę obrzydliwe. — Wzdrygnął się demonstracyjnie.

— Podglądałeś nas?

— Trudno było tego uniknąć. Międliliście się z Willem pod warsztatem. Wyglądało, że zadusi cię na śmierć.

— Ależ skąd.

— Mówię tylko, jak to wyglądało.

Uśmiechnęła się.

— Zrozumiesz, gdy będziesz starszy.

Jonah pokręcił głową.

— Wiem dobrze, co robiliście. Oglądam filmy. I myślę, że to obrzydliwe.

— Już to powiedziałeś — zauważyła.

To sprawiło, że na chwilę umilkł.

— Dokąd on poszedł?

— Do domu. Jutro musi iść do pracy.

— Będziesz dziś w nocy pilnowała żółwiego gniazda? Bo nie musisz. Tata powiedział, że my możemy go popilnować.

— Namówiłeś tatę, żebyście nocowali na dworze?

— Sam chciał. Uważa, że będzie zabawnie.

Wątpię, pomyślała.

— Nie mam nic przeciwko temu.

— Już zaniosłem tam swoje rzeczy. Śpiwór, latarkę, soki, kanapkę, pudełko krakersów, cukierki ślazowe, czipsy, ciastka i rakietę tenisową.

— Zamierzasz grać w tenisa?

— To na wypadek gdyby zjawił się szop. No, wiesz. Gdyby nas zaatakował.

— Nie zaatakuje.

— Naprawdę? — Jonah wydawał się wręcz rozczarowany.

— Hm, może to i dobry pomysł — przyznała Ronnie. — Strzeżonego Pan Bóg strzeże. Przecież nigdy nie wiadomo.

Podrapał się po głowie.

— Tak właśnie pomyślałem.

Wskazała w stronę warsztatu.

— A przy okazji, witraż wygląda pięknie.

— Dzięki — odparł Jonah. — Tata chce, żeby każdy fragment był idealny. Każe mi robić niektóre kawałki po dwa, trzy razy. Idzie mi coraz lepiej.

— Na to wygląda.

— Ale robi się gorąco. Zwłaszcza gdy tata włącza piec. To jak piekarnik.

Bo to jest piekarnik, pomyślała. Nie poprawiła go.

— To niedobrze. A jak wojna o ciastka?

— W porządku. Dobieram się do nich, gdy tata ucina sobie drzemkę.

— Tata nie ucina sobie drzemek.

— Teraz tak. Robi to codziennie po południu, śpi po kilka godzin. Czasami muszę mocno nim potrząsnąć, żeby się obudził.

Popatrzyła na brata, a potem zajrzała przez okno do domu.

— A w ogóle, gdzie jest tata?

— W kościele. Wcześniej był tu pastor Harris. Ostatnio często przychodzi. On i tata lubią z sobą rozmawiać.

— Są przyjaciółmi.

— Wiem. Ale myślę, że to był tylko pretekst. Tata chyba poszedł pograć na fortepianie.

— Na jakim fortepianie? — zapytała zdziwiona Ronnie.

— Przyjechał do kościoła w zeszłym tygodniu. Tata chodzi tam, żeby na nim grać.

— Naprawdę?

— Poczekaj — zreflektował się. — Nie jestem pewien, czy powinienem ci to mówić. Zapomnij, że powiedziałem.

— Dlaczego miałbyś nie mówić?

— Bo znowu zaczęłabyś na tatę krzyczeć.

— Nie krzyczę na niego — zaprotestowała Ronnie. — Kiedy ostatnio na niego krzyczałam?

— Kiedy grał na fortepianie. Pamiętasz?

Ach tak, pomyślała. Ten dzieciak miał zdumiewającą pamięć.

— Och, już nie będę.

— To dobrze. Nie chcę, żebyś na niego krzyczała. Jutro mamy jechać do Fort Fisher i zależy mi, żeby był w dobrym humorze.

— Jak długo tata zostaje w kościele?

— Nie wiem. Spędza tam całe godziny. Dlatego tu siedziałem. Czekałem na niego. A potem przyszliście z Willem i zaczęliście się obściskiwać.

— Tylko się całowaliśmy!

— Nie, nie wydaje mi się. Zdecydowanie się obściskiwaliście — odparł Jonah z przekonaniem.

— Jadłeś już kolację? — zapytała, żeby zmienić temat.

— Czekałem na tatę.

— Zrobić ci hot dogi?

— Ale z keczupem? — upewnił się.

Westchnęła.

— Jasne.

— Myślałem, że się do nich nawet nie dotykasz.

— Wiesz, to śmieszne, ale ostatnio miałam w rękach dużo martwych ryb, więc hot dogi już mnie nie brzydzą.

Uśmiechnął się.

— Zabierzesz mnie kiedyś do oceanarium, żebym mógł popatrzeć, jak karmisz wydry?

— Jeśli zechcesz, może nawet pozwolę ci to zrobić za mnie.

— Naprawdę? — W głosie Jonah zabrzmiało podniecenie.

— Chyba tak. Będę musiała zapytać oczywiście, ale pozwalają na to niektórym grupom uczniów, więc nie sądzę, żeby były jakieś problemy.

Buzia mu pojaśniała.

— O rany. Dzięki. — A potem, wstając z bujanego fotela, dodał: — Och, a przy okazji, wisisz mi dziesięć dolców.

— Za co?

— Słucham? Za to, że nie powiem tacie, co robiliście z Willem.

— Mówisz poważnie? Mimo że zamierzam zrobić ci kolację?

— Och, daj spokój. Ty pracujesz, a ja jestem biedny.

— Najwyraźniej wydaje ci się, że zarabiam więcej niż w rzeczywistości. Nie mam dziesięciu dolarów. Wszystko, co zaoszczędziłam, poszło na opłacenie adwokatki.

Zastanowił się przez chwilę.

— A pięć?

— Weźmiesz ode mnie pięć dolarów, chociaż ci powiedziałam, że nie mam nawet dziesięciu na własne wydatki? — Ronnie udała, że jest oburzona.

Znowu pomyślał.

— A dwa?

— Jeden.

Uśmiechnął się.

— Zgoda.

*

Po przyrządzeniu kolacji — Jonah zażyczył sobie, żeby upiekła hot dogi, a nie podgrzała je w mikrofalówce — Ronnie poszła plażą w kierunku kościoła. Znajdował się niedaleko, ale po przeciwnej stronie, niż zazwyczaj chodziła, i choć mijała go już kilka razy, ledwie zwróciła na niego uwagę.

Gdy podeszła bliżej, zobaczyła zarys iglicy na wieczornym niebie. Poza tym kościół wtapiał się w tło, głównie dlatego, że był znacznie mniejszy niż otaczające go domy i pozbawiony jakichkolwiek zdobień. Ściany miał szalowane i mimo że został niedawno odbudowany, już wydawał się zniszczony.

Musiała wspiąć się na wydmę, żeby dojść do parkingu przy ulicy, i tam dostrzegła więcej oznak życia: wypełniony po brzegi kubeł na śmieci, świeży stos sklejki i dużego vana, który stał przy wejściu. Drzwi frontowe były otwarte, padał przez nie snop ciepłego światła, choć reszta budynku pogrążona była w mroku.

Podeszła do drzwi i wkroczyła do środka. Rozejrzała się i doszła do wniosku, że kościół wymaga jeszcze dużo pracy. Na podłodze był goły beton, ściany wyglądały na niewykończone, brakowało krzeseł albo ławek, no i wszystko pokrywał pył. Ale z przodu, gdzie w niedziele musiał wygłaszać kazania pastor Harris, siedział przy nowym fortepianie jej ojciec. Instrument wydawał się tu zupełnie nie na miejscu. Jedynym źródłem światła była stara lampa podłączona do przedłużacza.

Nie usłyszał, jak weszła, i grał, choć Ronnie nie rozpoznała utworu. Brzmiał niemal współcześnie, inaczej niż to, co ojciec zwykle grywał, a nawet wydał jej się... jakby niedokończony.

Ojciec chyba doszedł do tego samego wniosku, bo przerwał na chwilę, zastanowił się i zaczął grać od początku.

Usłyszała, że wprowadził drobne zmiany, i to na korzyść, ale z melodią wciąż było coś nie tak. Poczuła przypływ dumy, że w dalszym ciągu potrafi nie tylko interpretować muzykę, ale też wyobrażać sobie możliwe jej wariacje. Kiedy była młodsza, to właśnie ta umiejętność tak zdumiewała ojca.

Zaczął od nowa, wprowadzając następne poprawki, i gdy tak na niego patrzyła, zrozumiała, że jest szczęśliwy. Choć muzyka nie odgrywała już takiej roli w jej życiu jak dawniej, dla niego wciąż była bardzo ważna; Ronnie nagle poczuła wyrzuty sumienia, że go jej pozbawiła. Cofając się myślą, przypomniała sobie, jaka była zła, sądząc, że ojciec próbuje nakłonić ją do gry. Ale czy naprawdę o to mu chodziło? Czy może grał dlatego, że muzyka była częścią jego duszy?

Nie potrafiła tego rozstrzygnąć, patrząc jednak na niego, poczuła się wzruszona widokiem. Powaga, z jaką zastanawiał się nad każdą nutą, i łatwość wprowadzania zmian uświadomiły jej, czego się wyrzekł, spełniając jej dziecinne żądanie.

Podczas gry zakaszlał raz, potem drugi i musiał przerwać. Znowu zaczął kaszleć, brzydko, charkliwie, a ponieważ nie mógł przestać, podbiegła do niego.

— Tato?! — zawołała. — Wszystko w porządku?

Uniósł głowę i jakoś kaszel mu przeszedł. Kiedy pochyliła się nad nim, już tylko rzęził lekko.

— Nic mi nie jest — odparł słabym głosem. — Tak dużo tu pyłu... co jakiś czas daje mi się we znaki. Tak jest za każdym razem, gdy tu przychodzę.

Przyjrzała mu się i pomyślała, że jest blady.

— Jesteś pewien, że to nic innego?

— Uhm. — Poklepał ją po ręce. — Co tu robisz?

— Jonah mi powiedział, że tutaj jesteś.

— Chyba mnie przyłapałaś, co?

Machnęła ręką.

— Daj spokój, tato. To talent, prawda?

Ponieważ nie odpowiedział, wskazała klawiaturę, przypominając sobie piosenki, które napisali razem.

— Co takiego grałeś? Piszesz nową melodię?

— Ach, tamto. Raczej próbuję pisać. Tak, pracuję nad czymś. To nic wielkiego.

— Było dobre...

— Nie, wcale nie. Nie wiem, co jest nie tak. Może ty byś wiedziała... zawsze byłaś lepsza ode mnie w komponowaniu... bo ja nie potrafię. Jakbym robił wszystko nie po kolei.

— To było dobre — nie rezygnowała. — Bardziej współczesne niż to, co zwykle grywasz.

Uśmiechnął się.

— Zauważyłaś, co? Ale tak nie było na początku. Szczerze mówiąc, nie wiem, co się ze mną dzieje.

— Może słuchałeś mojego iPoda?

Znowu się uśmiechnął.

— Nie, zapewniam cię, że nie.

Rozejrzała się.

— To kiedy kościół zostanie skończony?

— Nie wiem. Chyba mówiłem ci, że ubezpieczenie nie pokrywa wszystkich zniszczeń... sprawa się przeciąga.

— A co z witrażem?

— Zamierzam go skończyć. — Wskazał zasłonięty sklejką otwór w ścianie za sobą. — Znajdzie się tam, nawet gdybym sam miał go wstawić.

— Umiesz to zrobić? — zapytała z niedowierzaniem.

— Jeszcze nie.

Uśmiechnęła się.

276

— Skąd wziął się tu fortepian? Skoro kościół nie jest jeszcze skończony? Nie boicie się, że ktoś go ukradnie?

— Miał być dostarczony dopiero, gdy kościół będzie gotowy, i teoretycznie nie powinien tu być. Pastor Harris ma nadzieję, że znajdzie kogoś, kto weźmie instrument na przechowanie, ale ponieważ nie znamy daty ukończenia budowy, nie jest to takie łatwe. — Odwrócił się ku wyjściu i wydawał się zaskoczony, że zapadła noc. — Która godzina?

— Trochę po dziewiątej.

— O Jezu. — Wstał. — Straciłem poczucie czasu. Miałem dziś nocować z Jonah na dworze. I chyba powinienem zrobić mu coś do jedzenia.

— Już się tym zajęłam.

Uśmiechnął się, ale gdy zebrał nuty i wyłączał światło, nagle wydał jej się bardzo zmęczony i kruchy.

25

Steve

Ronnie ma rację, pomyślał. Utwór jest zdecydowanie nowoczesny.

Nie kłamał, kiedy powiedział jej, że na początku tak nie było. W pierwszym tygodniu starał się zbliżyć do stylu Schumanna; po kilku dniach zaczął bardziej inspirować go Grieg. Później dźwięczał mu w głowie Saint-Saëns. Ale nic nie brzmiało dobrze; nic z tego, co skomponował, nie oddawało uczucia, które nawiedziło go, gdy zapisywał pierwsze proste nuty na skrawku papieru.

W przeszłości starał się tworzyć muzykę, która — w jego fantazjach — przetrwałaby pokolenia. Tym razem nie. Zamiast tego eksperymentował. Chciał, żeby melodia sama mu się objawiła, krok po kroku, i nagle zrozumiał, że przestał naśladować wielkich kompozytorów i wreszcie zaczął ufać sobie. Nie żeby w pełni mu się to udało. Jeszcze nie. Nie był zadowolony z tego, co napisał, i istniała możliwość, że nigdy nie będzie, ale jakoś mu to nie przeszkadzało.

Zastanawiał się, czy nie na tym od początku polegał jego problem — że przez całe życie usiłował naśladować innych.

Odtwarzał muzykę twórców sprzed setek lat; poszukiwał Boga podczas wędrówek po plaży, bo tak robił pastor Harris. A teraz, siedząc z synem na wydmie za domem i patrząc przez lornetkę, mimo świadomości, że prawdopodobnie niewiele zobaczy, zaczął mieć wątpliwości, czy postępował tak dlatego, że inni znali odpowiedzi, czy po prostu bał się zaufać własnej intuicji. Być może tak długo opierał się na nauczycielach, że nie miał już odwagi być sobą.

— Tato?

— Tak, Jonah?

— Przyjedziesz do nas do Nowego Jorku?

— Bardzo bym chciał.

— Bo Ronnie będzie już z tobą rozmawiać.

— Mam taką nadzieję.

— Bardzo się zmieniła, nie uważasz?

Steve odłożył lornetkę.

— Myślę, że wszyscy tego lata bardzo się zmieniliśmy.

— Uhm — przytaknął Jonah. — Ja chyba przede wszystkim urosłem.

— Na pewno. I nauczyłeś się robić witraże.

Chłopiec zastanowił się przez chwilę.

— Tato?

— Tak?

— Chciałbym się nauczyć stać na głowie.

Steve zawahał się, myśląc, skąd mały wziął ten pomysł.

— Mogę zapytać po co?

— Bo lubię patrzeć na świat do góry nogami. Nie wiem dlaczego. Ale chyba musiałbyś potrzymać mnie za nogi. Przynajmniej na początku.

— Nie ma sprawy.

Milczeli przez dłuższą chwilę. Był pogodny, gwiaździsty wieczór i uświadamiając sobie otaczające go piękno, Steve poczuł nagłe zadowolenie. Z tego, że spędza lato ze swoimi dziećmi, że siedzi na wydmie z synem i rozmawia o błahostkach. Przyzwyczaił się już do nowej sytuacji i nie chciał myśleć, że niebawem się to skończy.

— Tato?

— Tak, Jonah?

— Trochę tu nudno.

— Mnie się wydaje, że spokojnie — zasugerował Steve.

— Ale prawie nic nie widać.

— Widać gwiazdy. I słychać szum fal.

— Słyszę go bez przerwy. Codziennie tak samo.

— Kiedy zaczniesz ćwiczyć stanie na głowie?

— Może jutro.

Steve otoczył syna ramieniem.

— Co się stało? Chyba jesteś smutny.

— Nic takiego. — Głos chłopca był ledwie słyszalny.

— Na pewno?

— Mógłbym chodzić tutaj do szkoły? — zapytał. — I mieszkać z tobą?

Steve miał świadomość, że musi zachować ostrożność.

— A co z mamą?

— Kocham ją. I tęsknię za nią. Ale podoba mi się tu. Lubię przebywać z tobą. No wiesz, pracować nad witrażem, puszczać latawce. Po prostu lubię, gdy jesteśmy razem. Tak fajnie się bawię. Nie chcę, żeby to się skończyło.

Steve przytulił go do siebie.

— Ja też bardzo lubię mieć cię przy sobie. To najpiękniejsze lato w moim życiu. Ale podczas roku szkolnego i tak nie moglibyśmy spędzać z sobą tyle czasu, ile teraz.

— A gdybyś uczył mnie w domu?

Jonah mówił cichym, niemal wystraszonym głosem, typowym dla chłopców w jego wieku. Na tę myśl Steve'a ścisnęło w gardle. Robił sobie wyrzuty z powodu tego, co musiał powiedzieć, ale nie miał wyboru.

— Myślę, że mama tęskniłaby za tobą, gdybyś tu został.

— Może powinieneś wrócić do nas. Ty i mama znowu wzięlibyście ślub.

Steve zaczerpnął głęboko powietrza.

— Wiem, że to trudne i wydaje się niesprawiedliwe. Chciałbym znaleźć jakiś sposób, żeby to zmienić, ale nie mogę. Musisz być z mamą. Ona tak bardzo cię kocha, że bez ciebie by sobie nie poradziła. Chociaż ja też cię kocham. I chcę, żebyś zawsze o tym pamiętał.

Jonah pokiwał głową, jakby spodziewał się takiej odpowiedzi.

— Ale pojedziemy jutro do Fort Fisher?

— Jeśli masz ochotę. A później moglibyśmy wybrać się na zjeżdżalnię.

— Są tu zjeżdżalnie?

— Tu nie. Ale niedaleko stąd, owszem. Musimy tylko pamiętać, żeby zabrać kąpielówki.

— Dobra. — Jonah wyraźnie się ożywił.

— Może pójdziemy też do Chuck E. Cheese*.

— Naprawdę?

— Jeśli chcesz. Wszystko zależy od nas.

— Dobra. Chcę.

Jonah znowu zamilkł, a potem sięgnął do przenośnej lodówki. Wyjął paczkę ciastek, ale Steve wiedział, że w tych okolicznościach lepiej nic nie mówić.

— Tato?

— Tak?

---

* Chuck E. Cheese — sieć rodzinnych centrów rozrywki, m.in. z pizzeriami itp.

— Myślisz, że żółwie wylęgną się dziś w nocy?

— Chyba jeszcze nie, ale już niedługo.

Jonah zacisnął usta. Nic nie mówił i Steve wiedział, że synek znowu myśli o wyjeździe. Przytulił go, ale poczuł, że coś w nim samym pęka, coś, co nigdy się nie zagoi.

*

Następnego dnia rano Steve wybrał się na spacer plażą; tym razem tylko po to, żeby cieszyć się porankiem.

Uzmysłowił sobie bowiem, że Boga tam nie ma. Przynajmniej on Go nie znajdzie. Ale teraz, gdy o tym myślał, wydawało mu się, że to ma sens. Gdyby tak łatwo było dostrzec obecność Boga, na plażach rankiem roiłoby się od ludzi. Ludzi, którzy wybrali się na poszukiwanie, a nie uprawiających jogging, wyprowadzających psy na spacer czy łowiących ryby.

Poszukiwanie obecności Boga było równie tajemnicze jak On sam, bo czym był Bóg, jeśli nie tajemnicą? Teraz już to rozumiał.

Zabawne, pomyślał, tyle czasu do tego dochodził.

*

Spędził cały dzień z synkiem, tak jak zaplanowali poprzedniego wieczoru. Zwiedzanie fortu chyba bardziej interesowało jego niż Jonah, bo znał trochę historię wojny secesyjnej i wiedział, że Wilmington był ostatnim większym portem Konfederacji Południa. Zjeżdżalnie wodne stanowiły natomiast większą atrakcję dla Jonah. Każdy musiał zanieść swoją matę na górę, ale chłopcu wystarczyło sił tylko na kilka razy, a później Steve musiał robić to za niego.

Naprawdę czuł się, jakby zaraz miał umrzeć.

W Chuck E. Cheese, pizzerii z dziesiątkami gier wideo,

Jonah znalazł rozrywkę na następne parę godzin. Zagrali trzy razy w hokeja powietrznego, uzbierali kilkaset żetonów i wymieniwszy je na pieniądze, wyszli z dwoma pistoletami na wodę, trzema piłkami z kauczuku, zestawem kolorowych kredek i dwiema gumkami do wycierania. Steve nie chciał nawet myśleć o tym, ile go to kosztowało.

Dzień był udany, wesoły, ale męczący. Posiedziawszy jakiś czas z Ronnie, Steve położył się do łóżka. Wykończony zasnął po kilku minutach.

26

Ronnie

Gdy tata z Jonah wyjechali na cały dzień, Ronnie wybrała się na poszukiwania Blaze; liczyła, że uda jej się złapać ją przed pójściem do oceanarium. Najbardziej obawiała się, że Blaze nie zechce z nią w ogóle rozmawiać albo odprawi ją z kwitkiem po pierwszych słowach; wtedy będzie w tym samym punkcie co do tej pory. Nie spodziewała się, że dziewczyna nagle zmieni zdanie, i nie chciała robić sobie nadziei, ale to nie było takie łatwe. Will miał rację; Blaze nie była jak Marcus, który w ogóle nie wykazywał skrupułów, więc może miała lekkie poczucie winy?

Odnalazła ją całkiem szybko. Blaze siedziała na wydmie w pobliżu molo i patrzyła na fale. Nie odezwała się, gdy Ronnie do niej podeszła.

Ronnie nie wiedziała, jak zacząć, więc rzuciła najzwyczajniej:

— Cześć, Blaze.

Dziewczyna nie odpowiedziała, a zatem Ronnie zebrała się na odwagę i mówiła dalej:

— Pewnie nie chcesz ze mną rozmawiać.

— Wyglądasz jak wielkanocna pisanka.

Ronnie obrzuciła spojrzeniem strój, który dostała w oceanarium: turkusową koszulkę z logo parku, białe szorty i białe tenisówki.

— Próbowałam ich przekonać, żeby pozwolili mi ubierać się na czarno, ale się nie udało.

— Kiepska sprawa. Czarny to twój kolor. — Blaze uśmiechnęła się przez chwilę. — Czego chcesz?

Ronnie przełknęła ślinę.

— Tamtego wieczoru nie próbowałam poderwać Marcusa. Sam do mnie podszedł i nie wiem, dlaczego powiedział to, co powiedział; chyba chciał wzbudzić twoją zazdrość. Pewnie mi nie uwierzysz, ale zależy mi na tym, abyś wiedziała, że nigdy bym ci czegoś takiego nie zrobiła. Nie jestem taka. — Wyrzuciła z siebie pospiesznie wszystko, co miała do powiedzenia.

Blaze przez chwilę milczała.

— Wiem — powiedziała.

Nie takiej odpowiedzi spodziewała się Ronnie.

— To dlaczego wrzuciłaś mi do torby te rzeczy? — wypaliła.

Blaze zmrużyła oczy.

— Byłam na ciebie wściekła. Widziałam, że mu się spodobałaś.

Ronnie powstrzymała się od odpowiedzi, która niewątpliwie zakończyłaby rozmowę; pozwoliła Blaze mówić dalej. Ta znowu zapatrzyła się w ocean.

— Widzę, że dużo czasu spędzasz z Willem.

— Mówił, że kiedyś się przyjaźniliście.

— Uhm — potwierdziła. — Dawno temu. Jest miły. Szczęściara z ciebie. — Otarła ręce o spodnie. — Moja mama wychodzi za tego swojego faceta. Gdy mi o tym powiedziała, strasznie się pożarłyśmy i wywaliła mnie z domu. Zmieniła zamki w drzwiach i tak dalej.

— Przykro mi to słyszeć — odparła Ronnie zgodnie z prawdą.

— Jakoś przeżyję.

Słysząc tę uwagę, Ronnie pomyślała, że coś je jednak łączy — rozwód rodziców, gniew i bunt, ponowne małżeństwo matki — ale miała świadomość, że są zupełnie różne. Blaze zmieniła się od początku lata. Straciła radość życia, którą Ronnie zauważyła u niej, gdy się poznały, i wydawała się doroślejsza, jakby postarzała się o całe lata, a nie tygodnie. Tyle że nie w pozytywnym znaczeniu tego słowa. Miała podkrążone oczy, cerę niezdrowego koloru. Straciła też na wadze. I to dużo. Ronnie miała wrażenie, że patrzyła na osobę, którą Blaze miała się stać w przyszłości, i poczuła niepokój.

— To, co mi zrobiłaś, było podłe — zauważyła. — Ale wciąż możesz to naprawić.

Blaze wolno pokręciła głową.

— Marcus mi nie pozwoli. Powiedział, że więcej nie odezwie się do mnie.

Mówiła jak automat i Ronnie miała ochotę nią potrząsnąć. Blaze jakby to wyczuła.

— Poza nim nie mam do kogo pójść. — Westchnęła. — Mama obdzwoniła wszystkich krewnych i powiedziała, żeby nie przyjmowali mnie do siebie. Mówiła, że jest jej ciężko, ale że potrzebuję teraz „twardej miłości". Nie mam forsy i jeśli nie chcę spać do końca życia na ławce, muszę robić, co każe mi Marcus. Kiedy jest na mnie zły, nawet nie pozwala mi wziąć u siebie prysznica. I nie daje mi nic z pieniędzy, które zarabiamy podczas występów, więc nie mam co jeść. Czasami traktuje mnie jak psa i czuję się okropnie. Ale do kogo mam iść?

— Próbowałaś porozmawiać z mamą?

— Po co? Uważa, że jestem stracona, i nienawidzi mnie.

— Na pewno nie.

— Nie znasz jej tak jak ja.

Ronnie przypomniała sobie, że gdy była kiedyś u Blaze, widziała zostawioną dla niej kopertę z pieniędzmi. Inaczej wyobrażała sobie jej matkę, ale nie chciała tego powiedzieć. Blaze tymczasem wstała. Ubranie miała brudne i pomięte, jakby chodziła w nim przez cały tydzień. I pewnie tak było.

— Wiem, o co chcesz mnie prosić — zaczęła. — Ale nie mogę. I nie dlatego, że cię nie lubię. Bo lubię. Uważam, że jesteś fajna, i nie powinnam była zrobić tego, co zrobiłam. Nie mam jednak wyjścia, tak samo jak ty. I chyba Marcus jeszcze z tobą nie skończył.

Ronnie zesztywniała.

— Co masz na myśli?

Blaze zebrała się do odejścia.

— Ostatnio znowu o tobie mówił. Nie za dobrze. Na twoim miejscu trzymałabym się ode mnie z dala.

I odeszła, zanim Ronnie zdążyła odpowiedzieć.

— Hej, Blaze! — zawołała za nią.

Dziewczyna powoli się odwróciła.

— Gdybyś kiedyś potrzebowała czegoś do jedzenia i miejsca do spania, wiesz, gdzie mieszkam!

Miała przez chwilę wrażenie, że widzi nie tylko błysk wdzięczności w oczach Blaze, ale także coś, co przypomniało jej tamtą bystrą, wesołą dziewczynę, którą poznała w czerwcu.

— I jeszcze jedno — dodała. — Te sztuczki z ogniem, które wyczyniacie z Marcusem, to szajba.

Blaze uśmiechnęła się do niej smutno.

— Chyba nie sądzisz, że większa niż wszystko inne w moim obecnym życiu?

*

Następnego popołudnia Ronnie stanęła przed szafą, myśląc o tym, że nie ma w co się ubrać. Jeśli miała pójść na ślub — choć jeszcze nie podjęła decyzji — nie widziała wśród swoich ciuchów nic stosownego, chyba że wybierałaby się na ślub w rodzinie Ozzy'ego Osbourne'a.

A to było oficjalne, eleganckie przyjęcie weselne: gości obowiązywały stroje wieczorowe, smokingi i suknie. Pakując się na wyjazd w Nowym Jorku, nie przypuszczała, że będzie obecna na takiej imprezie. Nie wzięła z sobą nawet czarnych czółenek, które mama kupiła jej ostatnio pod choinkę i które wciąż leżały w pudełku.

Naprawdę nie rozumiała, dlaczego Willowi tak zależy na jej obecności. Nawet gdyby w końcu udało się jej ubrać przyzwoicie, nie miałaby z kim tam rozmawiać. Will należał do rodziny panny młodej, toteż stale musiałby pozować do zdjęć, a jej miejsce było wśród gości; miał siedzieć przy głównym stole, więc nawet podczas kolacji nie byliby razem. Skończy się na tym, że usadzą ją przy jakimś gubernatorze, senatorze czy innym przyjacielu rodziny, który przyleciał prywatnym odrzutowcem, i będzie musiała rozmawiać o... niczym. Jeśli dodać do tego fakt, że Susan jej nie lubi, cała sprawa wydawała się złym pomysłem. Naprawdę złym. Okropnym pod każdym względem.

A jednak...

Kiedy znowu zostanie zaproszona na takie wesele? Dom prawdopodobnie w ostatnich tygodniach przeszedł metamorfozę: nad basenem wybudowano podest, wzniesiono namioty, zasadzono mnóstwo kwiatów i nie tylko wypożyczono światła z jednego ze studiów filmowych w Wilmington, ale jeszcze wynajęto ekipę, która je wszystkie poustawiała i zaaranżowała. Cateringiem — począwszy od kawioru, a na szampanie skończywszy — zajmowały się trzy różne restauracje z Wilmington, wszystko zaś nadzorował szef kuchni z Bostonu, znajomy

Susan, który podobno znajdował się wśród kandydatów na stanowisko szefa kuchni w Białym Domu. Przekraczało to wszelkie wyobrażenie, Ronnie by nie chciała takiego wesela — bardziej by jej odpowiadała uroczystość nad morzem w Meksyku, w gronie rodziny i kilku przyjaciół — ale chyba dlatego tak ją kusiło, żeby na nie pójść. Już nigdy w życiu nie będzie miała takiej okazji.

Zakładając, oczywiście, że wymyśli, w co się ubrać. Prawdę mówiąc, nie wiedziała, po co w ogóle zagląda do szafy. Nie miała magicznej różdżki i nie mogła zamienić pary dżinsów w sukienkę ani udawać, że jeśli zrobi sobie nowy przedziałek we włosach, nikt nie zwróci uwagi, że jest w T-shircie z nadrukiem. Jedynym przyzwoitym strojem, którym dysponowała, jedynym, który Susan nie uznałaby za odrażający, gdyby wpadła na nią na przykład w drodze do kina, był mundurek służbowy z oceanarium, ten, w którym wyglądała jak wielkanocna pisanka.

— Co robisz?

W drzwiach stanął Jonah. Spojrzał na nią uważnie.

— Szukam czegoś, w co mogłabym się ubrać — wyjaśniła enigmatycznie.

— Wybierasz się dokądś?

— Nie. Mam na myśli strój na wesele.

Przekrzywił głowę.

— Wychodzisz za mąż?

— Oczywiście, że nie. Siostra Willa wychodzi.

— Jak ma na imię?

— Megan.

— Jest miła?

Ronnie pokręciła głową.

— Nie wiem. Nie znam jej.

— To po co idziesz na jej wesele?

— Bo Will mnie zaprosił. Taki jest zwyczaj — powiedziała. — Możesz zabrać z sobą kogoś, gdy idziesz na ślub i wesele. Ja mam być tym kimś.

— Och. — Dotarło do niego. — I w co się ubierzesz?

— W nic. Nie mam nic odpowiedniego.

Wskazał na nią.

— To, co masz na sobie, jest całkiem ładne.

Strój à la pisanka wielkanocna. Jasne.

Ujęła w palce koszulkę.

— Nie mogę się w to ubrać. To ma być bardzo wytworne przyjęcie. Powinnam włożyć suknię.

— Masz jakąś suknię?

— Nie.

— To po co tu sterczysz?

Słusznie, pomyślała, zamykając szafę. Klapnęła na łóżko.

— Masz rację — przyznała. — Nie mogę tam pójść. To proste.

— A chcesz? — zapytał z ciekawością Jonah.

W jednej chwili przebiegły jej przez myśli odpowiedzi: Absolutnie nie. Może. Tak, chcę. Podciągnęła nogi i usiadła na nich.

— Willowi zależy, żebym poszła. To dla niego ważne. I będzie na co popatrzeć.

— To dlaczego nie kupisz sobie sukni?

— Bo nie mam forsy — odparła.

— Och, to żaden problem. — Podszedł do zbioru swoich zabawek w kącie pokoju. Z brzegu stał model samolotu pasażerskiego; wziął go i przyniósł, odkręcając nos maszyny. Zaczął wysypywać na łóżko zawartość i Ronnie ze zdumienia otworzyła usta na widok pieniędzy, które uzbierał. Musiało być tego co najmniej kilkaset dolarów.

— To mój bank — wyjaśnił. — Oszczędzam od jakiegoś czasu.

— Skąd to wszystko masz?

Jonah wskazał banknot dziesięciodolarowy.

— Ten dostałem, bo nie wspomniałem tacie, że widziałem cię tamtego wieczoru w lunaparku. — Potem pokazał jednodolarówkę. — A tę, bo nie powiedziałem tacie, że obściskiwałaś się z Willem. — Wyjaśniał dalej: — To za faceta z niebieskimi włosami, a to z pokera kłamców. To z czasu, gdy wymknęłaś się z domu wieczorem...

— Rozumiem — jęknęła. Ale mimo to... Zamrugała powiekami. — Oszczędziłeś to wszystko?

— A co innego miałem zrobić? — odpowiedział. — Mama i tata kupują mi wszystko, czego potrzebuję. Muszę tylko, pomęczyć ich wystarczająco długo. Całkiem łatwo uzyskać to, czego się chce. Trzeba tylko wiedzieć, jak to działa. Przy mamie muszę się rozpłakać, a tacie wyjaśnić, dlaczego na to zasłużyłem.

Uśmiechnęła się. Jej brat szantażysta i domorosły psycholog. Zdumiewające.

— Więc tak naprawdę nie potrzebuję tych pieniędzy. I lubię Willa. Z nim jesteś szczęśliwa.

Uhm, pomyślała, rzeczywiście.

— Dobry z ciebie braciszek, wiesz?

— Uhm, wiem. Możesz wziąć wszystko, ale pod jednym warunkiem.

Jasne, pomyślała.

— Tak?

— Nie pójdę z tobą na zakupy. To nudne.

Nie musiała się długo zastanawiać.

— Zgoda.

*

Patrzyła na siebie, ledwie rozpoznając osobę, którą widziała w lustrze. Był dzień wesela; w ciągu ostatnich czterech dni przymierzyła chyba wszystkie odpowiednie sukienki w miasteczku, chodziła tam i z powrotem w rozmaitych butach, sprawdzając, czy są wygodne, i spędziła mnóstwo czasu w salonie fryzjerskim.

Prawie godzinę zajęło jej zakręcenie i ułożenie włosów, tak jak nauczyła ją fryzjerka. Ronnie poprosiła także o radę w sprawie makijażu i dostała od niej kilka wskazówek, które teraz wykorzystała. Sukienka z głębokim dekoltem w kształcie litery V i czarnymi cekinami — nie było wielkiego wyboru mimo długiej wędrówki po sklepach — daleko odbiegała od jej wyobrażeń, ale cóż. Poprzedniego wieczoru Ronnie zrobiła sobie manikiur i pomalowała paznokcie, nie spiesząc się, zadowolona, że nie drasnęła lakieru.

„Nie poznaję cię — powiedziała do swojego odbicia, obracając się w różne strony. — Nigdy wcześniej cię nie widziałam". Obciągnęła sukienkę, żeby lepiej leżała. Wyglądała w niej naprawdę nieźle, musiała przyznać. Uśmiechnęła się. I na pewno odpowiednio do okazji.

W drodze do drzwi wsunęła stopy w buty i poszła do salonu. Tata znowu czytał Biblię, a Jonah oglądał kreskówki, jak zwykle. Kiedy obaj unieśli głowy i spojrzeli na nią, najwyraźniej odebrało im mowę.

— Cholera jasna — mruknął Jonah.

Tata popatrzył na niego.

— Nie powinieneś używać tego słowa.

— Którego?

— Wiesz dobrze.

— Przepraszam, tato — powiedział ze skruchą. — Choroba jasna — spróbował znowu.

Ronnie i ojciec się zaśmiali i Jonah popatrzył na nich kolejno.

— No co?

— Nic — odparł tata.

Jonah podszedł bliżej, żeby jej się przyjrzeć.

— Co się stało z purpurowymi pasemkami w twoich włosach? — zapytał. — Zniknęły?

Ronnie poprawiła loki.

— Na jakiś czas — wyjaśniła. — Dobrze wyglądam?

Zanim ojciec zdążył odpowiedzieć, Jonah zauważył:

— Wyglądasz znowu normalnie. Ale nie jak moja siostra.

— Wyglądasz pięknie — szybko odezwał się tata.

Sama tym zdziwiona odetchnęła z ulgą.

— Podoba ci się sukienka?

— Jest idealna — odparł.

— A buty? Nie jestem pewna, czy do niej pasują.

— Pasują.

— Umalowałam się i polakierowałam paznokcie...

Zanim dokończyła, ojciec pokręcił głową.

— Wyglądasz prześlicznie — oświadczył. — Nie wiem, czy na całym świecie jest ktoś piękniejszy od ciebie.

Mówił to kiedyś setki razy.

— Tato...

— Wcale nie przesadza — włączył się Jonah. — Wyglądasz niesamowicie. Nie kłamię. Ledwie cię poznałem.

Zmarszczyła czoło, udając oburzenie.

— Więc chcesz powiedzieć, że na co dzień tak ładnie nie wyglądam?

Wzruszył ramionami.

— A komu poza jakimś czubkiem podobałyby się purpurowe włosy?

Parsknęła śmiechem i zobaczyła, że tata uśmiecha się do niej.

— No, no. — Tylko to był w stanie powiedzieć.

*

Pół godziny później przejechała przez bramy posiadłości państwa Blakelee z bijącym sercem. Przebyli już kontrolę policyjną na drodze, gdzie sprawdzono ich dokumenty, a teraz zostali zatrzymani przez mężczyzn w uniformach, którzy chcieli odprowadzić ich samochód. Tata spokojnie im tłumaczył, że tylko ją podwozi, ale trzej kamerdynerzy jakby nie rozumieli — nie mieściło im się w głowach, że gość weselny może nie mieć własnego samochodu.

A dom i ogród...

Musiała przyznać, że wszystko wyglądało jak na planie filmowym. Wszędzie były kwiaty, żywopłot został idealnie przystrzyżony, a ceglany mur ze sztukaterią otaczający posiadłość — odmalowany.

Kiedy wreszcie pozwolono im zajechać przed wejście, tata objął spojrzeniem dom, który z bliska wydawał się jeszcze większy. W końcu odwrócił się do niej. Rzadko co go dziwiło, ale tym razem usłyszała w jego głosie zaskoczenie.

— To dom Willa?

— Tak. — Wiedziała, co pomyślał: że dom jest wielki, że nie zdawał sobie sprawy, jak bogaci są rodzice chłopaka, i czy na pewno jego córka czuje się dobrze w takim otoczeniu. Ale uśmiechnął się do niej bez śladu zakłopotania.

— Co za wspaniałe miejsce na ślub i wesele — zauważył tylko.

Jechał ostrożnie i na szczęście nikt już nie zwracał uwagi na stary samochód, w którym siedzieli. Był to wóz pastora Harrisa, stara toyota sedan o pudełkowatym kształcie, który przestał być modny, gdy tylko zeszła z linii produkcyjnej w latach dziewięćdziesiątych; ale jeździł i to wystarczało. Ronnie bolały już stopy. Nie potrafiła zrozumieć, jak niektóre kobiety na co dzień mogą chodzić w czółenkach. Jeszcze nie zajechała na miejsce, a już czuła się jak w hiszpańskich bucikach. Powinna była okleić sobie palce plastrami. A jej sukienka najwyraźniej nie została zaprojektowana z myślą o pozycji siedzącej; wpijała jej się w żebra, tak że trudno było w niej oddychać. Ale możc Ronnie po prostu się denerwowała i brakowało jej tchu.

Tata zatoczył łuk na podjeździe, wpatrując się w dom tak jak ona, gdy zobaczyła go pierwszy raz. Choć powinna się już do tego widoku przyzwyczaić, wciąż ją onieśmielał. A goście — nigdy w życiu nie widziała tylu smokingów i sukien wieczorowych. Nie mogła nic poradzić na to, że poczuła się nie na miejscu. Naprawdę to nie był jej świat.

Przed nimi wyrósł mężczyzna w ciemnym garniturze, który kierował ruchem, i zanim zdążyła się zorientować, musiała wysiąść. Gdy otworzył jej drzwi i pomocnie podał rękę, ojciec poklepał ją w kolano.

— Dasz radę. — Uśmiechnął się. — I baw się dobrze.

— Dzięki, tato.

Ostatni raz zerknęła w lusterko. Wysiadłszy, obciągnęła sukienkę i zauważyła, że na stojąco łatwiej jej oddychać. Balustrada na tarasie ozdobiona była liliami i tulipanami i gdy Ronnie ruszyła po schodach do drzwi, te nagle otworzyły się przed nią.

Will w smokingu zupełnie nie przypominał siatkarza bez koszulki ani bezpośredniego chłopaka z Południa, który zabrał ją na ryby; stał przed nią wyrafinowany, odnoszący sukcesy mężczyzna, którym miał się stać za kilka lat. Nie spodziewała się, że będzie tak... wytworny i już miała rzucić żartobliwie coś w stylu, że się „wyszykował", gdy dotarło do niej, że nawet się z nią nie przywitał.

Przez chwilę tylko się jej przyglądał. W przedłużającej się ciszy poczuła, że robi jej się coraz ciężej na sercu, i wpadła jej do głowy myśl, że zrobiła coś nie tak. Może przyjechała za wcześnie albo przesadziła z sukienką czy makijażem. Nie wiedziała, co o tym myśleć, i już wyobraziła sobie najgorsze, gdy Will wreszcie się uśmiechnął.

— Wyglądasz... niewiarygodnie — powiedział i poczuła, że się rozluźnia. W każdym razie trochę. Ale nie spotkała jeszcze Susan i do tego momentu nie była w stanie całkiem się odprężyć. Uradowało ją to, że podoba się Willowi.

— Wszystko dobrze? — zapytała.

Podszedł do niej i położył jej ręce na biodrach.

— Zdecydowanie.

— Nie za bardzo się odstawiłam?

— Ani trochę — szepnął.

Wyciągnęła ręce, poprawiła mu muszkę, a potem objęła go za szyję.

— Muszę przyznać, że ty też prezentujesz się całkiem, całkiem.

*

Nie było tak źle, jak przypuszczała. Okazało się, że większość zdjęć ślubnych zrobiono przed przyjazdem gości, więc mogła spędzić z Willem trochę czasu, zanim rozpoczęła się ceremonia. Głównie chodzili po terenie posiadłości i Ronnie oglądała aranżacje. Will nie żartował: tyły domu całkowicie przestylizowano, a basen został przykryty tymczasowym podestem, który w ogóle nie sprawiał wrażenia tymczasowego. Na nim półkolem stały szeregi białych krzeseł zwróconych ku białemu treliażowi, pod którym Megan i jej narzeczony mieli złożyć przysięgę małżeńską. Na dziedzińcu położono nowe chodniki prowadzące do kilkudziesięciu stołów pod sklepieniem wielkiego białego namiotu, gdzie zamierzano posadzić gości. Rozmieszczono tam pięć czy sześć kunsztow

townych rzeźb z lodu, na tyle dużych, żeby zachowały kształt przez wiele godzin, ale uwagę przede wszystkim przyciągały kwiaty: teren posiadłości przypominał morze mieczyków i lilii.

Zestaw gości był mniej więcej taki, jak się spodziewała. Oprócz Willa znała tylko Scotta, Ashley i Cassie i żadne z nich nie ucieszyło się szczególnie na jej widok. Nie żeby to miało dla niej jakieś znaczenie. Po zajęciu miejsc wszyscy, z wyjątkiem Willa, zaczęli wypatrywać Megan. Will ze swojego krzesła w pobliżu treliaża nie odrywał wzroku od Ronnie.

Ponieważ chciała jak najmniej zwracać na siebie uwagę, wybrała miejsce w trzecim rzędzie od tyłu, z dala od przejścia. Jak dotąd nie widziała Susan, która prawdopodobnie towarzyszyła Megan; Ronnie miała nadzieję, że matka Willa zauważy ją dopiero po uroczystości. Pewnie Susan też wolała jej unikać, co jednak wydawało się trudne, bo Ronnie była przecież z Willem.

— Przepraszam — usłyszała czyjś głos. Spojrzała w górę i zobaczyła starszego pana z żoną, którzy chcieli zająć dwa puste krzesła obok niej.

— Może ja się przesunę — zaproponowała.

— Jest pani pewna?

— To żaden kłopot. — Wstała i usiadła dwa krzesła dalej, ustępując parze miejsca. Mężczyzna wydawał jej się znajomy, ale nie mogła sobie przypomnieć, gdzie go widziała; przychodziło jej na myśl tylko oceanarium, a to było raczej wątpliwe.

Przestała się nad tym zastanawiać, gdy kwartet smyczkowy zagrał pierwsze takty *Marsza weselnego*. Obejrzała się w stronę domu, jak reszta gości. Usłyszała, że wszyscy z wrażenia wstrzymali oddech, gdy u szczytu schodów na werandzie pojawiła się Megan i ruszyła ku ojcu, który czekał na nią na dole. Patrząc na nią, Ronnie uznała, że to najpiękniejsza panna młoda, jaką kiedykolwiek widziała.

Oczarowana urodą siostry Willa ledwie zauważyła, że starszy pan siedzący przy niej zdecydowanie bardziej przygląda się jej niż Megan.

*

Ceremonia była elegancka, a jednak zaskakująco kameralna. Pastor odczytał Drugi List do Koryntian, a potem Megan i Daniel wypowiedzieli przysięgę, którą sami napisali. Przyrzekli sobie cierpliwość w chwilach, gdy łatwo o utratę cierpliwości, szczerość, gdy łatwo o kłamstwo, i wyrazili świadomość faktu, że tylko upływ czasu może dowieść prawdziwego oddania.

Patrząc, jak wymieniają się obrączkami, Ronnie zrozumiała, dlaczego zdecydowali się wziąć ślub na dworze. Była to mniej tradycyjna uroczystość niż śluby kościelne, na których bywała, ale mimo to oficjalna, sceneria zaś wydawała się wręcz doskonała.

Ronnie zorientowała się też, że Will miał rację: wiedziała, że polubi Megan. Podczas innych ślubów zawsze miała wrażenie, że panny młode chcą jak najszybciej odbębnić uroczystość i denerwują się, gdy coś odbiega od scenariusza. Megan w przeciwieństwie do nich naprawdę dobrze się bawiła. Gdy ojciec prowadził ją przejściem między krzesłami, mrugała do przyjaciół i zatrzymała się, żeby uścisnąć babcię. Kiedy chłopiec niosący obrączki — naprawdę maluch, śliczny w swoim minismokingu — przystanął pośrodku i wspiął się na kolana mamy, zaśmiała się z rozbawieniem, co rozładowało chwilowe napięcie.

Później Megan wyraźnie mniej interesowała się pozowaniem do zdjęć ślubnych, godnych eleganckich czasopism, niż rozmowami z gośćmi. Zdaniem Ronnie była albo niewiarygodnie pewna siebie, albo nie miała pojęcia, jak matka przejmowała się w ostatnich tygodniach przygotowaniami do tego ślubu i wesela. Nawet z daleka Ronnie widziała, że niemal wszystko odbiega od wyobrażeń Susan.

— Jesteś mi winna taniec — usłyszała szept Willa.

Obróciła się i znowu uderzyło ją, jaki jest przystojny.

— To chyba nie należało do umowy — odparła. — Miałam tylko przyjść na ślub.

— Co takiego? Nie chcesz ze mną zatańczyć?

— Nie słyszę muzyki.

— Bo będzie później.

— Och, jeśli tak, mam czas, aby się zastanowić. Ale czy nie powinieneś pozować do zdjęć?

— Robię to od wielu godzin. Należy mi się przerwa.

— Bolą cię policzki od uśmiechów?

— Coś w tym rodzaju. Och, miałem ci powiedzieć, że będziesz siedziała przy szesnastoosobowym stole ze Scottem, Ashley i Cassie.

Jak pech, to pech.

— Świetnie — rzuciła.

Rozbawiło go to.

— Nie będzie tak źle, jak myślisz. Muszą zachowywać się jak należy, bo inaczej mama pourywałaby im głowy.

Teraz z kolei Ronnie się zaśmiała.

— Powiedz mamie, że świetnie jej się udało zorganizować to wszystko. Pięknie tu.

— Powiem — obiecał. Patrzył na nią, aż oboje usłyszeli, że ktoś go woła. Kiedy się odwrócili, Ronnie pomyślała, że Megan wygląda na rozbawioną tym, iż jej brat się oddalił. — Muszę wracać — oświadczył. — Ale znajdę cię podczas kolacji. I nie zapomnij, że mamy zatańczyć.

Znowu pomyślała, że jest zabójczo atrakcyjny.

— Muszę cię ostrzec, że już mam otarte stopy.

Przyłożył dłoń do serca.

— Obiecuję, że nie będę się śmiał, gdy zaczniesz kuleć.

— Jezu, dzięki.

Pochylił się i pocałował ją.

— Mówiłem ci, że ślicznie dziś wieczorem wyglądasz?

Uśmiechnęła się; wciąż czuła smak jego ust.

— Od dwudziestu minut nie. Idź już. Potrzebują cię tam, a ja nie chcę się narażać.

Pocałował ją, a potem dołączył do reszty rodziny. Zadowolona odwróciła się i zobaczyła, że starszy pan, któremu ustąpiła miejsca podczas ceremonii, znowu na nią patrzy.

*

Podczas kolacji Scott, Cassie i Ashley nie wysilali się zbytnio, żeby wciągnąć ją do rozmowy, ale nie dbała o to. Nie była w nastroju, żeby z nimi gawędzić, nie czuła też głodu. Po zjedzeniu kilku kęsów przeprosiła towarzystwo i poszła na taras. Rozciągał się stamtąd panoramiczny widok na przyjęcie, które w mroku wydawało się jeszcze bardziej wytworne. W srebrnym blasku księżyca namioty wręcz jaśniały. Ronnie słyszała strzępy rozmów dobiegających wraz z dźwiękami muzyki orkiestrowej i próbowała sobie uzmysłowić, co by robiła w tej chwili w Nowym Jorku, gdyby nie była tutaj. Z upływem lata coraz rzadziej rozmawiała przez telefon z Kaylą. Chociaż wciąż uważała ją za przyjaciółkę, uświadomiła sobie, że nie tęskni za światem, który zostawiła za sobą. Od tygodni nie myślała o pójściu do klubu i kiedy Kayla opowiadała o swoim najnowszym fantastycznym facecie, którego właśnie poznała, Ronnie stawał przed oczami Will. Wiedziała, że kimkolwiek jest najnowszy obiekt fiksacji Kayli, na pewno nie dorasta mu do pięt.

Niewiele mówiła jej o Willu. Powiedziała, że się z nim spotyka, ale gdy relacjonowała, co robili — łowili ryby, jeździli po błocie czy spacerowali plażą — miała wrażenie, że nie nadaje już na tej samej fali co jej przyjaciółka. Kayla nie była w stanie zrozumieć, że Ronnie czuje się szczęśliwa z Willem, a Ronnie mimowolnie zaczynała się zastanawiać, co to oznacza dla ich przyjaźni i co będzie, gdy wróci do Nowego Jorku. Wiedziała, że zmieniła się podczas pobytu tutaj, tymczasem Kayla była najwyraźniej taka sama jak dawniej. Ronnie uświadomiła sobie, że nie ma ochoty chodzić już do klubów. Przede wszystkim, cofając się myślami, nie mogła pojąć, co ją do nich ciągnęło — muzyka była tam bardzo głośna, a wszyscy nastawieni na podryw. A skoro się tak świetnie bawili, to po co pili albo brali prochy? To nie miało sensu. Słysząc szum oceanu w oddali, pomyślała nagle, że nigdy tego nie rozumiała.

Zapragnęła naprawić swoje stosunki z mamą. Tata przekonał ją, że rodzice mogą być całkiem w porządku. Choć nie miała złudzeń, że mama ufa jej tak jak on, wiedziała, że za napięcie we wzajemnych stosunkach odpowiedzialne są obie. Może gdyby porozmawiała z nią tak, jak rozmawiała z ojcem, sytuacja zmieniłaby się na lepsze.

Dziwne, co konieczność zwolnienia tempa może zrobić z człowiekiem.

— To się skończy, wiesz? — powiedział ktoś za jej plecami.

Pogrążona w myślach, nie usłyszała, że podeszła do niej Ashley.

— Słucham? — Odwróciła się do niej niechętnie.

— Cieszę się, że Will zaprosił cię na to wesele. Powinnaś się zabawić, bo to się skończy. On za dwa tygodnie wyjeżdża. Zastanawiałaś się już nad tym?

Ronnie obrzuciła ją badawczym spojrzeniem.

— To chyba nie jest twoja sprawa.

— Nawet jeśli zamierzacie się widywać, to czy naprawdę sądzisz, że mama Willa cię zaakceptuje? — ciągnęła Ashley. — Megan była wcześniej zaręczona dwa razy i matka obu jej chłopaków przepędziła. I z tobą zrobi to samo, czy ci się to podoba, czy nie. A nawet jeśli nie, wyjeżdżasz i on wyjeżdża, więc to nie przetrwa.

Ronnie znieruchomiała; Ashley wyraziła jej własne obawy. Ale miała już dość tej dziewczyny i nie wytrzymała.

— Wiesz, Ashley — zaczęła, podchodząc do niej. — Coś ci powiem, dobrze? I chciałabym, żebyś słuchała uważnie, bo zamierzam postawić sprawę jasno. — Zrobiła jeszcze jeden krok do przodu, aż stanęły z sobą twarzą w twarz. — Męczy mnie i mdli słuchanie tych twoich gadek, więc jeśli znowu zechcesz mi coś powiedzieć, wybiję ci te twoje białe zęby. Rozumiesz?

Coś w jej wyrazie twarzy musiało przekonać Ashley, że Ronnie nie żartuje, bo odwróciła się szybko bez słowa, i umknęła pod namiot.

*

Stojąc potem na podeście, Ronnie była zadowolona, że w końcu zamknęła Ashley usta, ale dręczyły ją słowa mściwej blondynki. Will za dwa tygodnie miał wyjechać do Nashville, a ona wracała do Nowego Jorku prawdopodobnie tydzień później. Nie wiedziała, co się z nimi stanie; jedno było pewne: że wszystko się zmieni.

Bo jakżeby nie? Ich związek opierał się na codziennych spotkaniach i nie potrafiła sobie wyobrazić, jak będą się porozumiewać przez telefon czy za pośrednictwem esemesów. Wiedziała, że są jeszcze inne możliwości — na przykład rozmowa przez skype'a — ale nie łudziła się, że mogą zastąpić ich obecny kontakt.

A to oznaczało, że... co?

Przyjęcie było w pełnym toku. Z podestu usunięto krzesła, żeby zrobić miejsce do tańca, i widziała z werandy, że Will zatańczył co najmniej dwa razy z sześcioletnią dziewczynką, która niosła kwiaty podczas ślubu, i raz z siostrą, co wywołało uśmiech u Ronnie. Kilka minut po jej starciu z Ashley Megan i Daniel przystąpili do krojenia tortu. Muzyka rozległa się znowu i wtedy Tom zatańczył z Megan, a kiedy ta rzuciła swój bukiet, krzyk dziewczyny, która go złapała, musieli słyszeć nawet najdalsi sąsiedzi, tak przynajmniej pomyślała Ronnie.

— Tu jesteś — powiedział Will, przerywając jej rozmyślania. Zbliżał się do niej chodnikiem. — Szukałem cię wszędzie. Czas na nasz taniec.

Patrzyła, jak do niej podchodzi, i próbowała sobie wyobrazić, co pomyślałyby dziewczyny, które niebawem zobaczą go w college'u, gdyby były na jej miejscu. Pewnie to samo co ona: O rany.

Przeskoczył ostatnie stopnie, które dzieliły go od niej, a ona się odwróciła. Łatwiej było patrzeć na ruch wody niż na niego.

Znał ją już dobrze i wyczuł, że coś jest nie tak.

— Co się stało?

Nie odpowiedziała od razu, więc delikatnie odsunął na bok kosmyk jej włosów.

— Powiedz mi — szepnął.

Na chwilę przymknęła oczy, a potem spojrzała na niego.

— Co z tym wszystkim będzie? Z tobą i ze mną?

Will zmarszczył brwi z troską.

— Nie wiem, co masz na myśli.

Uśmiechnęła się melancholijnie.

— Wiesz. — Gdy opuścił rękę, zorientowała się, że zrozumiał. — Nie będzie już tak samo.

— To nie znaczy, że musi się skończyć...

— Tak się mówi.

— Nietrudno dostać się z Nashville do Nowego Jorku. To... ile?... dwie godziny lotu? Nie trzeba iść na piechotę.

— I przyjedziesz do mnie? — Ronnie usłyszała, że drży jej głos.

— Taki mam zamiar. I liczyłem, że ty z kolei przyjedziesz do Nashville. Moglibyśmy pójść na *Grand Ole Opry**.

Zaśmiała się mimo bólu, jaki czuła w sercu.

Objął ją ramieniem.

— Nie wiem, dlaczego teraz cię to naszło, ale się mylisz. Zdaję sobie sprawę, że nie będzie tak samo, co nie znaczy, że nie może być nawet lepiej. Moja siostra mieszka w Nowym Jorku, mówiłem ci, pamiętasz? A zajęcia nie trwają okrągły rok. Są przerwy jesienią i wiosną, na Boże Narodzenie i w lecie. I jak powiedziałem, jeśli będziemy chcieli spędzić z sobą weekend, to nie taka daleka wyprawa.

Ronnie nie była pewna, co na to jego rodzice, ale nic nie powiedziała.

— Co się dzieje? — zapytał. — Nie chcesz nawet spróbować?

— Oczywiście, że chcę.

— To znajdziemy jakiś sposób, żeby się udało, prawda? — Urwał na chwilę. — Chcę być z tobą, naprawdę, Ronnie. Jesteś inteligentna, zabawna i uczciwa. Ufam ci. Wierzę w nas. Owszem, wyjeżdżam, a ty wracasz do domu. Ale to nie zmienia moich uczuć do ciebie. Nie zmieni ich także to, że będę na Uniwersytecie Vanderbilta. Kocham cię bardziej niż kogokolwiek dotychczas.

Wiedziała, że mówił szczerze, ale jakiś głos wewnętrzny

---

* Amerykańska audycja radiowa country nadawana w każdą sobotę z Nashville.

pytał ją, ile wakacyjnych miłości przetrwało próbę czasu. Niewiele i nie miało to nic wspólnego z uczuciami. Ludzie się zmieniają. Zmieniają się ich cele i dążenia. Aby zdać sobie z tego sprawę, wystarczyło, żeby spojrzała w lustro.

A jednak myśl, że mogłaby go stracić, była dla niej nie do zniesienia. Tylko jego kochała i miała kochać, i gdy pochylił się, żeby ją pocałować, poddała mu się całkowicie. Przyciągnął ją do siebie, a ona przesunęła dłońmi po jego ramionach i plecach, czując, jaki jest silny. Wiedziała, że chciał od niej więcej, niż mogła mu teraz dać, ale w tej chwili zrozumiała, że nie ma się co zastanawiać. Nadszedł ich moment i należało z niego skorzystać.

Kiedy się odezwał, w jego głosie brzmiały jednocześnie niepewność i naleganie.

— Chcesz pójść ze mną na łódź mojego taty?

Zadrżała niepewna, czy jest gotowa na to, co będzie dalej. Równocześnie jednak poczuła, że pragnie zrobić krok naprzód.

— Tak — odpowiedziała szeptem.

Will uścisnął jej rękę i miała wrażenie, że jest równie zdenerwowany jak ona, gdy prowadził ją w stronę łodzi. Wiedziała, że może jeszcze zmienić zdanie, ale nie chciała. Pragnęła, żeby jej pierwszy raz coś znaczył, pragnęła przeżyć go z kimś, kogo darzy uczuciem. Gdy zbliżyli się do łodzi, przestała zwracać uwagę na otoczenie; powietrze było chłodne i kącikiem oka widziała gości sunących po parkiecie. Zauważyła, że Susan na boku rozmawia ze starszym panem, który przyglądał jej się wcześniej, i znowu odniosła wrażenie, że skądś go zna.

— To była taka piękna mowa, szkoda, że jej nie nagrałem — usłyszała czyjś przeciągły głos.

Will się wzdrygnął. Głos dochodził z dalszego końca małej przystani. Choć jego właściciel krył się w ciemnościach,

Ronnie natychmiast go rozpoznała. Blaze ostrzegała ją, że coś takiego może się zdarzyć. Marcus wyszedł zza słupa i zapalił piłkę.

— Mówię serio, chłoptasiu. Tak ją oczarowałeś, że prawie wyskoczyła z majtek. — Skrzywił się. — Mało brakowało.

Will zrobił krok do przodu.

— Zjeżdżaj stąd.

Marcus przetoczył piłkę między palcami.

— Bo co? Wezwiesz gliny? Nie sądzę.

Will stężał. Marcus znowu poruszył delikatną strunę.

— To teren prywatny — powiedział Will, ale nie zabrzmiało to tak pewnie, jak powinno.

— Uwielbiam tę część miasteczka, a ty? Wszyscy tu są tacy mili dla siebie jak w Country Clubie, zbudowali ten ładny chodnik prowadzący nad wodą od domu do domu. Bardzo lubię tu przychodzić, wiesz? Żeby podziwiać widoki oczywiście.

— To przyjęcie weselne mojej siostry — syknął Will.

— Zawsze uważałem, że twoja siostra to ślicznotka — zauważył Marcus. — Kiedyś nawet zaprosiłem ją na randkę. Dziwka odmówiła. Możesz w to uwierzyć? — Nie dał Willowi odpowiedzieć, tylko wskazał tłum gości na weselu. — Widziałem Scotta, zachowywał się, jakby nie miał ani jednej troski na głowie. Co z jego sumieniem? Ale twoje też nie jest takie kryształowe, co? Na pewno nie powiedziałeś mamusi, że twoja puszczalska przyjaciółeczka prawdopodobnie pójdzie siedzieć?

Poczuła, że ciało Willa napina się jak cięciwa.

— Założę się, że sędzia już obrabia jej tyłek, co?

Sędzia...

Nagle do Ronnie dotarło, dlaczego starszy pan wydał jej się znajomy... a teraz rozmawiał z Susan... Sędzia.

Poczuła, że nie może oddychać.

O Boże...

Uświadomiła to sobie w chwili, w której Will puścił jej rękę. Gdy ruszył na Marcusa, ten rzucił w niego piłką i zeskoczył z pomostu na chodnik. Pobiegł w stronę domu, w pobliże namiotu, ale nie miał szans przy Willu, który szybko go dogonił. Gdy jednak Marcus obejrzał się przez ramię, Ronnie dostrzegła coś w jego twarzy, co powiedziało jej, że właśnie o to mu chodziło.

Miała tylko ułamek sekundy, żeby się nad tym zastanowić, bo zobaczyła, że Marcus nurkuje w stronę lin podtrzymujących namiot. Rzuciła się przed siebie.

— Nie, Will! Stój! — zawołała, ale było już za późno.

Will wpadł na Marcusa, tak że zaplątali się w liny, wyrywając paliki z ziemi. Ronnie patrzyła z przerażaniem, jak róg namiotu zaczyna opadać.

Podniosły się krzyki; usłyszała przerażający trzask, gdy runęła jedna z lodowych rzeźb. Ludzie rozbiegli się wśród wrzasków. Will i Marcus turlali się po ziemi, ale ten ostatni szybko się podniósł, wypadł z tłumu i odbiegł chodnikiem, znikając z pola widzenia za domem sąsiadów.

Ronnie miała wątpliwości, czy w pandemonium, które się rozpętało, ktokolwiek w ogóle będzie pamiętał, że widział tu Marcusa.

*

Z pewnością zapamiętali ją. Siedząc w gabinecie, czuła się jak dwunastolatka. Chciała jedynie znaleźć się jak najdalej od tego domu i wślizgnąć do swojego łóżka.

Słyszała krzyki Susan, które dobiegały z sąsiedniego pokoju, i stanął jej przed oczami obraz upadającego namiotu.

— Zepsuła wesele twojej siostry!

— Nie, wcale nie zepsuła! — zawołał Will. — Powiedziałem ci, co się stało!

— Mam uwierzyć, że jakiś nieznajomy wtargnął tu, a ty próbowałeś go zatrzymać?

— Tak było!

Ronnie nie miała pojęcia, dlaczego Will nie powiedział, że chodzi o Marcusa, ale na pewno nie zamierzała się wtrącać. W każdej chwili spodziewała się usłyszeć brzęk rozbijanej szyby, przez którą wylatuje krzesło. Albo zobaczyć ich dwoje, jak wpadają do gabinetu, bo Susan chce jej nagadać.

— Will, proszę... nawet jeśli to, co mówisz, jest prawdą, to po co się tu zjawił? Wszyscy wiedzą, jak chroniony jest dom! Na weselu są miejscowi sędziowie. Szeryf obstawił drogę dojazdową, na miłość boską! To musiało mieć coś wspólnego z tą dziewczyną! Nie próbuj mi wmawiać, że nie... widzę po twojej minie, że mam rację... A przy okazji, co robiłeś z nią przy łodzi ojca?

Powiedziała „ta dziewczyna" takim tonem, jakby Ronnie była czymś obrzydliwym, w co Susan wdepnęła i czego nie mogła zdrapać z buta.

— Mamo...

— Przestań! Nie tłumacz się więcej! To było wesele Megan, Will, nie rozumiesz? Wesele twojej siostry! Wiesz, ile dla nas znaczyło. Wiesz, jak bardzo staraliśmy się z twoim tatą, żeby je przygotować!

— Nie chciałem, żeby do tego doszło...

— To nie ma znaczenia, Will. — Ronnie usłyszała, że Susan wzdycha ciężko. — Mogłeś przewidzieć, co się stanie, jeśli ją tu zaprosisz. Zdajesz sobie sprawę, że nie jest taka jak my...

— Nawet nie dałaś jej szansy...

— Sędzia Chambers ją rozpoznał! Powiedział mi, że w tym

miesiącu ma stanąć przed sądem za kradzież w sklepie! Więc albo o tym nie wiedziałeś, bo byłeś przez nią okłamywany, albo wiedziałeś i okłamywałeś mnie!

Zapadła ciężka cisza i mimowolnie Ronnie wytężyła słuch, żeby usłyszeć odpowiedź Willa. Kiedy się odezwał, mówił zgaszonym głosem.

— Nie powiedziałem ci, bo wiedziałem, że nie zrozumiesz.

— Will, kochanie... nie widzisz, że ona na ciebie nie zasługuje? Masz przed sobą całe życie i nie potrzebujesz takiej dziewczyny. Czekałam, aż sam to zrozumiesz, ale najwyraźniej zbyt się zaangażowałeś, żeby przejrzeć na oczy. Ona na ciebie nie zasługuje. Jest z niższej klasy. Niższej klasy!

Gdy podnieśli głosy, Ronnie dosłownie zrobiło się niedobrze; z trudem powstrzymała się od wymiotów. Susan myliła się w wielu kwestiach, ale w jednej nie: to Ronnie była powodem zjawienia się Marcusa. Gdyby zdała się na intuicję i została w domu! To nie był jej świat.

— Dobrze się czujesz? — zapytał Tom. Stał w progu, z kluczykami do samochodu w rękach.

— Naprawdę bardzo mi przykro, panie Blakelee — wypaliła. — Nie chciałam sprawić kłopotów.

— Wiem — odparł krótko.

Widziała, że choć wykazywał zrozumienie, także był zmartwiony. Jak mógłby nie być! Chociaż nikomu nic poważnego się nie stało, dwójkę gości, którzy przewrócili się podczas zamieszania, zabrano do szpitala. Panował nad emocjami i była mu za to wdzięczna. Gdyby i on podniósł głos, wybuchłaby płaczem.

— Odwieźć cię do domu? Na zewnątrz panuje zamieszanie. Twój tata miałby problem z dostaniem się tutaj.

Ronnie potakująco skinęła głową.

— Tak, proszę.

Wstając, poprawiła sukienkę; miała nadzieję, że po drodze nie zwymiotuje.

— Mógłby pan pożegnać ode mnie Willa? I powiedzieć mu, że już się nie zobaczymy?

Tom skinął głową.

— Uhm. Oczywiście.

*

Nie zwymiotowała ani nie rozpłakała się, ale też nie wypowiedziała słowa podczas tej najdłuższej, jak się jej wydawało, jazdy w życiu. Tom również milczał, choć to akurat jej nie dziwiło.

W domu panowała cisza; światła były zgaszone, Jonah i tata spali jak susły. Słyszała w holu, że ojciec oddycha głęboko, ciężko, jakby miał za sobą długi, męczący dzień. Ale gdy wślizgnęła się do łóżka i zaczęła płakać, pomyślała, że żaden dzień nie mógł być dłuższy ani trudniejszy niż ten, który właśnie przeżyła.

*

Oczy miała zapuchnięte i czerwone, gdy poczuła, że ktoś ją budzi. Mrużąc powieki, zobaczyła Jonah, który siedział obok na łóżku.

— Musisz wstać.

Powróciło do niej wspomnienie tego, co zdarzyło się wieczorem i co powiedziała Susan, i znowu poczuła mdłości.

— Nie chcę.

— Nie masz wyboru. Ktoś do ciebie przyjechał.

— Will?

— Nie. Ktoś inny.

— Poproś tatę, żeby się tym zajął. — Naciągnęła kołdrę na głowę.

— On jeszcze śpi. A poza tym ta pani chciała rozmawiać z tobą.

— Jaka pani?

— Nie wiem, ale czeka na zewnątrz. I jest całkiem niezła.

*

Włożywszy pospiesznie dżinsy i koszulkę, Ronnie nieufnie wyjrzała na ganek. Nie miała pojęcia, kto chce się z nią zobaczyć, ale na pewno nie spodziewała się osoby, którą ujrzała.

— Wyglądasz okropnie — powiedziała Megan bez wstępów.

Miała na sobie szorty i koszulkę bez rękawów, ale Jonah się nie mylił: wyglądała świetnie, jeszcze ładniej niż poprzedniego dnia na weselu. Biła od niej pewność sobie, pod wpływem której Ronnie natychmiast poczuła się o wiele lat młodsza.

— Naprawdę bardzo mi przykro, że zepsułam ci wesele... — zaczęła.

Megan uniosła rękę.

— Nie zepsułaś mi wesela — sprostowała z ironicznym uśmiechem. — Dzięki tobie stało się... pamiętne...

Na tę uwagę Ronnie napłynęły łzy do oczu.

— Nie płacz — poprosiła łagodnie Megan. — Nie mam do ciebie pretensji. Jeśli to była czyjaś wina, to Marcusa.

Ronnie zamrugała powiekami.

— Tak, wiem, co się stało. Rozmawiałam z Willem, gdy mama wreszcie dała mu spokój. Myślę, że wszystko rozumiem. I nie mam do ciebie pretensji. Marcus jest nienormalny. Zawsze taki był.

Ronnie przełknęła ślinę. Choć Megan okazała się zaskakująco wyrozumiała — a może właśnie przez to — było jej wstyd.

— Jeśli nie przyjechałaś... żeby na mnie nawrzeszczeć, to dlaczego tu jesteś? — zapytała.

— Częściowo dlatego, że odbyłam rozmowę z Willem. Ale głównie po to, żeby się czegoś dowiedzieć. I chciałabym, żebyś powiedziała mi prawdę.

Ronnie poczuła, że wywraca jej się żołądek.

— Co chcesz wiedzieć?

— Czy kochasz mojego brata.

Ronnie nie była pewna, czy dobrze usłyszała, ale Megan patrzyła na nią poważnie. Co miała do stracenia? Między nią a Willem wszystko było skończone. Jeśli Susan się o to nie postara, to odległość zrobi swoje.

Megan prosiła o prawdę, a ponieważ okazała jej tyle dobroci, Ronnie wiedziała, że nie ma wyjścia.

— Tak, kocham go.

— To nie wakacyjna miłość?

Ronnie z przekonaniem pokręciła głową.

— Will i ja... — Nie dokończyła; nie śmiała powiedzieć więcej, bo wiedziała, że słowa tego nie wyrażą.

Megan popatrzyła na nią badawczo i powoli się uśmiechnęła.

— W porządku — oznajmiła. — Wierzę ci.

Ronnie zmarszczyła brwi z konsternacją, tak że Megan się roześmiała.

— Byłam tu i tam. Widziałam już to spojrzenie. Choćby dziś rano, kiedy przeglądałam się w lustrze, bo czuję to samo do Daniela. Muszę przyznać, że trochę dziwnie jest je widzieć u ciebie. Kiedy ja miałam siedemnaście lat, chyba w ogóle nie wiedziałam, co to miłość. Ale gdy się pojawia, to jest i człowiek po prostu wie.

Ronnie słuchała jej i nie mogła oprzeć się wrażeniu, że Will nie oddał sprawiedliwości siostrze, gdy ją charakteryzował. Była nie tylko świetna, ale jeszcze... Kimś takim Ronnie pragnęła stać się za kilka lat, praktycznie pod każdym względem. W ciągu kilku minut Megan stała się jej idolką.

— Dziękuję ci — wymamrotała, bo nie wiedziała, co innego mogłaby powiedzieć.

— Nie masz mi za co dziękować. Nie chodzi o ciebie. Chodzi o mojego brata, a on za tobą szaleje — wyjaśniła z porozumiewawczym uśmiechem Megan. — Chcę powiedzieć, że jeśli go kochasz, nie powinnaś przejmować się tym, co zdarzyło się na przyjęciu. Dostarczyłaś mamie tylko tematu do opowieści, którą będzie powtarzała do końca życia. Uwierz mi, na tym się skończy. Z czasem jej przejdzie. Zawsze przechodzi.

— No, nie wiem...

— Bo jej nie znasz. Och, jest wymagająca, nie zrozum mnie źle. I nadopiekuńcza. Ale nie ma lepszej od niej osoby na świecie. Zrobi wszystko dla kogoś, kogo kocha.

Ronnie przypomniały się słowa Willa o matce, ale jak na razie takiej Susan nie znała.

— Powinnaś porozmawiać z Willem — podsumowała Megan i opuściła okulary przeciwsłoneczne na nos, jakby zabierała się do odejścia. — Nie martw się. Nie sugeruję, żebyś poszła do niego do domu. Zresztą nie ma go tam.

— A gdzie jest?

Machnęła ręką w stronę molo.

— Na turnieju. Za czterdzieści minut zaczyna się pierwszy mecz.

Turniej. Zapomniała o nim w tym całym stresie.

— Byłam tam, ale gdy odchodziłam, w ogóle nie miał głowy do gry. Był bardzo przybity, nie sądzę, żeby w nocy zmrużył oko. Zwłaszcza po tym, co przekazałaś mu przez naszego ojca. Musisz to wszystko wyjaśnić. — Megan mówiła stanowczym głosem. Już miała opuścić ganek, ale jeszcze

313

odwróciła się do Ronnie. — I wiesz co? Daniel i ja odłożyliśmy miesiąc miodowy o jeden dzień, żeby zobaczyć, jak gra mój braciszek. Dobrze by było, żeby się skupił. Być może się do tego nie przyznaje, ale ten turniej jest dla niego ważny.

*

Ronnie szybko wzięła prysznic, ubrała się i pobiegła na plażę. Wokół molo zebrało się dużo ludzi, jak pierwszego wieczoru jej pobytu w miasteczku.

Za molo, po przeciwległych stronach dwóch boisk, wzniesiono trybuny, na których siedziało co najmniej tysiąc widzów. Jeszcze więcej stało na molo, z którego też rozciągał się widok na boiska. Na samej plaży zebrał się taki tłum, że Ronnie z trudem zdołała się przedrzeć. Bała się, że nie uda jej się odnaleźć Willa.

Nic dziwnego, że wygranie turnieju było takie ważne.

Przesunęła wzrokiem po tłumie widzów i dostrzegła zawodników innych drużyn, co jeszcze wzmogło jej desperację. Zdołała się już zorientować, że nie było specjalnego obszaru zarezerwowanego dla graczy, i straciła nadzieję, że wypatrzy Willa w tym tłoku.

Do rozpoczęcia meczu zostało tylko dziesięć minut i już miała zrezygnować, gdy nagle go zauważyła: przechodził ze Scottem obok sanitariuszy, którzy stali oparci o karetkę. Will zdjął koszulkę i zniknął za karetką.

Przecisnęła się przez tłum, przepraszając pospiesznie ludzi, których potrąciła. Po minucie dotarła do miejsca, w którym ostatni raz widziała Willa, ale nie dostrzegła go nigdzie w pobliżu. Ruszyła przed siebie i tym razem wydało jej się, że widzi Scotta — ale nie miała pewności w tym morzu jasnych włosów. Jednakże w chwili gdy już westchnęła z frustracją, zauważyła Willa, który stał w cieniu trybuny i pociągał duży łyk gatorade z butelki.

Megan się nie myliła. Miał opuszczone ramiona, co wyraźnie świadczyło o zmęczeniu, i nie dostrzegła żadnych oznak podniesionego przed meczem poziomu adrenaliny.

Ominęła kilku widzów i gdy znalazła się bliżej, ruszyła biegiem. Przez chwilę zdawało się jej, że widzi zaskoczenie na jego twarzy, ale szybko odwrócił wzrok; ojciec przecież powtórzył mu wiadomość od niej.

Wyczuła ból i zmieszanie w jego reakcji. Chciała mu wszystko wyjaśnić, ale za kilka minut zaczynał się mecz i nie miała czasu. Podeszła więc do Willa, zarzuciła mu ręce na szyję i pocałowała go tak gorąco, jak potrafiła. Jeśli był tym zaskoczony, szybko odzyskał równowagę i odpowiedział pocałunkiem.

Kiedy wreszcie się rozłączyli, zaczął:

— Jeśli chodzi o to, co zdarzyło się wczoraj...

Ronnie pokręciła głową i położyła mu palec na ustach.

— O tym porozmawiamy później, chcę tylko, abyś wiedział, że to nieprawda, co powiedziałam twojemu tacie. Kocham cię. I musisz coś dla mnie zrobić.

Kiedy spojrzał na nią pytająco, poprosiła:

— Zagraj dziś tak jak nigdy.

27

Marcus

Kopiąc nogą piach przy Bower's Point, Marcus wiedział, że powinien cieszyć się z chaosu, jaki wywołał poprzedniego wieczoru. Wszystko przebiegło dokładnie tak, jak to zaplanował. Dom był udekorowany zgodnie z opisem w niezliczonych artykułach prasowych i gdy goście jedli kolację, mógł bez trudu wyciągnąć słupki — nie do końca, tylko tyle, żeby się wysunęły, gdy wpadnie na liny. Był zachwycony, kiedy zobaczył Ronnie idącą pomostem, a za nią Willa; nie sprawili mu zawodu. Poczciwy Will idealnie odegrał swoją rolę; Marcus byłby zdziwiony, gdyby na świecie znalazł się bardziej przewidywalny facet. Wystarczyło nacisnąć jeden guzik i Will robił to, drugi — i Will robił tamto. Gdyby nie było to takie śmieszne, mogłoby wydawać się nawet nudne.

Marcus nie był podobny do innych; wiedział to już od dłuższego czasu. Nigdy nie odczuwał żadnych skrupułów i to mu się w sobie podobało. Robił, co chciał i kiedy chciał, dawało mu to poczucie władzy, choć przyjemność z tego była przeważnie krótkotrwała.

Zeszłego wieczoru bawił się lepiej niż w ciągu ostatnich

kilku miesięcy; chaos okazał się wręcz niewiarygodny. Zwykle po realizacji któregoś ze swoich „projektów", jak lubił je nazywać, czuł satysfakcję przez wiele tygodni. Co było korzystne, bo jego potrzeby, gdyby ich nie hamował, mogły w końcu doprowadzić do tego, że zostałby przyłapany. Ale nie był głupi. Wiedział, jak to działa, dlatego zawsze zachowywał ostrożność, wielką ostrożność.

Teraz jednak gnębiło go wrażenie, że popełnił błąd. Być może przegiął, biorąc na cel rodzinę Blakelee. W końcu byli w Wilmington nie do ruszenia — mieli władzę, koneksje i forsę. Jeśli odkryją, że maczał w tym palce, nie cofną się przed niczym, żeby go załatwić na cacy. Dlatego dręczyła go wątpliwość: Will wprawdzie dotąd krył Scotta, ale czy będzie chciał to ciągnąć kosztem własnej rodziny, własnej siostry?

Nie podobał mu się u siebie ten stan ducha. Przypominał nawet... strach. Marcus nie zamierzał iść do paki, nawet gdyby to miała być krótka odsiadka. Nie mógł pójść do paki. To nie było miejsce dla niego. Nie zasługiwał na to. Był za bystry, aby miało go to spotkać, i nie wyobrażał sobie, że siedziałby w zamknięciu zdany na łaskę bandy strażników więziennych i zboczonych neonazistów o wadze trzystu funtów. Że musiałby jeść obsrane przez karaluchy żarcie albo robić inne okropne rzeczy, które łatwo sobie wyobrazić.

Budynki, które spalił, ludzie, których skrzywdził, absolutnie nic dla niego nie znaczyli, ale na myśl o więzieniu robiło mu się... niedobrze. I nigdy nie bał się tego bardziej niż teraz, po wydarzeniach minionej nocy.

Ale na razie nie ma powodu do niepokoju, uzmysłowił sobie. Widocznie Will go nie wydał, bo gdyby to zrobił, przy Bower's Point roiłoby się już od glin. Mimo to musiał przyczaić się na jakiś czas. Naprawdę przyczaić. Żadnych imprez w domkach na plaży, żadnych pożarów w magazynach, bo inaczej nie będzie mógł zbliżyć się więcej ani do Willa, ani do Ronnie. Nie ulegało kwestii, że nie może pisnąć słowa Teddy'emu i Lance'owi ani nawet Blaze. Lepiej, żeby ten incydent zatarł się w pamięci ludzi.

Chyba że Will zmieni zdanie.

Ta groźba była dla niego jak cios w żołądek. Dotąd miał nad nim całkowitą przewagę, a teraz nagle role się odwróciły... pozycje co najmniej wyrównały.

Może, pomyślał, lepiej by było wyjechać na jakiś czas z miasteczka. Przenieść się do Myrtle Beach, Fort Lauderdale czy Miami, dopóki nie ucichnie ta afera z weselem.

Uznał, że to dobry pomysł, ale żeby go zrealizować, potrzebował forsy. Sporo forsy. I to szybko. Co oznaczało, że powinien odwalić kilka występów przed sporą publicznością. Na szczęście tego dnia zaczynał się turniej siatkarski. Na pewno Will będzie brał w nim udział, ale Marcus nie musiał przecież szwendać się w okolicach boiska. Mógł wystąpić na molo... urządzić duży pokaz.

Blaze siedziała za nim w słońcu; miała na sobie tylko dżinsy i stanik; jej koszulka leżała zmięta obok ogniska.

— Blaze! — zawołał. — Będziemy potrzebować dziś dziewięciu piłek. Zbierze się kupa ludzi i zarobimy dużo forsy.

Nie odpowiedziała, ale słysząc jej westchnienie, zacisnął zęby. Miał jej już po dziurki w nosie. Od kiedy mamusia wykopała ją z chaty, smęciła od rana do wieczora. Patrzył, jak dziewczyna wstaje z miejsca i bierze butelkę z płynem do zapalniczek. Dobrze. Przynajmniej przyda się na coś.

Dziewięć piłek. Oczywiście nie wszystkie naraz; zwykle w trakcie widowiska używali sześciu. Ale dodanie jednej tu, drugiej tam, w ramach niespodzianki, mogłoby wpłynąć na

318

wysokość datków. A gdyby uzbierał potrzebną sumę, za parę dni znalazłby się na Florydzie. Sam. Teddy, Lance i Blaze musieliby radzić sobie bez niego przez jakiś czas. Miał już ich wszystkich dość.

Zajęty planowaniem podróży nie zauważył, że Blaze nasączyła kilka szmacianych piłek płynem do zapalniczek tuż nad swoją koszulką, którą miała włożyć na przedstawienie.

28

Will

Wygranie meczu pierwszej rundy okazało się nadzwyczaj łatwe; Will i Scott prawie się nie spocili. W trakcie drugiej rundy grało im się jeszcze łatwiej, a ich przeciwnicy zdobyli zaledwie punkt. W trzeciej rundzie obaj ze Scottem musieli się już postarać. Choć wygrali, Will zszedł z boiska z przekonaniem, że zespół, który właśnie pokonali, jest znacznie lepszy, niżby wskazywał wynik.

O drugiej po południu rozpoczęli ćwierćfinały; finał miał się odbyć o szóstej. Wsparłszy ręce na kolanach w oczekiwaniu na serw przeciwników, Will pomyślał, że to jego mecz. Mieli przewagę tylko pięć do dwóch, ale się nie martwił. Czuł, że jest w dobrej formie, że jest szybki, za każdym razem posyłał piłkę dokładnie tam, gdzie chciał. Gdy przeciwnik zagrywał, Will czuł się niepokonany.

Nad siatką przeleciała nierówno podkręcona piłka; przewidując, gdzie upadnie, Will rzucił się przed siebie i idealnie ją odbił. Scott podbiegł z bezbłędnym wyczuciem czasu, podskoczył, a następnie wykonał ścięcie i wrócił na pozycję zagrywającego. Zdobyli sześć punktów z rzędu, zanim piłkę przejęła drużyna przeciwną i gdy Will zajął swoją pozycję, szybko przesunął wzrokiem po trybunach. Ronnie siedziała na widowni naprzeciwko jego rodziców i Megan — co pewnie było dobrym pomysłem.

Will pragnął powiedzieć matce prawdę o Marcusie, ale co mógł zrobić? Gdyby się dowiedziała, czyja to sprawka, zapragnęłaby krwi... co mogło tylko wywołać odwet. Nie miał wątpliwości, że gdyby Marcus został aresztowany, natychmiast zwróciłby się o skrócenie kary w zamian za udzielenie „użytecznych informacji" w związku z innym, poważniejszym przestępstwem — Scotta. Scott miałby problemy w krytycznym dla siebie okresie zabiegania o stypendium, już nie mówiąc o tym, że byłby to cios dla jego rodziców — którzy przypadkiem przyjaźnili się z rodzicami Willa. A więc Will skłamał i, niestety, mama obarczyła całą odpowiedzialnością Ronnie.

Jednakże Ronnie zjawiła się tego rana i powiedziała mu, że kocha go niezależnie od wszystkiego. Obiecała, że później porozmawiają. I poprosiła, żeby zagrał w turnieju jak najlepiej, co właśnie robił.

Gdy przeciwnicy znowu zaserwowali, przebiegł przez boisko, żeby odbić piłkę; Scott przyjął ją i wystawił Willowi, który ściął przy siatce, przebijając ją na drugą stronę boiska. Przed końcem seta drużyna przeciwna zdobyła już tylko jeden punkt; w następnym zaledwie dwa.

Will i Scott przeszli do półfinału i Will widział, że Ronnie na trybunach cieszy się razem z nim.

*

Półfinał okazał się najtrudniejszy; łatwo wygrali pierwszego seta, ale drugi przegrali po długiej i zaciętej walce.

Will stał na linii serwu, czekając na oficjalny sygnał do

rozpoczęcia trzeciego seta, i gdy przesunął wzrok z trybun na molo, zauważył, że zebrany tam tłum jest trzy razy większy niż przed rokiem. Gdzieniegdzie widział grupki ludzi, których znał ze szkoły średniej, a nawet z czasów wcześniejszych. Na trybunach nie było ani jednego wolnego miejsca.

Na sygnał sędziego Will wyrzucił piłkę wysoko w powietrze i szybko podbiegł do niej. Wybił się w górę i zaserwował mocno, celując w punkt znajdujący się w trzech czwartych długości boiska po stronie przeciwnej. Wylądował, gotów zająć pozycję, ale już wiedział, że to nie będzie konieczne. Dwaj przeciwnicy zareagowali chwilę za późno; silna piłka wzbiła fontannę piasku, a potem potoczyła się poza boisko.

Jeden do zera.

Will serwował siedem razy z rzędu, dzięki czemu obaj ze Scottem wysunęli się daleko na prowadzenie, i dalej na zmianę zdobywali punkty, co doprowadziło do stosunkowo łatwego zwycięstwa.

Schodząc z boiska, Scott klepnął Willa w plecy.

— To koniec — rzucił. — Jesteśmy dziś na fali, więc niech tylko Tyson i Landry spróbują!

*

Tyson i Landry, dwaj osiemnastolatkowie z Hermosa Beach w Kalifornii, należeli do światowej czołówki drużyn juniorów. Przed rokiem zdobyli jedenaste miejsce na świecie, co wystarczyłoby, żeby reprezentować prawie każdy inny kraj w zawodach olimpijskich. Grali razem od dwunastego roku życia i nie przegrali ani jednego meczu w ciągu ostatnich dwóch lat. Scott i Will spotkali się z nimi tylko raz, na zeszłorocznym półfinałowym meczu w tym samym turnieju, i zeszli z boiska z podkulonymi ogonami. Trudno to było w ogóle nazwać meczem.

Teraz sprawa wyglądała zupełnie inaczej. Pierwszego seta wygrali trzema punktami; Tyson i Landry zwyciężyli w następnym dokładnie z tym samym marginesem; w finałowym starciu nie mogli przekroczyć siedmiu punktów.

Will przebywał na słońcu od dziewięciu godzin. Mimo litrów wody i gatorade, które wypił, upał i blask powinny go choć trochę zmęczyć i może zmęczyły. Ale nie czuł tego. Nie w tej chwili. Nie, gdy uświadomił sobie, że mają szansę na wygranie turnieju.

Byli przy serwie — co zawsze stanowi niekorzystną sytuację w siatkówce plażowej, bo punkty są naliczane od każdego przebicia i drużyna odbierająca piłkę ma okazję na atak i ścięcie przy siatce — ale Scott zaserwował lekko samymi knykciami, tuż nad siatką, co zmusiło Tysona do opuszczenia stanowiska. Dobiegł do piłki w porę, ale odbił ją w złą stronę. Landry rzucił się ku niej i jakoś udało mu się ją odebrać, lecz to tylko pogorszyło sprawę; piłka poszybowała w tłum i Will wiedział, że minie co najmniej minuta, zanim wróci do gry. Dzięki temu zyskają ze Scottem prowadzenie o punkt.

Jak zwykle najpierw zwrócił się w stronę Ronnie, która pomachała do niego; potem spojrzał ku przeciwległej trybunie, uśmiechnął się i skinął głową rodzinie. Za nimi, na molo, zobaczył gęsty tłum, skupiający się w pobliżu boisk, ale dalej było już pusto. Zastanowiło go to, dopóki nie zobaczył płonącej piłki, która zatoczyła w powietrzu łuk.

*

Kiedy to się stało, drużyny miały na koncie po dwanaście punktów.

Piłka znowu poszybowała w stronę widzów, tym razem z winy Scotta, i gdy Will wrócił na swoje miejsce na boisku, mimowolnie zerknął w kierunku molo, bo wiedział, że jest tam Marcus.

Obecność Marcusa sprawiła, że znowu stał się napięty; ogarnął go gniew, który czuł poprzedniego wieczoru.

Wiedział, że powinien dać sobie z tym spokój, tak jak radziła mu Megan. Nie chciał jej wczoraj obarczać całą tą historią; w końcu to było jej wesele i rodzice zarezerwowali dla niej i Daniela apartament w Wilmingtonian Hotel. Ale nalegała i w końcu wyznał jej prawdę. Choć nie krytykowała decyzji, jaką podjął, miał świadomość, że jest rozczarowana jego milczeniem w sprawie postępku Scotta. Rano jednak okazała mu wsparcie. Czekając na gwizdek arbitra, wiedział, że gra w takim samym stopniu dla siostry jak i dla siebie.

Ponownie zauważył płonące piłki, które tańczyły w powietrzu; tłum przerzedził się przy balustradzie i Will się domyślił, że Teddy i Lance jak zwykle wykonują breakdance. Zaskoczył go jednak widok Blaze, która żonglowała piłkami z Marcusem. Łapała każdą z nich, a potem mu ją odrzucała. Will odniósł wrażenie, że piłki krążą w powietrzu szybciej niż zazwyczaj. Blaze wycofywała się powoli, pewnie po to, żeby zwolnić tempo, aż w końcu uderzyła plecami o balustradę.

Na skutek wstrząsu chyba się zdekoncentrowała, bo źle oceniła tor lotu jednej z rzucanych jej piłek i złapała ją tuż przy piersi. Ponieważ już nadlatywała następna, tamtą poprzednią przycisnęła do siebie, żeby mieć wolną rękę. I w ciągu kilku sekund przód jej koszulki zapłonął ogniem podsycanym jeszcze przez płyn do zapalniczek, którym nasącone były piłki.

W panice próbowała zdusić dłońmi płomienie, ale widocznie zapomniała, że wciąż trzyma płonącą piłkę...

Chwilę później ręce dziewczyny też zajęły się ogniem i jej krzyki zagłuszyły odgłosy na boisku. Ludzie oglądający występ musieli być w szoku, bo nikt nie zrobił kroku w jej stronę. Will nawet z daleka widział, że płomienie ogarniają ją błyskawicznie.

Pod wpływem odruchu zbiegł z boiska i popędził przez plażę w stronę molo. Czując, że się ślizga, zaczął wyżej podnosić kolana, żeby biec prędzej. W powietrzu rozbrzmiewały rozdzierające krzyki Blaze.

Przebił się przez tłum, omijając ludzi zygzakiem, i szybko dotarł do schodów; przeskakiwał po trzy stopnie, chwytając się barierki, żeby nie zwolnić, a gdy wbiegł na molo, obrócił się na pięcie.

Zaczął przeciskać się przez krąg ludzi, ale nie widział Blaze, dopóki z niego nie wyszedł. Dziewczyna wiła się na ziemi, a obok niej klęczał jakiś mężczyzna; w pobliżu nie było śladu ani Marcusa, ani Teddy'ego, ani Lance'a.

Stanął jak wryty na widok jej koszulki wtopionej w czerwoną, pokrytą pęcherzami skórę. Blaze szlochała i krzyczała coś niezrozumiale, ale nikt wokół niej nie miał pojęcia, co zrobić.

Wiedział, że musi działać. Przejazd przez most i plażę musiał zająć karetce co najmniej piętnaście minut, i to nie biorąc pod uwagę tłumu. Blaze zawyła z bólu kolejny raz, więc pochylił się i delikatnie wziął ją na ręce. Miał niedaleko samochód — przyjechał rano jako jeden z pierwszych — i ruszył z nią w jego stronę. Nikt z ludzi, zdumionych tym, co widzieli, nie próbował go zatrzymać.

Blaze traciła i odzyskiwała przytomność, więc szedł tak szybko, jak tylko mógł, starając się nie wstrząsać nią niepotrzebnie. Tuż za nim po schodach wbiegła Ronnie; nie miał pojęcia, jak zdołała wydostać się z trybuny i znaleźć się przy nim tak szybko, ale poczuł ulgę na jej widok.

— Kluczyki są przy tylnym kole! — zawołał. — Musimy położyć ją z tyłu... a gdy już będziemy w drodze, zadzwoń do szpitala i powiedz, że zaraz przyjedziemy, niech się przygotują!

Ronnie wyprzedziła go i otworzyła drzwi wozu, zanim nadszedł. Nie było łatwo ułożyć Blaze na tylnych fotelach, ale w końcu im się udało. Will wskoczył za kierownicę. Wcisnął gaz i ruszył do szpitala, pewien, że będzie musiał złamać kilka przepisów drogowych.

*

Na oddziale urazowym było mnóstwo ludzi. Will siedział przy drzwiach, patrząc w okno, za którym zapadał zmrok. Ronnie zajmowała miejsce obok niego. Jego rodzice, razem z Megan i Danielem, pojawili się na krótko przed kilkoma godzinami, ale potem odjechali.

W ciągu ostatnich czterech godzin Will opowiadał tę historię dziesiątki razy niezliczonym osobom, w tym matce Blaze, która teraz była przy niej. Kiedy wpadła do poczekalni, Will zobaczył straszliwy lęk na jej twarzy, zanim zajęła się nią jedna z pielęgniarek.

Poza tym, że Blaze zabrano na operację, Will nie wiedział nic. Zapowiadała się długa noc, ale nie wyobrażał sobie, że mógłby pojechać do domu. Wciąż wracał do niego obraz dziewczyny, gdy w trzeciej klasie siedzieli w jednej ławce, a potem widok jej okaleczonego ciała, kiedy niósł ją na rękach do samochodu. Teraz nie utrzymywał z nią kontaktów, ale w dzieciństwie się przyjaźnili i to wystarczyło.

Zastanawiał się, czy wrócą jeszcze policjanci. Przyjechali z jego rodzicami i powiedział im, co wie, ale bardziej ich interesowało, dlaczego przywiózł Blaze do szpitala, zamiast wezwać służby medyczne. Mówił prawdę — nie pamiętał, że były na miejscu, a dziewczynę trzeba było natychmiast ratować — i na szczęście to do nich dotarło. Odniósł nawet wrażenie, że posterunkowy Johnson skinął mu lekko głową; Will pomyślał, że na jego miejscu policjant postąpiłby tak samo.

Za każdym razem, gdy za stanowiskiem pielęgniarek otwierały się drzwi, wypatrywał tej z nich, która przyjęła Blaze. Ronnie udało się w samochodzie dodzwonić do szpitala i zespół ratunkowy już czekał; Blaze w ciągu minuty znalazła się na noszach i została przewieziona na salę operacyjną. Minęło z dziesięć minut, zanim on i Ronnie odezwali się do siebie. Siedzieli bez ruchu i trzymali się za ręce, drżąc na wspomnienie krzyków Blaze w samochodzie.

Drzwi z bloku operacyjnego otworzyły się kolejny raz i Will zobaczył mamę Blaze, która podeszła do nich.

Oboje z Ronnie wstali. Gdy kobieta się zbliżyła, Will zauważył bruzdy wokół jej ust.

— Jedna z pielęgniarek powiedziała mi, że wciąż tu jesteście. Chciałam wam podziękować za to, co zrobiliście.

Głos jej się załamał i Will przełknął ślinę; uzmysłowił sobie, że zaschło mu w gardle.

— Wyjdzie z tego? — wydusił z siebie.

— Jeszcze nie wiadomo. Operacja trwa. — Mama Blaze spojrzała na Ronnie. — Nazywam się Margaret Conway. Nie wiem, czy Galadriel mówiła ci o mnie.

— Naprawdę bardzo mi przykro, pani Conway. — Ronnie delikatnie położyła dłoń na jej ramieniu.

Kobieta pociągnęła nosem, bezskutecznie starając się zachować panowanie nad sobą.

— Mnie też — zaczęła. Mówiła dalej urywanych głosem. — Sto razy jej powtarzałam, żeby trzymała się z dala od Marcusa, ale nie chciała słuchać, i teraz moja mała córeczka...

327

Urwała; nie mogła opanować szlochu. Will patrzył całkowicie bezradny, gdy Ronnie objęła ją i zaczęły razem płakać.

*

Kiedy jechał ulicami Wrightsville Beach, wszystko wydawało mu się dziwnie błyszczące i ostre. Prowadził szybko, ale wiedział, że mógłby jeszcze szybciej. Jednym krótkim spojrzeniem był w stanie objąć szczegóły, które przeważnie uchodziły jego uwagi; miękkie, mgliste aureole wokół latarni ulicznych, przewrócony kubeł na śmieci w alejce przy Burger Kingu, małe wgniecenie obok tablicy rejestracyjnej kremowego nissana sentry.

Ronnie, która siedziała obok, patrzyła na niego z niepokojem, ale nic nie mówiła. Nie zapytała, dokąd jadą, nie musiała. Gdy mama Blaze opuściła poczekalnię, Will wstał bez słowa i z furią ruszył do samochodu. Ronnie poszła za nim.

Światło przed nimi z zielonego zamieniło się w żółte, ale zamiast zwolnić, dodał gazu. Silnik przyspieszył obroty i samochód wyrwał do przodu w kierunku Bower's Point.

Will znał najkrótszą drogę i swobodnie pokonywał zakręty; po wyjeździe z miasteczka z rykiem przemknął obok cichych domów nad oceanem. Minął molo, a następnie dom Ronnie; nie zwolnił. Wręcz przeciwnie — zwiększył prędkość aż do granicy bezpieczeństwa.

Ronnie przytrzymała się uchwytu nad drzwiami, gdy w końcu skręcił na wysypany żwirowy parking, prawie zasłonięty drzewami. Pick-up z poślizgiem zatrzymał się na żwirze i Ronnie wreszcie odważyła się odezwać.

— Proszę cię, nie rób tego.

Usłyszał, co powiedziała, i wiedział, o co jej chodzi, ale wyskoczył z samochodu. Do Bower's Point było już niedaleko.

Dochodziło się do niego plażą; leżał za rogiem, kilkaset metrów za stanowiskiem ratownika.

Will ruszył biegiem. Wiedział, że Marcus tam będzie; czuł to. Podczas biegu przed oczami przewijały mu się obrazy: pożar w kościele, wieczór w lunaparku, to, jak Marcus złapał Ronnie za ramię... i Blaze cała w płomieniach.

Marcus nie przyszedł jej z pomocą. Uciekł, kiedy go potrzebowała, kiedy mogła zginąć.

Will nie myślał o tym, co się z nim stanie. Ani co stanie się ze Scottem. Przekroczył już tę granicę. Marcus posunął się za daleko. Gdy skręcił za róg, zauważył ich z daleka — siedzieli na pniu przy małym ognisku.

Ogień. Płonące piłki. Blaze...

Przyspieszył, przygotowując się na to, co nastąpi. Gdy się zbliżył, dostrzegł puste butelki po piwie, które walały się wokół ogniska. Wiedział, że z powodu ciemności nikt z nich go jeszcze nie widzi.

Marcus podnosił do ust butelkę piwa, gdy Will z rozmachem uderzył go od tyłu tuż poniżej karku. Poczuł, że tamten ugina się pod wpływem ciosu, i gdy padał na piach, Will usłyszał tylko krótki bolesny jęk.

Miał świadomość, że musi działać szybko, aby dopaść Teddy'ego, zanim on sam albo jego brat zdążą zareagować. Jednakże widok Marcusa nagle powalonego na ziemię jakby ich sparaliżował i Will, przycisnąwszy ofiarę kolanem, rzucił się na Teddy'ego. Jego nogi poruszały się jak tłoki, tak że bez trudu przeskoczył pień i wylądował na Teddym, ale zamiast użyć pięści, odchylił się do tyłu i czołem walnął go w nos.

Przy uderzeniu poczuł trzask łamanej chrząstki. Wstał pospiesznie, nie patrząc na Teddy'ego, który zwijał się z bólu na ziemi. Przyciskał ręce do twarzy, a spomiędzy palców ciekła mu krew. Dławił się i jego krzyki były częściowo stłumione.

Lance zerwał się z miejsca i podbiegł do Willa, gdy ten zrobił duży krok do tyłu, żeby zachować odpowiednią odległość. Lance skoczył na niego i byłby go obalił, gdyby Will nagle nie uniósł kolana, którym trafił Lance'a w twarz. Chłopak szarpnął głową i stracił przytomność, jeszcze zanim upadł.

Dwaj załatwieni, pozostał jeszcze trzeci.

Marcus w tym czasie podniósł się chwiejnie. Chwycił kawałek deski i cofnął się o krok, gdy Will do niego podszedł. Will nie chciał jednak, żeby przeciwnik zaparł się nogami, zanim weźmie zamach, więc zaatakował pierwszy. Marcus machnął deską, ale uderzenie było słabe i Will odbił je, a potem walnął przeciwnika w pierś. Objął go ramionami, unieruchomił w ten sposób i uniósł. Był to idealny blok i Marcus runął na plecy.

Will zwalił się na niego i tak jak Teddy'go z całej siły walnął go czołem.

Znowu usłyszał trzask pękającej chrząstki, ale tym razem nie poprzestał na tym. Uderzył Marcusa pięścią. Bił go raz po raz, dając wyraz gniewowi i wściekłości, którą czuł z powodu swojej bezsilności od czasu pożaru. Tłukł Marcusa w ucho, nie przestawał. Krzyki chłopaka rozwścieczyły go jeszcze bardziej. Zamachnął się ponownie, tym razem celując w nos, który już był złamany — gdy nagle poczuł, że ktoś chwyta go za ramię.

Odwrócił się, przygotowany na to, że zobaczy Teddy'ego, ale to była Ronnie, z przerażeniem na twarzy.

— Przestań! On nie jest wart tego, żebyś skończył w więzieniu! — zawołała. — Nie rujnuj sobie życia przez niego!

Ledwie ją słyszał, ale czuł, że go szarpie, próbując oderwać od Marcusa.

— Proszę cię, Will. — Głos jej drżał. — Nie jesteś taki jak on. Masz przed sobą przyszłość. Nie ryzykuj jej.

Gdy powoli rozluźniła uścisk, poczuł, że opuszcza go energia. Z trudem wstał, na skutek spadku poziomu adrenaliny trząsł się i chwiał na nogach. Ronnie podtrzymała go ramieniem w pasie i powoli ruszyli do samochodu.

*

Następnego dnia przyszedł do pracy z bólem głowy. Scott czekał na niego w małej szatni. Wkładając kombinezon, popatrzył na Willa, a potem naciągnął ubranie na ramiona.

— Nie musiałeś zbiec z boiska — oświadczył, zasuwając zamek błyskawiczny. — Sanitariusze cały czas byli na miejscu.

— Wiem — odparł. — Nie pomyślałem. Widziałem ich wcześniej, ale zapomniałem o tym. Przykro mi, że przeze mnie mecz został unieważniony.

— Cóż, mnie też — burknął Scott. Wziął szmatę i zatknął ją za pasek od spodni. — Mogliśmy wygrać, ale tobie zachciało się odgrywać bohatera.

— Człowieku, ona potrzebowała pomocy...

— Tak? Ale dlaczego akurat twojej? Dlaczego nie mogłeś poczekać, aż ktoś się nią zajmie? Dlaczego nie zadzwoniłeś pod dziewięćset jedenaście? Dlaczego musiałeś sam ją odwieźć?

— Powiedziałem ci... zapomniałem, że byli tam sanitariusze. Pomyślałem, że minie za dużo czasu, zanim przyjedzie karetka...

Scott uderzył pięścią w szafkę.

— Nawet jej nie lubisz! — krzyknął. — Już nawet się nie znacie! Taaa, gdyby to była Ashley, Cassie czy choćby Ronnie, jeszcze bym zrozumiał. Do diabła, gdyby to był ktoś całkiem obcy, też bym zrozumiał. Ale Blaze? Blaze?! Ta sama, która pośle twoją dziewczynę do pudła! Która prowadza się z Marcusem! — Scott zrobił ku niemu krok. — Zastanowiłeś się przez chwilę, czy ona zrobiłaby to samo dla ciebie? Gdyby coś ci się stało i potrzebowałbyś pomocy? Na pewno nie!

— To był tylko mecz — sprzeciwił się Will; poczuł, że wzbiera w nim gniew.

— Dla ciebie! — wrzasnął Scott. — Dla ciebie to był tylko mecz! Jak wszystko inne! Nie rozumiesz? Dla ciebie nic nie jest ważne! Nie musisz o nic walczyć, bo jeśli nawet przegrasz, i tak wszystko dostaniesz na srebrnej tacy! Ale mnie to zwycięstwo było potrzebne! Tu chodzi o moją przyszłość, stary!

— Hm, tu chodziło o życie dziewczyny — odciął się Will. — Gdybyś choć raz przestał myśleć tylko o sobie, może zrozumiałbyś, że uratowanie komuś życia jest ważniejsze niż to twoje cenne stypendium sportowe!

Scott pokręcił głową z niesmakiem.

— Przyjaźnimy się od długiego czasu... ale zawsze to ty dyktowałeś warunki. Zawsze wszystko było tak, jak ty chciałeś. Ty chciałeś zerwać z Ashley, ty chciałeś chodzić z Ronnie, ty chciałeś zarzucić treningi na całe tygodnie, ty chciałeś zgrywać bohatera. Wiesz co? Źle postąpiłeś. Rozmawiałem z sanitariuszami. Powiedzieli mi, że źle postąpiłeś. Że zabierając ją do samochodu, mogłeś jej zaszkodzić. I co dostałeś w zamian? Podziękowała ci? Nie, oczywiście, że nie. I nie zrobi tego. Ale gotów jesteś wystawić przyjaciela, bo najważniejsze jest to, czego ty chcesz.

Słowa Scotta były dla Willa jak cios w żołądek, ale podsyciły gniew.

— Uspokój się, Scott — powiedział. — Tym razem nie chodziło o ciebie.

— Jesteś mi coś winien! — wykrzyknął tamten, znowu

waląc w szafkę. — Prosiłem cię o to jedno! Wiedziałeś, ile to dla mnie znaczy!

— Nie jestem ci nic winien — odparł Will z cichą furią. — Kryję cię od ośmiu miesięcy. Mam już dość gierek Marcusa. Musisz zrobić co trzeba. Musisz powiedzieć prawdę. Sytuacja się zmieniła.

Odwrócił się i podszedł do drzwi. Otwierając je, usłyszał, że Scott biegnie za nim.

— Co zrobiłeś?

Will odwrócił się w uchylonych drzwiach i twardym wzrokiem spojrzał Scottowi w oczy.

— Jak mówiłem, masz powiedzieć prawdę.

Odczekał, aż do Scotta dotrą jego słowa, a potem wyszedł. Drzwi zatrzasnęły się za nim. Gdy przechodził obok samochodów na podnośnikach, Scott zawołał:

— Chcesz zrujnować mi życie?! Chcesz, żeby wsadzili mnie do więzienia z powodu wypadku! Nie dopuszczę do tego?!

Nawet gdy był już w holu, wciąż słyszał, że Scott wali pięścią w szafki.

29

Ronnie

Następny tydzień był trudny dla nich obojga. Ronnie nie potrafiła wybaczyć Willowi brutalności, jaką zademonstrował, a jednocześnie nie była w stanie zaakceptować własnych odczuć. Nie znosiła bójek, nie mogła patrzeć, jak ktoś kogoś bije, i wiedziała, że przemoc rzadko poprawia sytuację. Jednakże nie umiała wzbudzić w sobie gniewu na Willa za to, co zrobił. Choć nie pochwalała tego, co się stało, to patrząc, jak Will rozprawia się z całą tamtą trójką, poczuła się przy nim bezpieczna.

A Will żył w napięciu. Był pewien, że Marcus doniesie na niego na policję i ta lada chwila zapuka do jego drzwi, ale Ronnie miała wrażenie, że niepokoi go coś jeszcze, coś, czego jej nie powiedział. Z jakiegoś powodu on i Scott przestali z sobą rozmawiać i zastanawiała się, czy ma to związek ze stanem Willa.

No i oczywiście była jego rodzina. Zwłaszcza matka. Od czasu wesela Ronnie widziała ją dwukrotnie: gdy czekała w samochodzie na Willa, który pobiegł do domu po czystą koszulę, i drugi raz w restauracji w centrum miasteczka, do której zabrał ją Will. Gdy zajęli miejsca, weszła Susan z grupą koleżanek. Ronnie miała doskonały widok na wejście, ale Will był zwrócony w przeciwną stronę. Przy obu okazjach Susan demonstracyjnie odwróciła się do niej plecami.

Ronnie nie powiedziała Willowi o żadnym z tych zdarzeń. Podczas gdy on żył we własnym świecie, pełen poczucia winy i niepokoju, ona czuła, że Susan ją obciąża odpowiedzialnością za tragedię, która przydarzyła się Blaze.

Stojąc w swoim pokoju, widziała w oddali sylwetkę śpiącego Willa. Leżał skulony przy żółwim gnieździe; ponieważ w kilku innych gniazdach zaczął się wyląg, tego popołudnia usunięto klatkę i jajka nie były niczym chronione. Żadne z nich nie chciało zostawić ich bez opieki, więc skoro Will i tak coraz mniej czasu spędzał w domu, podjął się ich pilnowania.

Nie chciała myśleć o nowych problemach, ale mimowolnie zaczęła odtwarzać w myślach wydarzenia tego lata. Prawie nie pamiętała już tej dziewczyny, którą była, gdy pierwszy raz wyszła na plażę. A lato się jeszcze nie skończyło; za parę dni wypadały jej osiemnaste urodziny i ostatni weekend, który miała spędzić z Willem przed jego wyjazdem do college'u. Kilka dni później przypadał termin jej drugiej rozprawy w sądzie; po niej musiała wrócić do Nowego Jorku. Tyle się już zdarzyło i tyle jeszcze miało się zdarzyć.

Pokręciła głową. Kim była? I czyje życie wiodła? A najważniejsze, dokąd to życie ją prowadziło?

Te dni wydawały się jednocześnie nierealne i bardzo realne; jeszcze bardziej niż wszystko, co do tej pory przeżyła: miłość do Willa, rosnące przywiązanie do ojca, coraz wolniejsze tempo jej życia, które stało się proste i zwyczajne. Miała wrażenie, że to wszystko przydarza się komuś innemu, komuś, kogo dopiero poznawała. Nigdy by nie przypuszczała, że senne miasteczko nad oceanem gdzieś na południu okaże się tak... pełne życia i dramatyzmu, bardziej niż Manhattan.

Uśmiechając się, musiała przyznać, że poza kilkoma wyjątkami nie było tak źle. Sypiała w cichym pokoju obok brata, oddzielona tylko szybą i piaskiem od młodego mężczyzny, którego kochała i który ją kochał. Nie sądziła, żeby w życiu mogło być coś wspanialszego. Niezależnie od tego co się stało — a może właśnie przez to — wiedziała, że nigdy nie zapomni lata, które spędzili razem, bez względu na to, co miała przynieść przyszłość.

Leżała w łóżku i powoli ogarniał ją sen. Przed zaśnięciem pomyślała, że to jeszcze nie koniec. Choć zwykle nie wróżyło to dobrze, wiedziała, że tym razem nic złego się nie stanie, nie po tym, co już przeszli.

*

Rano jednak obudziła się z uczuciem niepokoju. Jak zwykle miała dojmującą świadomość, że minął kolejny dzień, a to oznaczało o jeden dzień mniej z Willem.

Ale gdy tak leżała i próbowała określić źródło swojego lęku, uzmysłowiła sobie, że chodzi o coś jeszcze. Will w następnym tygodniu wyjeżdżał na studia. Nawet Kayla szła na studia. A ona wciąż nie miała pojęcia, co z sobą zrobić. Tak, kończyła osiemnaście lat, i owszem, musiała poddać się decyzji sądu, ale co potem? Miała już na zawsze mieszkać z mamą? Złożyć podanie o pracę w Starbucksie? Przez chwilę zobaczyła siebie chodzącą z szuflą za słoniami w zoo.

Pierwszy raz musiała zmierzyć się z przyszłością tak bezpośrednio. Zawsze miała mgliste przekonanie, że wszystko się ułoży niezależnie od jej decyzji. I wiedziała, że tak się stanie... na pewien czas. Ale czy naprawdę pragnęła mieszkać z mamą w wieku dziewiętnastu lat? Albo dwudziestu jeden? Czy, Boże uchowaj, dwudziestu pięciu?

I jak, u licha, miała zarobić na siebie — na życie nie byle gdzie, bo na Manhattanie — bez ukończonych studiów?

Nie miała pojęcia. Wiedziała jedynie, że nie jest przygotowana na koniec lata. Że nie jest przygotowana na powrót do domu. Nie potrafiła myśleć spokojnie o Willu wędrującym wśród zielonych trawników uczelni Vanderbilta obok koleżanek w strojach cheerleaderek. Nie chciała o tym wszystkim myśleć.

*

— Wszystko w porządku? Jesteś jakaś milcząca — zauważył Will.

— Przepraszam. Ale mam tyle na głowie — odparła.

Siedzieli na molo, jedli bajgle i pili jedną kawę, którą kupili po drodze. Zazwyczaj molo było pełne wędkarzy, ale tego rana mieli je całe dla siebie. Miła niespodzianka, biorąc pod uwagę, że Will wziął wolne.

— Zastanawiałaś się już nad tym, co chcesz robić?

— Cokolwiek, byle nie miało nic wspólnego ze słoniami i łopatą.

Położył bajgla na kubku ze styropianu.

— Może mi wyjaśnisz, o czym mówisz?

— Lepiej nie. — Skrzywiła się.

— Dobra. — Skinął głową. — Ale miałem na myśli, co chcesz robić jutro, w twoje urodziny.

Ronnie wzruszyła ramionami.

— To nie musi być nic specjalnego.

— Ale kończysz osiemnaście lat. Spójrz prawdzie w oczy... to jest coś. Prawnie będziesz już dorosła.

Świetnie, pomyślała. Jeszcze jedno przypomnienie, że pora

337

zdecydować, co zrobić ze swoim życiem. Will musiał zrozumieć, co oznacza jej mina, bo wyciągnął rękę i położył ją na jej kolanie.

— Powiedziałem coś nie tak?

— Nie. Sama nie wiem. Po prostu dziwnie się dziś czuję.

W oddali z oceanu wynurzyło się stado morświnów. Gdy pierwszy raz jej zobaczyła, była urzeczona. Później też. Teraz stanowiły już element scenerii, ale wiedziała, że będzie tęsknić za nimi po powrocie do Nowego Jorku, robiąc to, co miała robić. Pewnie skończy jako maniaczka kreskówek i będzie upierać się, żeby oglądać je do góry nogami.

— A może zaproszę cię na kolację?

Nie, wykreślić. Pewnie skończy jako uzależniona od Game Boya.

— Okay.

— Albo pójdziemy potańczyć.

A może raczej od Guitar Hero. Jonah mógł grać w to godzinami. Przypomniała sobie, że Rick także. Chyba każdy, kto nie miał własnego życia, był uzależniony od tej gry.

— Brzmi świetnie.

— A może to? Pomalujemy sobie twarze i spróbujemy przywołać starożytną boginię Inków?

Nie mogąc żyć bez tych parszywych gier, pewnie wciąż będzie mieszkała z mamą, gdy Jonah za osiem lat pójdzie do college'u.

— Co tylko chcesz.

Śmiech Willa wyrwał ją z zamyślenia.

— Mówiłeś coś?

— O twoich urodzinach. Próbowałem zorientować się, co byś chciała jutro robić, ale najwyraźniej byłaś gdzieś indziej. W poniedziałek wyjeżdżam i chciałbym zrobić dla ciebie coś szczególnego.

338

Zastanowiła się, a potem spojrzała w stronę domu, zauważając kolejny raz, jak nie pasuje on do tego odcinka plaży.

— Wiesz, co chciałabym najbardziej?

*

Stało się to nie w jej urodziny, ale dwa dni później, w piątek dwudziestego drugiego sierpnia. Zespół oceanarium rzeczywiście całą operację opracował naukowo; tego popołudnia jego pracownicy wraz z ochotnikami zaczęli przygotowywać teren tak, żeby żółwie bezpiecznie dotarły do wody.

Ronnie i Will pomogli wygładzić piasek w płytkim kanale, który prowadził do oceanu; inni rozciągnęli taśmę, żeby zabezpieczyć go przed zadeptaniem. Ronnie pozwolono przyprowadzić ojca i brata; stali teraz z boku, żeby nie przeszkadzać.

Ronnie nie bardzo wiedziała, co ma robić, z wyjątkiem pilnowania, żeby nikt zanadto nie zbliżył się do gniazda. Nie była żadną specjalistką, ale ludzie, widząc ją w kolorowym mundurku oceanarium, uważali, że zna się na wszystkim. W ciągu ostatniej godziny odpowiedziała na setki pytań. Cieszyła się, że pamięta to, co Will powiedział jej o żółwiach, i jednocześnie z ulgą stwierdzała, że w kilka minut potrafi streścić informacje zamieszczone na ulotce, którą wydrukowano w oceanarium specjalnie z myślą o przechodniach. Prawie wszystko, co ludzie chcieli wiedzieć, widniało na niej czarno na białym, ale Ronnie przypuszczała, że łatwiej było im zapytać, niż spojrzeć na kartkę, którą trzymali w rękach.

Pomagało to także zabić czas. Tkwili tu już kilka godzin i choć zapewniano ich, że wylęg może się zacząć lada chwila, Ronnie miała wątpliwości. Żółwi nie obchodziło, że małe dzieci mogą się zmęczyć czekaniem albo że ktoś musi wstać wcześnie następnego dnia, żeby pójść do pracy.

Nie wiadomo dlaczego wyobrażała sobie, że zbierze się tu co najwyżej kilka osób, a nie całe setki, które oblegały taśmę. Nie była pewna, czy to jej się podoba; cała sprawa zaczynała przypominać cyrk.

Gdy usiadła na wydmie, podszedł do niej Will.

— I co o tym sądzisz? — zapytał, wskazując pobliską scenę.

— Jeszcze nie wiem. Jak dotąd nic się nie dzieje.

— To już długo nie potrwa.

— Słyszę to od jakiegoś czasu.

Will usadowił się obok niej.

— Musisz nauczyć się cierpliwości, nie umiesz czekać.

— Jestem cierpliwa. Tylko chciałabym, żeby żółwie już się wylęgły.

Rozśmieszyła go tym.

— Wobec tego przepraszam — rzucił.

— Nie powinieneś mieć jakiegoś zajęcia?

— Jestem tylko ochotnikiem. To ty pracujesz w oceanarium.

— Tak, ale nie płacą mi za nadgodziny, więc skoro jesteś ochotnikiem, to chyba ty powinieneś stać przy taśmie wokół gniazda.

— Niech zgadnę... połowa ludzi pyta, co się dzieje, a druga połowa chce wiedzieć, co znajduje się na kartce, którą im wręczasz.

— Mniej więcej.

— I masz już trochę dość?

— Powiedzmy, że gorzej się bawię niż podczas przedwczorajszej kolacji.

W dniu urodzin Will zabrał ją do przytulnej włoskiej knajpki; dostała od niego srebrny łańcuszek z wisiorkiem w kształcie żółwia, który ogromnie jej się podobał i który teraz stale nosiła.

— Skąd wiadomo, że zaraz się zacznie?

Wskazał szefa oceanarium i jednego z pracujących tam biologów.

— Elliot i Todd zaczynają się ekscytować.

— Brzmi bardzo naukowo.

— Naprawdę. Sama zobaczysz.

*

— Mogę się przysiąść?

Kiedy Will poszedł do samochodu po kilka dodatkowych latarek, zjawił się ojciec Ronnie.

— Nie musisz pytać, tato. Oczywiście, że możesz.

— Nie chciałem ci przeszkadzać. Wyglądałaś na bardzo czymś zaabsorbowaną.

— Po prostu czekam jak wszyscy inni — wyjaśniła.

Przesunęła się, żeby zrobić dla niego miejsce obok siebie. W ciągu ostatniej półgodziny tłum gapiów jeszcze się powiększył i była zadowolona, że ojcu pozwolono wejść na teren odgrodzony taśmą. Ostatnio wydawał się zmęczony.

— Wierz mi albo nie, ale w dzieciństwie nigdy nie widziałem, jak wykluwają się żółwie.

— Dlaczego?

— To nie było takie wydarzenie jak teraz. To znaczy, czasami trafiałem na gniazdo, ale nigdy nie poświęcałem mu specjalnej uwagi. Kiedyś natknąłem się na nie dzień po wylęgu, i tyle. Zobaczyłem skorupki jajek, ale był to element toczącego się wokół życia. W każdym razie nie czegoś takiego się spodziewałaś, co? Tego całego zbiegowiska?

— Co masz na myśli?

— Z Willem czy bez niego, obserwowałaś to gniazdo co noc, czuwałaś nad nim. A teraz, gdy nadchodzi najbardziej ekscytujący moment, musisz dzielić się tym przeżyciem z innymi.

— To nic. Nie przeszkadza mi to.

— Ani trochę?

Uśmiechnęła się. Była zdumiona, jak dobrze ją znał.

— Jak praca nad piosenką?

— Dobrze. Napisałem już chyba setki różnych wersji, ale wciąż nie jestem zadowolony. Wiem, że to coś w rodzaju bezsensownego ćwiczenia... jeśli dotąd nic nie wymyśliłem, to już nie wymyślę... ale przynajmniej mam zajęcie.

— Dziś rano widziałam witraż. Jest prawie skończony.

Pokiwał głową.

— Prawie.

— Czy już wiadomo, kiedy go wprawią?

— Nie. Wciąż czekają na pieniądze, żeby wykończyć resztę kościoła. Dopóki to nie nastąpi, nie chcą wstawić witrażu. Pastor Harris martwi się, że wandale mogliby go rozbić. Po pożarze stał się bardzo ostrożny.

— Ja też pewnie bym była ostrożna.

Steve wyprostował nogi na piasku, a potem krzywiąc się, podciągnął je z powrotem.

— Dobrze się czujesz? — zapytała.

— Po prostu za dużo stałem w ostatnich dniach. Jonah chce, żebyśmy dokończyli witraż przed waszym wyjazdem.

— Dobrze się bawił tego lata.

— Tak?

— Wczoraj wieczorem powiedział mi, że nie chce wracać do Nowego Jorku. Że chciałby zostać z tobą.

— To uroczy dzieciak — rzekł Steve. Niepewnie zwrócił się ku niej. — Chyba powinienem zapytać, czy ty też dobrze bawiłaś się tego lata.

— Tak, dobrze.

— Dzięki Willowi?

— Nie tylko. Cieszę się, że spędziliśmy lato razem.

— Ja też.

— To kiedy przyjedziesz do Nowego Jorku?

— Och, nie wiem. Pomyślimy.

Uśmiechnęła się do niego.

— Jesteś ostatnio zajęty?

— Nie za bardzo. Ale chcesz coś wiedzieć?

— Co takiego?

— Uważam, że wyrosłaś na niezwykłą młodą damę. Pamiętaj zawsze, że jestem z ciebie dumny.

— Dlaczego mi to mówisz?

— Nie byłem pewny, czy wiesz o tym.

Oparła czoło o jego ramię.

— Ty też jesteś w porządku, tato.

— Hej. — Wskazał gniazdo. — Chyba się zaczyna.

Odwróciła się w tamtą stronę, a potem poderwała na nogi. Jak zapowiedział Will, Elliot i Todd kręcili się wokół z wielkim podnieceniem, a wśród zebranych zapadła cisza.

*

Przebiegało to tak, jak opisywał Will, tylko że słowa tego nie oddawały. Ponieważ mogła podejść blisko, widziała wszystko: jajko zaczęło pękać, potem drugie i trzecie, każde z nich jakby niezależnie, aż wykluł się pierwszy żółw, który, gramoląc się po innych, usiłować wyleźć z gniazda.

Ale najbardziej zadziwiające było to, co nastąpiło później: najpierw nieznaczny ruch, potem większy i w końcu tak duży, że nie dało się uchwycić wszystkiego, gdy pięć, dziesięć, dwadzieścia i więcej żółwi, tyle że trudno zliczyć, zaczęło roić się w gnieździe.

Jak szalony ul na sterydach...

Następnie maleńkie żółwiki, przypominające jakieś prehistoryczne stworzenia, podjęły próbę wydostania się z gniazda; wspinały się i zsuwały z powrotem, włażąc jedne na drugie... aż udało się jednemu, drugiemu i trzeciemu, i wszystkie ruszyły piaszczystym kanałem w kierunku światła, które trzymał stojący w wodzie przy brzegu Todd.

Ronnie patrzyła, jak żółwiki pełzną kolejno ku oceanowi; były tak niewiarygodnie małe, że ich szanse na przeżycie wydawały się znikome. Można by pomyśleć, że ocean je pochłonie, że w nim przepadną; i tak się właśnie stało, gdy dotarły do brzegu i uniosły je fale. Jeszcze na moment wyłoniły się z wody, a potem zniknęły zupełnie.

Ronnie stała przy boku Willa, ściskając go za rękę, ogromnie szczęśliwa, że spędziła te wszystkie noce przy gnieździe i że odegrała jakąś rolę w cudzie narodzin nowego życia. Trudno było uwierzyć, że po tylu tygodniach, w których nic się nie działo, to, na co tak czekała, rozegrało się w ciągu kilku minut.

Stojąc obok chłopaka, którego kochała, miała świadomość, że nigdy nie przeżyje już z nikim równie magicznej chwili.

*

Godzinę później, z podnieceniem odtworzywszy jeszcze raz cały wylęg, Ronnie i Will pożegnali się z pozostałymi pracownikami oceanarium, którzy rozeszli się do swoich samochodów. Z wyjątkiem kanału w piasku, wszelkie ślady tego, co się zdarzyło, zniknęły. Nie było nawet skorupek po jajkach; Todd zebrał je, bo chciał zbadać ich grubość i poddać testom na obecność chemikaliów.

Will wziął ją pod ramię, gdy szli do domu.

— Mam nadzieję, że nie jesteś zawiedziona.

— Było nawet ciekawiej, niż się spodziewałam — wyznała. — Ale wciąż myślę o tych żółwikach.

— Nic im nie będzie.

— Nie wszystkie przeżyją.

— Nie — przyznał. — Nie wszystkie. Kiedy są młode, mają małe szanse.

Przeszli kilka kroków w milczeniu.

— To mnie smuci — odezwała się Ronnie.

— Takie jest życie, no nie?

— Nie chcę w tej chwili słyszeć mądrości z *Króla Lwa* — burknęła. — Wolę kłamstwa.

— Och — odparł swobodnie. — W takim razie... wszystkie przeżyją. Cała pięćdziesiątkaszóstka. Urosną, połączą się w pary, spłodzą potomstwo i w końcu umrą, przeżywszy znacznie dłużej niż większość żółwi.

— Naprawdę tak myślisz?

— Oczywiście — odrzekł bez wahania. — To nasze dzieci. Są wyjątkowe.

Śmiejąc się, zobaczyła, że tata z Jonah wychodzą na tylny ganek.

— Dobra, po tych całych śmiesznych przygotowaniach — zaczął Jonah — po obejrzeniu całego spektaklu od początku do końca mam tylko jedno do powiedzenia.

— Co takiego? — ponaglił go Will.

Jonah wyszczerzył zęby w uśmiechu.

— To. Było. Cool.

Ronnie parsknęła śmiechem, bo coś sobie przypomniała. Widząc zdziwienie na twarzy Willa, tylko wzruszyła ramionami.

— Taki żart między nami — wyjaśniła i w tej samej chwili ojciec zakaszlał.

Był to głośny, mokry kaszel, który brzmiał... niepokojąco... i jak poprzednio w kościele nie skończył się szybko. Ojciec kaszlał i kaszlał straszliwie.

Uchwycił się balustrady, żeby zachować równowagę; Ronnie zauważyła, że Jonah marszczy brwi ze zmartwienia i strachu i że nawet Will znieruchomiał.

Ojciec próbował się wyprostować, wygiął plecy, walcząc z kaszlem. Podniósł obie ręce do ust i zakaszlał znowu, a kiedy w końcu złapał dech, wydał taki dźwięk, jakby oddychał w wodzie.

Jeszcze raz wciągnął powietrze i opuścił dłonie. Ronnie zastygła w miejscu na kilka najdłuższych sekund w życiu, bardziej przestraszona niż kiedykolwiek. Twarz ojca była cała we krwi.

30
Steve

Wyrok śmierci usłyszał w lutym, w gabinecie lekarskim, zaledwie godzinę po udzieleniu ostatniej lekcji gry na fortepianie.

Bo gdy wrócił do Wrightsville Beach, odniósłszy porażkę jako pianista koncertowy, zaczął znowu uczyć. Pastor Harris, bez porozumienia z nim, już po kilku dniach przyprowadził mu obiecującą uczennicę i zapytał, czy Steve nie wyświadczyłby mu przysługi. Pastor, jak to on, od razu zrozumiał, że powracając do domu, Steve rozgłasza wszem wobec, iż czuje się zagubiony i samotny, i że można mu pomóc tylko przez nadanie znowu sensu jego życiu.

Tą uczennicą była Chan Lee. Oboje jej rodzice uczyli muzyki w UNC Wilmington i dziewczyna w wieku siedemnastu lat pod względem technicznym grała doskonale, tylko jakoś nie umiała dać granym przez siebie utworom czegoś z siebie. Była poważna i sympatyczna i Steve się nią zajął; słuchała go z zainteresowaniem i ciężko pracowała, stosując się do jego wskazówek. Zaczął wyczekiwać jej wizyt i na Gwiazdkę podarował jej książkę poświęconą budowie klasycznych fortepianów, bo wydawało mu się, że jej się spodoba. Ale mimo przyjemności, jaką sprawiało mu znowu uczenie, czuł się coraz bardziej zmęczony. Lekcje go wręcz wyczerpywały, zamiast dodawać mu energii. Po raz pierwszy w życiu zaczął drzemać w ciągu dnia.

Z czasem spał coraz dłużej, aż do dwóch godzin, a kiedy się budził, bolał go brzuch. Któregoś wieczoru, przyrządzając chili na kolację, poczuł tak ostry, przeszywający ból, że zgiął się wpół, strącając patelnię z kuchenki, tak że pomidory, fasola i mielona wołowina wylądowały na podłodze. Próbując złapać oddech, zrozumiał, że dzieje się z nim coś niedobrego.

Umówił się na wizytę lekarską, a potem poszedł do szpitala na dalsze badania, prześwietlenia. Patrząc, jak próbówki napełniają się krwią potrzebną do zleconych analiz, myślał o ojcu i raku, który w końcu go zabił. I nagle domyślił się, co lekarz mu powie.

Podczas trzeciej wizyty Steve przekonał się, że miał rację.

— Ma pan raka żołądka — poinformował lekarz. Wziął głęboki oddech. — I z badań wynika, że dał już przerzuty do trzustki i płuc. — Mówił obojętnym tonem, ale nie niemiłym. — Na pewno ma pan mnóstwo pytań, ale od razu powiem, że nie jest dobrze.

Onkolog był pełen współczucia, jednakże nic już nie mógł dla niego zrobić. Steve wiedział to, tak samo jak wiedział, że lekarz czeka na jego pytania, gdyż one mogą mu jakoś ułatwić zadanie.

Kiedy jego ojciec chorował, Steve zebrał trochę informacji. Wiedział, co znaczą przerzuty i co znaczy mieć raka nie tylko żołądka, ale i trzustki. Miał świadomość, że szanse przeżycia są prawie żadne, i zamiast zadawać pytania, odwrócił się do okna. Na parapecie, tuż przy szybie, siedział gołąb, zupełnie nieświadom tego, co dzieje się w środku. Właśnie powiedziano mi, że umrę, pomyślał, patrząc na ptaka, i lekarz chce, żebyśmy o tym porozmawiali. Ale przecież nie ma już nic do powiedzenia, prawda?

Czekał, że ptak przyzna mu rację, ale oczywiście nie uzyskał od niego żadnej odpowiedzi.

Umieram, pomyślał znowu.

Pamiętał, że złożył wtedy ręce zdziwiony, że w ogóle mu nie drżą. Jeśli miały kiedykolwiek drżeć, uzmysłowił sobie, to chyba właśnie w takiej chwili. Ale były tak pewne, stabilne jak zlew kuchenny.

— Ile czasu mi zostało?

Lekarz jakby poczuł ulgę, że wreszcie cisza została przerwana.

— Zanim do tego dojdziemy, chciałbym przedstawić panu kilka opcji.

— Nie ma żadnych opcji — zauważył Steve. — Obaj to wiemy.

Jeśli lekarz był zaskoczony jego odpowiedzią, nie pokazał tego po sobie.

— Zawsze są jakieś — wyjaśnił.

— Ale nie prowadzą do wyleczenia. Chodzi panu o jakość życia.

Lekarz odłożył notatnik na podkładce.

— Tak — potwierdził.

— Jak możemy rozmawiać o jakości życia, jeśli nie wiem, ile czasu mi jeszcze zostało? Jeśli tylko kilka dni, to znaczy, że powinienem zadzwonić do kilku osób.

— Ma pan więcej niż kilka dni.

— Tygodni?

— Tak, oczywiście...

— Miesięcy?

Tu onkolog się zawahał. Musiał dostrzec coś w twarzy

Steve'a, co świadczyło, że pacjent nie ustąpi, póki nie dowie się prawdy. Odchrząknął więc i powiedział:

— Zajmuję się tym od długiego czasu i przekonałem się, że rokowania niewiele dają. Najwięcej zależy od pana, pańskiej struktury genetycznej, pańskiego podejścia. Nie, nic nie możemy zrobić, żeby zapobiec temu, co nieuniknione, ale nie o to chodzi. Chodzi o to, że powinien pan wykorzystać ten czas, który panu jeszcze pozostał.

Steve przyjrzał mu się, wciąż świadom, że nie uzyskał odpowiedzi na swoje pytanie.

— Czy mam rok?

Tym razem lekarz nie odpowiedział, ale jego milczenie mówiło wszystko. Wychodząc z gabinetu, Steve wciągnął głęboko powietrze, uzbrojony w świadomość, że ma przed sobą niecały rok życia.

*

W pełni dotarło to do niego później, gdy stał na plaży.

Miał raka w zaawansowanym stadium, nieuleczalnego. Wiedział, że nie przeżyje roku.

Przed wyjściem z gabinetu dostał od lekarza materiały z informacjami. Broszury i listę adresów internetowych, wszystko psu na budę. Wyrzucił je do śmieci w drodze do samochodu. Stojąc w zimowym słońcu na pustej plaży, wsadził ręce do kieszeni płaszcza i zapatrzył się na molo. Choć nie miał już tak dobrego wzroku jak dawniej, widział ludzi spacerujących albo łowiących ryby przy barierkach i nie mógł się nadziwić, że zachowują się tak normalnie. Jakby nic nadzwyczajnego się nie zdarzyło.

Miał umrzeć, i to niebawem. Uświadomił sobie nagle, że większość spraw, o które tyle czasu się martwił, straciła znaczenie. Emerytura? Nie będzie mu potrzebna. Praca, żeby zarobić na życie po pięćdziesiątce? Po co? Poznać kogoś i się zakochać? To nie byłoby uczciwe wobec tej osoby, zresztą w obliczu diagnozy traciło sens.

To koniec, powtarzał sobie. Umrze za niecały rok. Owszem, wiedział, że coś z nim jest nie tak, i być może spodziewał się, że usłyszy złe wieści od lekarza. Jednakże wspomnienie słów onkologa zaczęło do niego powracać jak staroświeckie nagranie z gramofonu. Zadrżał wtedy na plaży. Bał się i był sam. Opuścił głowę, ukrył twarz w dłoniach i zaczął się zastanawiać, dlaczego to go spotkało.

*

Następnego dnia zadzwonił do Chan i wyjaśnił, że już nie może udzielać jej lekcji. Potem spotkał się z pastorem Harrisem i powiedział mu o wszystkim. Pastor dochodził wtedy do zdrowia po obrażeniach, które odniósł w pożarze, i Steve wiedział, że obarczanie go własnymi problemami podczas rekonwalescencji to egoizm, ale nie miał nikogo innego, z kim mógłby porozmawiać. Zaprosił go do siebie i gdy usiedli na tylnym ganku, opowiedział mu o swojej chorobie. Próbował mówić obojętnie, bez emocji w głosie, ale mu się nie udało i obaj się popłakali.

Później poszedł na plażę, zastanawiając się, co zrobić z czasem, który mu pozostał. Co jest dla niego najważniejsze? — próbował ustalić. Przechodząc obok kościoła — którego odbudowy jeszcze nie rozpoczęto, na razie tylko zburzono poczerniałe ściany i wywieziono gruz — spojrzał na dziurę po dawnym witrażu; pomyślał o pastorze Harrisie i tych niezliczonych porankach, które spędził w blasku światła słonecznego, wpadającego przez okno. Wtedy zdecydował, że wykona nowy witraż.

Dzień później zadzwonił do Kim. Powiedział jej, co go

czeka; załamała się przy telefonie, płakała do słuchawki. Poczuł, że ściska go w gardle, ale nie rozpłakał się wraz z nią i wiedział jakimś sposobem, że to mu już nie grozi.

Potem zatelefonował do niej ponownie i zapytał, czy dzieci mogłyby spędzić u niego lato. Zgodziła się, choć ten pomysł ją przestraszył. Zgodziła się też nie mówić im o jego stanie. Miało to być lato pełne kłamstw, ale co innego mógł zrobić, jeśli chciał znowu nawiązać z nimi kontakt?

Wiosną, gdy kwitły azalie, zaczął coraz częściej myśleć o Bogu. Przypuszczał, że to nieuniknione w takim czasie. Bóg albo istniał, albo nie; więc albo czekała go wieczność w niebie, albo po śmierci wszystko miało się skończyć. Rozmyślania nad tym przynosiły mu pewną pociechę; przemawiały do jakichś głębokich jego tęsknot. W końcu doszedł do wniosku, że Bóg istnieje, ale chciał dostrzec jego obecność na tym świecie, w realiach śmiertelników.

Był to ostatni rok jego życia. Niemal codziennie padał deszcz, ta wiosna należała do najwilgotniejszych w historii. Maj jednak był już zupełnie suchy, jakby gdzieś ktoś zakręcił kran. Steve kupił szkło, którego potrzebował, i zaczął pracę nad witrażem; w czerwcu przyjechały dzieci. Chodził na plażę, poszukiwał Boga i jakoś udało mu się, jak sobie uświadomił, naprawić rozluźnione więzi z dziećmi. A teraz, tej ciemnej sierpniowej nocy, gdy małe żółwie płynęły po powierzchni oceanu, on kaszlał krwią. Przyszedł czas, żeby skończyć z kłamstwami; przyszedł czas, żeby powiedzieć prawdę.

Dzieci się przestraszyły i wiedział, że chcą, aby powiedział coś, co je uspokoi. Ale żołądek przeszywało mu tysiące igieł. Otarł twarz z krwi wierzchem dłoni i próbował zachować spokój.

— Chyba muszę pójść do szpitala — szepnął.

31

Ronnie

Ojciec leżał na szpitalnym łóżku pod kroplówką, gdy jej powiedział. Natychmiast pokręciła głową. To nieprawda. To nie mogła być prawda.

— Nie, to niemożliwe. Lekarze czasami się mylą.

— Nie tym razem. — Wziął ją za rękę. — I przykro mi, że dowiedziałaś się w taki sposób.

Will i Jonah siedzieli na dole w stołówce. Tata pragnął porozmawiać z dziećmi oddzielnie, ale Ronnie nagle poczuła, że muszą już z tym skończyć. Nie chciała, żeby coś jeszcze jej mówił, nie chciała słyszeć ani słowa więcej.

Przed oczami stanął jej szereg obrazów: nagle zrozumiała, dlaczego tacie zależało, żeby oboje z Jonah przyjechali do Karoliny Północnej. I domyśliła się, że mama od początku znała prawdę. Ponieważ zostało im tak mało czasu razem, nie chciał kłócić się z córką. Nagle też dostrzegła sens pracy nad witrażem. Przypomniała sobie, jak dostał napadu kaszlu w kościele i jak wielokrotnie krzywił się z bólu. Z perspektywy czasu wszystko to zaczęło do siebie pasować. A jednocześnie rozpadać się na kawałki.

Dotarło do niej, że tata nie będzie obecny na jej ślubie, że nigdy nie weźmie na ręce wnuka. Świadomość, że będzie musiała przeżyć resztę życia bez niego, przekraczała jej wytrzymałość. To było niesprawiedliwe.

Głos jej się załamał, gdy odezwała się znowu.

— Kiedy zamierzałeś mi powiedzieć?

— Nie wiem.

— Przed moim wyjazdem? Czy po? Gdy już wróciłabym do Nowego Jorku?

Nie odpowiedział i czuła, że krew napływa jej do twarzy. Wiedziała, że nie powinna być zła, ale nic nie mogła na to poradzić.

— Co takiego? Chciałeś powiedzieć mi przez telefon? Jak zamierzałeś to zrobić? „Och, przepraszam, że zapomniałem wspomnieć o tym, gdy byłaś u mnie w lecie, ale jestem śmiertelnie chory na raka. A co u ciebie?".

— Ronnie...

— Jeżeli nie zamierzałeś mi powiedzieć, to po co mnie tu ściągnąłeś? Żebym patrzyła, jak umierasz?

— Nie, kochanie. Wręcz przeciwnie. — Przekręcił głowę, żeby na nią spojrzeć. — Żebym mógł patrzeć, jak wy żyjecie.

Poczuła, że coś się w niej załamuje, jakby obruszyły się pierwsze kamyki tworzące lawinę. Słyszała, jak dwie pielęgniarki przechodzą korytarzem i rozmawiają przyciszonymi głosami. W górze szumiały lampy fluorescencyjne, które rzucały niebieskawe światło na ściany. Z kroplówki powoli sączył się płyn — normalne sceny w szpitalu, ale dla niej nie było w tym nic normalnego. Dławiło ją w gardle i odwróciła się, żeby opanować napływające do oczu łzy.

— Przykro mi, kochanie — ciągnął. — Wiem, że powi

nienem był ci powiedzieć, ale chciałem, żebyśmy mieli normalne lato... i ja, i wy. Chciałem znowu poznać swoją córkę. Wybaczysz mi?

Ta jego prośba zabolała ją dotkliwie i wyrwał jej się szloch. Ojciec umierał i prosił ją o wybaczenie. Było w tym coś tak żałosnego, że nie wiedziała, co odpowiedzieć. Czekając, wyciągnął rękę i ujął jej dłoń.

— Oczywiście, że ci przebaczam — wydusiła z siebie i rozpłakała się na dobre. Pochyliła się ku niemu i położyła mu głowę na piersi; zdała sobie sprawę, jak schudł, a ona nawet tego nie zauważyła.

Czuła wyraźny zarys jego żeber i nagle uświadomiła sobie, że mizerniał od miesięcy. Serce zaczęło jej krwawić, gdy zrozumiała, że w ogóle tego nie dostrzegła; była tak zaabsorbowana własnymi sprawami, że na nic innego nie zwracała uwagi.

Kiedy objął ją ramieniem, zaczęła płakać jeszcze bardziej, myśląc, że niedługo ten zwyczajny serdeczny gest będzie niewykonalny. Przypomniała sobie dzień, kiedy przyjechała do ojca: była na niego wściekła, wybiegła z domu; myśl, że mógłby jej dotknąć, była dla niej tak abstrakcyjna jak podróż w kosmos. Wtedy go nienawidziła, teraz kochała.

Była zadowolona, że wreszcie poznała jego tajemnicę, nawet jeśli jednocześnie żałowała tego. Poczuła, że ojciec przeczesał palcami jej włosy. Przyjdzie czas, że nie będzie mógł tego zrobić, że go zabraknie. Zacisnęła powieki, próbując wymazać przyszłość. Pragnęła spędzić z nim więcej czasu. Pragnęła, żeby był przy niej, gdy będzie płakała; żeby przebaczał, kiedy zdarzy jej się popełnić błędy. Pragnęła, żeby ją kochał tak jak tego lata. Potrzebowała tego wszystkiego na zawsze i wiedziała, że nie będzie jej dane.

Pozwoliła, żeby tata ją przytulił, i płakała jak dziecko, którym już nie była.

*

Później wszystko jej wytłumaczył. Opowiedział jej o swoim ojcu i historii raka w rodzinie, o bólach, które zaczął odczuwać po Nowym Roku. O tym, że radioterapia nie wchodzi w rachubę, bo choroba zaatakowała już zbyt wiele organów wewnętrznych. Gdy to mówił, wyobraziła sobie złośliwe komórki opanowujące kolejne obszary jego ciała, łupieżczą złą armię, która sieje zniszczenie. Zapytała o chemioterapię i usłyszała to samo. Rak należał do złośliwych i chociaż chemioterapia mogła opóźnić postępy choroby, nie była w stanie jej zatrzymać, a on czułby się gorzej, niż gdyby nic nie robił. Wyjaśnił jej, co znaczy jakość życia, i kiedy mówił, znowu poczuła do niego żal, że nie powiedział jej wcześniej. Miała jednak świadomość, że podjął właściwą decyzję. Gdyby wiedziała, lato byłoby inne. Ich stosunki ułożyłyby się inaczej i wolała się nie zastanawiać jak.

Był blady; pod wpływem morfiny stawał się senny.

— Wciąż cię boli? — zapytała.

— Nie tak jak wcześniej. Jest już lepiej — zapewnił ją.

Pokiwała głową. Usiłowała nie myśleć o złośliwych komórkach atakujących jego narządy.

— Kiedy powiedziałeś mamie?

— W lutym, zaraz gdy się dowiedziałem. Ale prosiłem, żeby wam nie mówiła.

Próbowała sobie przypomnieć, jak wtedy zachowywała się mama. Musiała być przybita, lecz Ronnie albo tego nie pamiętała, albo nie zwróciła na to uwagi. Jak zwykle myślała wyłącznie o sobie. Chciała wierzyć, że w ostatnich miesiącach się zmieniła, jednakże zdawała sobie sprawę, że to nie do końca prawda. Pomiędzy pracą a spotkaniami z Willem spędzała stosunkowo niewiele czasu z tatą i tego nie mogła odrobić.

— Gdybyś mi powiedział, dłużej byłabym przy tobie. Mielibyśmy więcej czasu dla siebie, pomagałabym ci i nie byłbyś taki zmęczony.

— Wystarczyła mi świadomość, że jesteś tutaj.

— Ale może nie wylądowałbyś w szpitalu.

Wziął ją za rękę.

— A może przed szpitalem uchronił mnie właśnie widok korzystającej z lata i zakochanej córki.

*

Choć tego jej nie powiedział, zrozumiała, że ojciec niedługo umrze, i próbowała sobie wyobrazić życie bez niego.

Gdyby tu do niego nie przyjechała, gdyby nie dała mu szansy, łatwiej by zniosła jego odejście. Ale stało się inaczej i nic nie miało być łatwe. Słyszała w dziwnej ciszy jego ciężki oddech i znowu zauważyła, jak bardzo schudł. Zastanawiała się, czy dożyje do Bożego Narodzenia, a nawet do jej następnej wizyty.

Była sama, a jej ojciec umierał i w żaden, absolutnie żaden sposób nie mogła temu zapobiec.

*

— Co będzie dalej? — zapytała. Drzemał niedługo, może z dziesięć minut, gdy odwrócił się do niej.

— Nie bardzo wiem, co masz na myśli.

— Będziesz musiał zostać w szpitalu?

Było to jedno z pytań, które bała się zadać. Gdy przysnął, trzymała go za rękę i myślała z przerażeniem, że on już nigdy stąd nie wyjdzie. Że spędzi resztę życia w tym pokoju, który zalatywał środkami do dezynfekcji, w otoczeniu pielęgniarek życzliwych, ale obcych.

— Nie. Pewnie wrócę do domu za kilka dni. — Uśmiechnął się. — Przynajmniej mam taką nadzieję.

Uścisnęła go za rękę.

— A potem co? Gdy wyjedziemy?

Zastanowił się.

— Pewnie będę chciał dokończyć witraż. Piosenkę, którą zacząłem komponować. Wciąż wydaje mi się, że jest w niej... coś.

Przysunęła się do niego z krzesłem.

— Chodzi mi o to, kto będzie się tobą opiekował?

Nie odpowiedział od razu; próbował podnieść się na łóżku.

— Poradzę sobie. Jeśli będę czegoś potrzebował, zadzwonię do pastora Harrisa. Mieszka tylko kilka ulic dalej.

Próbowała sobie wyobrazić pastora Harrisa, z jego poparzonymi rękami i laską, jak stara się pomóc ojcu przy wsiadaniu do samochodu. On jakby czytał jej w myślach.

— Poradzę sobie, naprawdę — wymamrotał. — Wiedziałem, jak to będzie, a jeśli przyjdzie najgorsze, obok szpitala jest hospicjum.

Tego też wolała sobie nie wyobrażać.

— Hospicjum?

— Nie jest takie złe, jak ci się wydaje. Byłem tam.

— Kiedy?

— Przed kilkoma tygodniami. I parę dni temu. Przyjmą mnie, gdy przyjdzie czas.

Jeszcze jedna rzecz, o której nie wiedziała, kolejny sekret. Jeszcze jedna rzecz zapowiadająca to, co nieuniknione. Żołądek podszedł jej do gardła i poczuła mdłości.

— Ale wolałbyś zostać w domu, prawda?

— Będę w domu — odparł.

— Dopóki się da?

Smutek na jego twarzy był nie do zniesienia.

— Dopóki się da.

*

Wyszła z pokoju szpitalnego ojca i skierowała się do stołówki. Tata chciał teraz porozmawiać z Jonah.

Szła korytarzami jak zamroczona. Dochodziła północ, ale na oddziale intensywnej opieki jak zwykle panował ruch. Mijała różne sale, przeważnie otwarte, widziała płaczące dzieci, którym towarzyszyli zdenerwowani rodzice, i wymiotującą kobietę. Wokół recepcji kręciły się pielęgniarki, wyjmując karty pacjentów albo je wkładając. Zdziwiła się, że tak wielu ludzi choruje o tak późnej porze, ale wiedziała, że większość z nich wyjdzie stąd następnego rana. Jej ojciec z kolei miał zostać przeniesiony do pokoju wyżej; zwlekano z tym tylko ze względu na formalności.

Przeszła przez zatłoczoną poczekalnię do drzwi, które prowadziły do głównej części szpitala i stołówki. Gdy zamknęły się za nią, hałas trochę przycichł. Słyszała odgłos własnych kroków, słyszała niemal własne myśli i gdy tak szła, poczuła, że ogarnia ją kolejna fala zmęczenia i mdłości. To było miejsce, do którego przybywali chorzy ludzie, ci, którzy mieli umrzeć, i wiedziała, że jej ojciec tu wróci.

Całkiem zaschło jej w gardle, gdy dotarła do stołówki. Przetarła opuchnięte, piekące oczy ze świadomością, że musi wytrzymać. Grill był o tej porze zamknięty, ale na przeciwległej ścianie zauważyła automaty z napojami i słodyczami. W kącie siedziały dwie pielęgniarki, które popijały kawę. Jonah i Will zajmowali stolik przy drzwiach i Will uniósł głowę, gdy się zbliżyła. Na stoliku stały na wpół opróżniona butelka wody, mleko i paczka ciastek dla Jonah. Brat odwrócił głowę i spojrzał na nią.

— Długo cię nie było — powiedział. — Co się dzieje? Z tatą wszystko w porządku?

— Już lepiej — odparła. — Ale chce z tobą porozmawiać.

— O czym? — Odłożył ciastko. — Coś narozrabiałem, tak?

— Nie, nic z tych rzeczy. Chce ci powiedzieć, co się dzieje.

— Dlaczego ty nie możesz mi tego powiedzieć? — Był zaniepokojony i Ronnie ścisnęło się serce.

— Bo chce porozmawiać z tobą sam. Tak jak ze mną. Zaprowadzę cię do niego i poczekam za drzwiami, dobrze?

Wstał z krzesła i ruszył, nie oglądając się na nią.

— Dobra — rzucił, mijając ją, i Ronnie nagle poczuła, że ma ochotę stąd uciec. Ale musiała zostać z bratem.

Will bez ruchu siedział na krześle i patrzył na nią.

— Daj mi chwilę, dobrze?! — zawołała do Jonah.

Wstał zza stolika; wydawał się przestraszony. On wie, pomyślała nagle. Jakimś cudem już wie.

— Możesz na nas poczekać? — poprosiła. — Wiem, że pewnie...

— Oczywiście, że poczekam. Zostanę, dopóki będziesz mnie potrzebowała.

Poczuła ulgę i posłała mu pełne wdzięczności spojrzenie, a potem się odwróciła i poszła za Jonah. Pchnęli drzwi i ruszyli pustym korytarzem w stronę OIOM-u z jej gorączkową krzątaniną.

*

Nie przeżyła dotąd śmierci nikogo bliskiego. Wprawdzie była na pogrzebach rodziców ojca, ale nie znała dobrze żadnego z nich. Nie byli typem dziadków, którzy przyjeżdżają

360

z wizytą. Wydawali jej się obcy i nie pamiętała, żeby za nimi tęskniła, kiedy odeszli.

Ze śmiercią zetknęła się najbliżej, gdy latem, po zakończeniu roku szkolnego, w wypadku samochodowym zginęła Amy Childress, jej nauczycielka historii w siódmej klasie. Ronnie dowiedziała się o tym od Kayli i czuła się nie tyle przygnębiona, ile wstrząśnięta, choćby dlatego, że Amy była taka młoda, jeszcze przed trzydziestką, i uczyła zaledwie od kilku lat. Ronnie wydawało się to surrealistyczne. Pani Childress była zawsze taka sympatyczna; należała do nielicznych nauczycieli, na których lekcjach Ronnie się śmiała. Po powrocie do szkoły jesienią nie wiedziała, czego się spodziewać. Jak ludzie przyjmą coś takiego? Szła tego dnia korytarzami, szukając oznak wskazujących, że coś się zmieniło, ale z wyjątkiem małej tabliczki, którą zamontowano na ścianie obok gabinetu dyrektora, nie zauważyła nic szczególnego. Nauczyciele normalnie prowadzili lekcje i rozmawiali z sobą w pokoju nauczycielskim; zobaczyła, że pani Taylor i pan Burns — z którymi pani Childress często jadała lunch — śmiali się, idąc do klas.

Pamiętała, że to ją poruszyło. Jasne, wypadek zdarzył się latem i wszyscy już odbyli żałobę, ale kiedy weszła do klasy pani Childress i zobaczyła, że teraz to sala do nauki historii, uświadomiła sobie, że czuje gniew, nie tylko dlatego, że pani Childress nie żyła, ale także dlatego, że zapomniano o niej w tak krótkim czasie.

Nie chciała, żeby tak było z jej tatą. Nie chciała, żeby został zapomniany w ciągu kilku tygodni — był dobrym człowiekiem, dobrym ojcem i zasługiwał na coś więcej.

Myśląc o tym, uświadomiła sobie coś jeszcze: że tak naprawdę nie znała go, gdy był zdrowy. Ostatnio, przed przyjazdem tutaj, miała z nim kontakt, gdy chodziła do pierwszej klasy w szkole średniej. Teraz teoretycznie była osobą dorosłą, mogła głosować albo wstąpić do wojska. A on przez całe lato ukrywał swoją tajemnicę. Kim by był, gdyby nie wiedział, co się z nim dzieje? Kim był naprawdę?

Niewiele mogła o nim powiedzieć, pamiętała go głównie jako nauczyciela gry na fortepianie. Nie miała pojęcia, jakie książki czyta, jakie jest jego ulubione zwierzę, jaki kolor najbardziej lubi. Nie były to ważne rzeczy i zdawała sobie z tego sprawę, ale gnębiła ją myśl, że nie pozna odpowiedzi na te pytania.

Usłyszała, że Jonah płacze za drzwiami, i zorientowała się, że już wie. Docierały do niej jego gwałtowne protesty i ciche odpowiedzi ojca. Oparła się o ścianę, bolejąc i nad ojcem, i nad Jonah.

Chciała zrobić coś, żeby ten koszmar zniknął. Chciała cofnąć czas do chwili, gdy wylęgły się żółwie, kiedy świat był w porządku. Chciała stanąć obok chłopaka, którego kochała, z rodziną przy boku. Nagle przypomniała sobie promienną twarz Megan, gdy tańczyła z ojcem na swoim weselu, i poczuła dojmujący ból, kiedy sobie uświadomiła, że sama takiej chwili nie przeżyje.

Zamknęła oczy i przyłożyła ręce do uszu, żeby nie słyszeć okrzyków Jonah. Był taki bezbronny, taki młodziutki, taki... przerażony. Nie mógł zrozumieć, co się dzieje, wiedziała, że nigdy nie dojdzie po tym do siebie. Że nigdy nie zapomni tego strasznego dnia.

— Może chcesz szklankę wody?

Ledwie usłyszała te słowa, ale wiedziała, że są skierowane do niej. Spojrzała w górę przez łzy i zobaczyła, że stoi przed nią pastor Harris.

Nie była w stanie odpowiedzieć, ale pokręciła odmownie głową. Miał łagodny wyraz twarzy, dostrzegła jednak ból w jego opuszczonych ramionach, w tym, jak trzymał laskę.

— Bardzo mi przykro. — W jego głosie brzmiało zmęczenie. — Nie mogę sobie nawet wyobrazić, jak ci jest ciężko. Twój ojciec to wyjątkowy człowiek.

Pokiwała głową.

— Skąd pastor wie, że on jest tutaj? Zadzwonił do pastora?

— Nie. Zadzwoniła do mnie jedna z pielęgniarek. Bywam tu dwa, trzy razy w tygodniu i kiedy go przywieźliście, pomyślały, że trzeba mnie zawiadomić. Wiedzą, że jest dla mnie jak syn.

— Zamierza pastor z nim porozmawiać?

Pastor Harris spojrzał na zamknięte drzwi.

— Tylko jeśli będzie chciał się ze mną zobaczyć. — Usłyszał płacz Jonah i na jego twarzy pojawiła się żałość. — Pewnie tak, gdy już porozmawia z wami dwojgiem. Nie masz pojęcia, jak bał się tej chwili.

— Mówił pastorowi o tym?

— Wiele razy. Kocha was bardzo i nie chciał wam sprawiać bólu. Wiedział, że ten moment nadejdzie, ale wolał, żebyście dowiedzieli się w inny sposób.

— To nieważne. Niczego nie zmienia.

— Bo wszystko już się zmieniło — zauważył pastor Harris.

— Dlatego, że już wiem?

— Nie. Dlatego, że pobyliście z sobą. Był taki zdenerwowany, zanim przejechaliście. Nie z powodu swojej choroby, ale dlatego, że bardzo mu zależało, żeby was zobaczyć i żeby wszystko się jakoś ułożyło. Chyba nie zdawałaś sobie sprawy, jak za wami tęsknił ani jak was kocha, ciebie i Jonah. Dosłownie liczył dni do waszego przyjazdu. Kiedy się z nim widziałem, mówił: „Jeszcze dziewiętnaście dni". Albo: „Jeszcze dwanaście dni". A dzień przed? Godzinami sprzątał dom, zmienił pościel w łóżkach. Wiem, że to mały domek, ale gdybyś widziała go wcześniej, tobyś zrozumiała. Chciał, żebyście przeżyli wyjątkowe lato i żeby on sam był jego częścią. Jak wszyscy rodzice pragnie, żebyście byli szczęśliwi. Pragnie wiedzieć, że będzie wam dobrze. Że podejmiecie właściwe decyzje. Tego potrzebował tego lata i to mu daliście.

Spojrzała na niego spod zmrużonych powiek.

— Ale ja nie zawsze podejmowałam właściwe decyzje.

Pastor Harris się uśmiechnął.

— To świadczy, że jesteś tylko człowiekiem. Nigdy nie oczekiwał, że będziesz idealna. Ale wiem, jaki jest dumny z młodej kobiety, którą się stałaś. Powiedział mi to zaledwie kilka dni temu; szkoda, że go nie widziałaś, gdy mówił o tobie. Był taki, taki... dumny, taki szczęśliwy, że tamtego wieczoru, kiedy się modliłem, podziękowałem za to Bogu. Bo twój tata naprawdę miotał się, gdy tu wrócił. Nie wiedział, czy będzie jeszcze szczęśliwy. I wiem, że mimo wszystko jest szczęśliwy.

Poczuła, że dławi ją w gardle.

— Co mam zrobić?

— Nie wiem, czy możesz zrobić cokolwiek.

— Ale ja się boję. A tata...

— Wiem — odparł. — I chociaż oboje go uszczęśliwiliście, on na pewno też się boi.

*

Tego wieczoru Ronnie wyszła na tylny ganek. Morze było spokojne, fale jak zwykle uderzały rytmicznie o brzeg, a gwiazdy świeciły jasno, tworząc punkciki na niebie, lecz cały świat wydawał się inny. Will rozmawiał z Jonah w sypialni, więc w domu były jak zazwyczaj trzy osoby, ale zrobiło się w nim dziwnie pusto.

Pastor Harris był wciąż u ojca. Zamierzał zostać u niego na noc i powiedział, żeby zabrała Jonah do domu, ale miała poczucie winy, że nie jest teraz w szpitalu. Następnego dnia tatę czekały badania i kolejne spotkanie z lekarzem. Wiedziała, że to go zmęczy i że będzie potrzebował odpoczynku. Chciała jednak tam być, siedzieć przy nim, nawet jeśliby spał, bo zdawała sobie sprawę, że kiedyś nie będzie miała takiej możliwości.

Drzwi za nią skrzypnęły; Will delikatnie zamknął je za sobą. Gdy do niej podszedł, wciąż patrzyła w dal za piaszczystą plażę.

— Jonah w końcu zasnął — poinformował. — Ale chyba tak naprawdę nie rozumie, co się dzieje. Powiedział mi, że tata na pewno poczuje się lepiej pod opieką lekarzy, i wciąż pytał, kiedy wróci do domu.

Ronnie przypomniała sobie, jak brat płakał w szpitalu, i pokiwała tylko głową. Will przytulił ją.

— Jak sobie radzisz? — zapytał.

— A jak myślisz? Właśnie się dowiedziałam, że mój ojciec umiera i że prawdopodobnie nie dożyje do Bożego Narodzenia.

— Wiem — powiedział delikatnie. — I bardzo mi przykro. Wiem, jak ci jest ciężko. — Czuła jego dłonie w talii. — Zostanę tu na noc, żeby ktoś był z Jonah, gdyby coś się stało i wezwano cię do szpitala. Miałem wyjechać za dwa dni, ale mogę zadzwonić do dziekanatu i wyjaśnić, co się dzieje. Zajęcia zaczynają się dopiero w przyszłym tygodniu.

— Nic nie zrobisz. — Słyszała ostrą nutę w swoim głosie, ale nic nie mogła na to poradzić. — Nie rozumiesz tego?

— Nie próbuję nic robić...

— Owszem, tak! Ale to na nic! — Poczuła, że zaraz coś rozsadzi jej serce. — I nie rozumiesz, przez co przechodzę!

— Ja też straciłem bliską osobę — przypomniał jej.

— To nie to samo! — Ucisnęła nasadę nosa, próbując powstrzymać łzy. — Byłam dla niego taka podła. Rzuciłam grę na fortepianie! Obwiniałam go za wszystko i przez trzy lata prawie nie odzywałam się do niego! Przez trzy lata! I nie cofnę tego czasu. Może gdybym nie była taka wściekła na niego, toby nie zachorował. Może naraziłam go na dodatkowy... stres, który to wywołał. Może to wszystko przeze mnie! — Odsunęła się od Willa.

— To nie twoja wina.

Chciał znowu ją objąć, ale nie życzyła sobie tego i próbowała go odepchnąć. Nie puścił jej, więc zaczęła okładać go pięściami po piersi.

— Daj mi spokój! Poradzę sobie sama!

Jednakże trzymał ją w ramionach i gdy zorientowała się, że nie zamierza jej puścić, w końcu wsparła się na nim. I na długą chwilę, płacząc, przytuliła się do niego.

*

Leżała w ciemnej sypialni i wsłuchiwała się w oddech brata. Will spał na kanapie w salonie. Wiedziała, że powinna odpocząć, ale czekała na dzwonek telefonu. Wyobrażała sobie najgorsze: że ojciec znowu dostał ataku kaszlu, że stracił jeszcze więcej krwi, że nie można mu było pomóc...

Obok niej na stoliku nocnym leżała Biblia taty. Przejrzała ją wcześniej, nie bardzo wiedząc, czego szuka. Czy ojciec podkreślił jakieś fragmenty, zaznaczył strony? Przerzucając ją, znalazła niewiele śladów po ojcu, z wyjątkiem wyświechtanych kartek, które świadczyły, że wszystkie rozdziały były mu równie bliskie. Żałowała, że nie zostawił gdzieś swojego piętna, pamiątki po sobie; nic nie wskazywało, że jakiś fragment zainteresował go bardziej niż inne.

Nigdy nie czytała Biblii, ale wiedziała, że teraz ją przeczyta w poszukiwaniu sensu, który jej ojciec odnalazł na tych stronach. Ciekawa była, czy tę Biblię podarował mu pastor Harris i jak długo znajdowała się w jego posiadaniu. Tyle o nim nie wiedziała i zaczęła się teraz zastanawiać, dlaczego nie zadała sobie trudu, żeby go zapytać.

Ale zrobi to, postanowiła. Ponieważ niedługo miały jej zostać tylko wspomnienia, chciała zgromadzić ich jak najwięcej. Zaczęła się modlić pierwszy raz od wielu lat, prosząc Boga, żeby dał jej na to czas.

32
Will

Nie spał dobrze. Słyszał w nocy, że Ronnie przewraca się z boku na bok, wierci w łóżku, krąży po pokoju. Wiedział, że była w szoku; znał to, pamiętał własne otępienie i poczucie winy, niedowierzanie i gniew, gdy zginął Mikey. Następne lata przytępiły ból, ale przypominał sobie, jak potrzebował towarzystwa i jednocześnie pragnął być sam.

Bardzo współczuł Ronnie, a także Jonah, który był za mały, żeby to wszystko ogarnąć. Sam też czuł smutek i żal. Steve okazał mu tego lata wiele dobroci, ponieważ więcej czasu spędzali u Ronnie niż u niego w domu. Lubił, jak Steve spokojnie krzątał się po kuchni, podobała mu się zażyłość łącząca go z Jonah. Często widywał ich obu na plaży, jak puszczali latawce albo rzucali sobie piłkę na brzegu, czy też w ciszy i skupieniu pracowali razem nad witrażem. Choć większość dzieciatych mężczyzn lubiła odgrywać dobrych ojców, Steve'owi przychodziło to całkiem naturalnie. W tym krótkim czasie, w jakim go znał, Will ani razu nie widział, żeby Steve się zdenerwował, podniósł głos. Owszem, mogło to wynikać z faktu, że miał świadomość zbliżającej się śmierci, ale według Willa to nie wyjaśniało wszystkiego. Tata Ronnie był... po prostu dobrym człowiekiem, pogodzonym z sobą i innymi; kochał swoje dzieci i wierzył, że są na tyle mądre, żeby podejmować słuszne decyzje.

Gdy tak leżał na kanapie, uświadomił sobie, że któregoś dnia chciałby być właśnie takim ojcem. Kochał swojego tatę, ale nie zawsze był tym wyrozumiałym facetem, jakim znała go Ronnie. Bywały w życiu Willa długie okresy, kiedy rzadko widywał ojca, bo ten pracował nad rozbudową firmy. Doszły do tego zmienne nastroje matki i śmierć Mikeya, która pogrążyła wszystkich w żałobie na kilka lat, tak że czasami Will żałował, iż nie przyszedł na świat w innej rodzinie. Wiedział, że ma szczęście, poza tym niewątpliwie ostatnio sytuacja się poprawiła. Ale jego dzieciństwo i dorastanie wcale nie było pasmem radości i przypominał sobie, że czasami tęsknił za innym życiem.

Steve był zupełnie innym typem rodzica.

Ronnie powiedziała mu, że ojciec siedział przy niej godzinami, gdy uczyła się grać na fortepianie, ale Will podczas pobytu w ich domu ani razu nie słyszał, żeby Steve o tym mówił. Nie wspomniał nawet mimochodem i choć Willowi początkowo wydawało się to dziwne, zaczął dostrzegać w tym dowód jego miłości do córki. Ona nie chciała do tego wracać, więc i on nie wracał, mimo że była to istotna część ich wspólnego życia. Zabudował nawet fortepian, bo jego widok działał Ronnie na nerwy.

Kto by się na to zgodził?

Tylko Steve, człowiek, którego Will zaczął podziwiać, od którego mógł się uczyć, do którego chciał być podobny, gdy będzie starszy.

*

Obudziło go światło poranka, które wpadało przez okna salonu. Przeciągnął się i wstał. Zerknąwszy do holu, zobaczył, że drzwi do pokoju Ronnie są otwarte, zorientował się więc, że już nie spała. Znalazł ją na ganku, tam gdzie poprzedniego wieczoru. Patrzyła w dal.

— Dzień dobry — przywitał się.

Opadły jej ramiona, gdy się odwróciła.

— Dzień dobry. — Uśmiechnęła się blado. Wyciągnęła do niego ręce, a on objął ją, wdzięczny za ten gest.

— Przepraszam za zeszły wieczór — powiedziała.

— Nie ma za co. — Zmierzwił jej włosy. — Nic nie zrobiłaś.

— Uhm. I dziękuję.

— Nie słyszałem, jak wstałaś.

— Nie śpię już od jakiegoś czasu. — Westchnęła. — Zadzwoniłam do szpitala i rozmawiałam z tatą. Nie mówił wiele, ale wiem, że bardzo cierpi. Sądzi, że po badaniach zatrzymają go jeszcze na kilka dni.

W innej sytuacji by ją zapewnił, że wszystko będzie dobrze, że się ułoży. Ale w tych okolicznościach oboje wiedzieli, że te słowa nic nie znaczą. Pochylił się więc i przytknął czoło do jej czoła.

— Przespałaś się choć trochę? Słyszałem, że chodziłaś w nocy po domu.

— Nie, wcale nie. W końcu położyłam się obok Jonah, ale mój umysł nie chciał się wyłączyć. Jednakże nie z powodu tego, co dzieje się z tatą. — Urwała. — Z twojego powodu. Za dwa dni wyjeżdżasz.

— Już ci mówiłem, że mogę przełożyć wyjazd. Jeśli chcesz, żebym został...

Pokręciła głową.

— Nie chcę. Zaczynasz nowy rozdział w życiu i nie mogę cię tego pozbawić.

— Ale nie muszę jechać już teraz. Zajęcia nie zaczną się od razu...

— Nie chcę — powtórzyła. Mówiła spokojnie, lecz stanowczo. — Wyjeżdżasz do college'u. To nie twój problem. Wiem, że może to brzmi szorstko, ale tak nie jest. To mój tata ma raka, nie twój, i nic tego nie zmieni. Nie chcę się zastanawiać, co mógłbyś przeze mnie stracić, za dużo mam na głowie. Rozumiesz?

W tym, co mówiła, było wiele racji, nawet gdyby wolał, żeby się myliła. Po chwili odwiązał bransoletkę z plecionki i dał jej.

— Masz, zachowaj ją — szepnął i domyślił się po jej minie, że zrozumiała, jak mu zależy, żeby przyjęła ten dar.

Uśmiechnęła się lekko i zacisnęła w dłoni bransoletkę. Miał wrażenie, że chciała coś powiedzieć, gdy oboje usłyszeli, że drzwi warsztatu gwałtownie się otwierają. Przez moment Will myślał, że ktoś się tam włamał. Potem zobaczył Jonah, który niezgrabnie wynosił na zewnątrz połamane krzesło. Z ogromnym wysiłkiem podniósł je i rzucił na wydmę w pobliżu warsztatu. Nawet z tej odległości Will widział furię na buzi chłopca.

Ronnie już zbiegała z ganku.

— Jonah! — zawołała i popędziła przed siebie.

Will pognał jej śladem i niemal wpadł na nią w drzwiach warsztatu. Patrząc jej przez ramię, zobaczył, że Jonah pcha po podłodze ciężką skrzynię. Zmagał się z nią, nieświadomy ich obecności.

— Co robisz?! — krzyknęła Ronnie. — Od kiedy tu jesteś?

Jonah popychał skrzynię, postękując z wysiłku.

— Jonah! — ponownie zawołała Ronnie.

Jej głos wreszcie dotarł do jego świadomości i chłopiec odwrócił się do Willa i siostry zaskoczony ich widokiem.

— Nie mogę dosięgnąć! — wrzasnął zły i bliski łez. — Nie jestem dość wysoki!

— Czego dosięgnąć? — zapytała i zrobiła szybki krok do przodu. — Krwawisz! — jęknęła z rosnącą paniką w głosie.

Gdy podbiegała do brata, Will zauważył, że chłopiec ma rozdarte dżinsy i że z nogi cieknie mu krew. Jonah, we władaniu własnych demonów, z maniackim uporem pchał skrzynię i jej róg zawadził o jedną z półek. W chwili gdy Ronnie znalazła się przy nim, spadła na niego pół wiewiórka, pół ryba.

Mały miał zaciętą, czerwoną twarz.

— Odejdź! Sam to zrobię! Nie potrzebuję twojej pomocy! — wykrzyknął.

Spróbował znowu ruszyć skrzynię z miejsca, ale się zaklinowała. Ronnie usiłowała mu pomóc, ale Jonah ją odepchnął. Will zobaczył łzy na jego policzkach.

— Powiedziałem ci, żebyś sobie poszła! — zawołał chłopiec. — Tata chce, żebym dokończył witraż! Ja! Nie ty! Pracowaliśmy nad nim razem przez całe lato! — Dysząc, wyrzucał z siebie te słowa zły i wystraszony. — Żebyś wiedziała! A ciebie interesowały tylko żółwie! To ja byłem z nim przez całe dnie! — Gdy tak krzyczał przez łzy, głos mu się załamywał. — A teraz nie mogę dosięgnąć środkowej części witrażu! Jestem za mały! Ale muszę go skończyć, bo może, jeśli mi się uda, tacie się polepszy. Musi mu się polepszyć. Ale szkło pękło i upadłem na nie. Wściekłem się i pomyślałem, że przyciągnę skrzynię i wejdę na nią, ale jest za ciężka...

Ledwie mówił; nagle zachwiał się i upadł na ziemię. Objąwszy rękami kolana i opuściwszy głowę, zaczął tak szlochać, że trzęsły mu się ramiona.

Ronnie usiadła obok niego. Objęła płaczącego brata i przygarnęła do siebie. Patrząc na to, Will poczuł ściskanie w gardle; wiedział, że nie powinien przy tym być.

Mimo to został jeszcze chwilę, podczas gdy Ronnie tuliła brata. Nie próbowała go uspokajać ani zapewniać, że wszystko będzie dobrze. Po prostu przytulała go bez słowa, aż powoli przestał szlochać. W końcu uniósł głowę; oczy za okularami miał zaczerwienione, a buzię mokrą od łez.

Ronnie odezwała się łagodnym głosem, jakiego Will jeszcze u niej nie słyszał.

— Możemy pójść do domu na kilka minut? Chcę tylko obejrzeć skaleczenie na twojej nodze.

Chłopcu wciąż drżał głos.

— A co z witrażem? Muszę go skończyć.

Ronnie spojrzała na Willa, a potem ponownie na Jonah.

— Możemy ci pomóc?

Jonah zaprzeczył ruchem głowy.

— Nie wiecie jak.

— To nam pokażesz.

Ronnie przemyła skaleczenie na nodze chłopca i przykleiła na nie plaster, a potem Jonah zaprowadził ich z powrotem do warsztatu.

Witraż był prawie skończony — wszystkie skomplikowane elementy twarzy i wzmocnienia znajdowały się na miejscach. Pozostało tylko wstawić setki drobnych kawałków tworzących boską poświatę na niebie.

Jonah pokazał Willowi, jak się tnie ołowiane paski, i nauczył Ronnie je lutować; sam przycinał szkło, jak przez całe lato, i wkładał w ołowiane ramki, a potem oddawał siostrze, żeby umocowała je na miejscu.

W warsztacie było gorąco i brakowało miejsca, ale w końcu we troje wpadli w pewien rytm. W porze lunchu Will poszedł po hamburgery i sałatkę dla Ronnie; zrobili sobie krótką przerwę, żeby je zjeść, a potem szybko wrócili do pracy. Po południu Ronnie trzy razy dzwoniła do szpitala, lecz mówiono jej, że tata albo jest na badaniach, albo śpi. Podobno jednak czuł się dobrze. Gdy zaczęło zmierzchać, byli w połowie tego, co zostało jeszcze do zrobienia; Jonah mdlały już ręce, więc przerwali robotę i zjedli kolację, a potem przynieśli z salonu dodatkowe lampy, żeby mieć w warsztacie więcej światła.

Zapadł mrok i o dziesiątej Jonah ziewał potężnie; kiedy poszli do domu, żeby odpocząć przez kilka minut, prawie natychmiast zasnął. Will zaniósł go do sypialni i położył do łóżka. Gdy wrócił do salonu, Ronnie pracowała już w warsztacie.

Teraz Will zajął się cięciem szkła; przez cały dzień widział, jak robi to Jonah, i choć początkowo szło mu kiepsko, wkrótce zorientował się, o co chodzi.

Pracowali przez całą noc i gdy zaczęło świtać, oboje padali z nóg. Na stole przed nimi spoczywał ukończony witraż. Will nie był pewny, jak Jonah przyjmie to, że nie uczestniczył w ostatnim etapie prac, ale pomyślał, że Ronnie będzie wiedziała, jak sobie z tym poradzić.

— Oboje wyglądacie, jakbyście przez całą noc nie zmrużyli oka — rozległ się głos za nimi. Will odwrócił się i zobaczył, że w drzwiach stoi pastor Harris.

Wspierał się na lasce. Miał na sobie garnitur — pewnie na nabożeństwo niedzielne — ale Will zauważył okropne blizny na jego rękach i domyślił się, że obejmują także ramiona. Powrócił myślą do pożaru w kościele, a także sekretu, który nosił w sobie przez te wszystkie miesiące, i nie mógł spojrzeć pastorowi w oczy.

— Kończyliśmy witraż — wyjaśniła ochrypłym głosem Ronnie.

Pastor wskazał leżące na stole dzieło.

— Mogę zobaczyć?

Ronnie pokiwała głową.

— Oczywiście.

Pastor Harris wkroczył do środka, poruszał się wolno. Gdy szedł, jego laska stukała o drewnianą podłogę. Spojrzał na stół i zaciekawienie na jego twarzy ustąpiło miejsca zdumieniu. Opierając się na lasce, przesunął okaleczoną sękatą dłonią po szkle.

— Niewiarygodne — sapnął. — Jest piękniejszy, niżbym przypuszczał.

— To tata i Jonah wykonali zasadniczą część — wyjaśniła Ronnie. — My tylko pomogliśmy dokończyć.

Pastor się uśmiechnął.

— Twój ojciec się ucieszy.

— A jak postępują prace w kościele? Tata na pewno chciałby zobaczyć witraż na miejscu.

— Może Bóg cię wysłucha. — Wzruszył ramionami. — Kościół nie jest tak uczęszczanym miejscem jak kiedyś, nie ma już tylu wiernych. Ale wierzę, że doprowadzimy odbudowę do końca.

Will zauważył niepokój na twarzy Ronnie; najwyraźniej miała obawy, czy witraż zostanie wstawiony na czas, ale bała się o to spytać.

— A przy okazji, tata ma się dobrze — dodał pastor Harris. — Niedługo powinien wyjść ze szpitala. Możecie go odwiedzić dziś przed południem. Wczoraj wiele nie straciliście. Większość dnia spędził w swoim pokoju sam, poddawany badaniom.

— Dzięki, że był pastor przy nim.

— Nie, kochanie. — Ponownie spojrzał na witraż. — To ja ci dziękuję.

W warsztacie zapadła cisza, gdy skierował się do wyjścia. Will patrzył za nim; nie mógł zapomnieć jego poparzonych dłoni.

W milczeniu przyjrzał się witrażowi; uderzył go ogrom pracy, jaką trzeba było włożyć, żeby go wykonać. I zastąpić tamten, który nie powinien zostać zniszczony. Pomyślał o słowach pastora i o tym, że być może ojciec Ronnie nie dożyje chwili, gdy witraż znajdzie się na swoim miejscu.

Ronnie była pogrążona we własnych myślach, gdy się do niej zwrócił.

Poczuł, że coś się w nim rozsypuje jak domek z kart.

— Muszę ci coś powiedzieć.

*

Usiedli na wydmie i Will opowiedział jej wszystko od początku. Kiedy skończył, Ronnie była zdezorientowana.

— Chcesz powiedzieć, że Scott spowodował pożar? I że go chronisz? — W jej głosie brzmiało niedowierzanie. — Kłamiesz, żeby go osłaniać?

Pokręcił głową.

— To nie tak. Mówiłem ci, to był wypadek.

— Nieważne. — Ronnie spojrzała mu w oczy. — Wypadek czy nie, Scott musi ponieść odpowiedzialność za to, co zrobił.

— Wiem. Powiedziałem mu, żeby poszedł na policję.

— A jeśli nie pójdzie? Wiecznie będziesz go krył? Pozwolisz, żeby Marcus miał władzę nad twoim życiem? To byłoby złe.

— Ale Scott to mój przyjaciel...

Ronnie zerwała się na nogi.

— Pastor Harris niemal zginął w tym pożarze! Wiele

tygodni leżał w szpitalu. Wiesz, jak bolesne są poparzenia? Zapytaj Blaze, jak to jest. A kościół... pastor nawet nie jest w stanie go odbudować... a tata nie zobaczy witrażu tam, gdzie jego miejsce!

Will pokręcił głową, próbując zachować spokój. Widział, że to wszystko przytłacza Ronnie — sprawa z ojcem, ich rozłąka, rozprawa w sądzie.

— Wiem, że postąpiłem źle — wyjaśnił cicho. — I miałem z tego powodu wyrzuty sumienia. Nie umiem ci powiedzieć, ile razy już chciałem pójść na policję.

— I co z tego? — zapytała. — To nic nie znaczy. Nie słuchałeś mnie, gdy mówiłam ci, dlaczego w sądzie przyznałam się do winy? Bo wiedziałam, że robiłam źle! Prawda tylko wtedy coś znaczy, gdy trudno się do niej przyznać! Nie rozumiesz tego? Kościół był całym życiem pastora Harrisa! Był całym życiem mojego ojca! A teraz jest spalony, ubezpieczenie nie pokrywa wszystkich szkód i muszą odprawiać nabożeństwa w magazynie...

— Scott to mój przyjaciel — zaprotestował. — Nie mogę tak po prostu... rzucić go na pożarcie wilkom.

Zamrugała powiekami, zastanawiając się, czy on w ogóle słyszy, co mówi.

— Jak możesz być takim egoistą?

— Nie jestem egoistą...

— Właśnie, że jesteś, i jeśli tego nie rozumiesz, nie chcę z tobą rozmawiać! — oświadczyła. Odwróciła się i ruszyła w stronę domu. — Odejdź! Idź sobie!

— Ronnie! — zawołał. Wstał, żeby za nią pobiec. Wyczuła to i odwróciła się na pięcie.

— To koniec, rozumiesz?

— Nie koniec. Posłuchaj, bądź rozsądna...

— Rozsądna? — Machnęła rękami. — Chcesz, żebym była

rozsądna? Nie tylko osłaniałeś Scotta, ale też okłamywałeś mnie! Wiedziałeś, że mój tata pracuje nad witrażem! Stałeś obok i nie wspomniałeś o tym, co się stało! — Te słowa jakby utwierdziły ją w czymś i cofnęła się znowu. — Myślałam, że jesteś inny! Myślałam, że nie zrobiłbyś czegoś takiego!

Wzdrygnął się, bo nie mógł znaleźć odpowiedzi; kiedy jednak zrobił krok do przodu, ona ponownie się cofnęła.

— Idź stąd! I tak wyjeżdżasz i już się więcej nie zobaczymy. Każde lato kiedyś się kończy. Możemy mówić, co tylko chcemy, możemy się łudzić, ale nie zmienimy tego, więc pożegnajmy się tu i teraz. Nie potrafię w tej chwili z tym się uporać i nie umiem być z kimś, komu nie ufam. — W jej oczach zabłysły łzy. — A tobie nie ufam, Will. Musisz iść.

Nie mógł ruszyć się z miejsca, nie mógł wydobyć głosu.

— Idź już! — wykrzyknęła i pobiegła do domu.

*

Tego wieczoru, swojego ostatniego wieczoru w Wrightsville Beach, Will siedział w salonie i wciąż próbował zrozumieć to wszystko, co się zdarzyło.

— Coś się stało? — zapytał go ojciec. — Byłeś trochę milczący przy kolacji.

— Nie, nic takiego — odparł.

Tom podszedł do kanapy i usiadł naprzeciwko niego.

— Denerwujesz się swoim jutrzejszym wyjazdem?

Will pokręcił przecząco głową.

— Nie.

— Spakowałeś się już?

Kiwnął głową i poczuł, że ojciec mu się przygląda.

— Co się dzieje? Wiesz, że możesz ze mną porozmawiać. — Pochylił się do przodu.

Will zastanowił się, zanim odpowiedział, nagle wytrącony z równowagi. W końcu spojrzał ojcu w oczy.

— Gdybym poprosił cię o coś ważnego dla mnie, zrobiłbyś to? Bez zadawania pytań?

Tom opadł na oparcie, wciąż patrząc na niego w milczeniu. Will wiedział, jaka będzie odpowiedź.

33

Ronnie

— Naprawdę skończyłeś witraż?

Patrzyła na tatę, gdy rozmawiał z Jonah w pokoju szpitalnym. Wyglądał lepiej. Wciąż wydawał się zmęczony, ale nie był już taki blady i poruszał się z mniejszym wysiłkiem.

— Jest fantastyczny — oznajmił Jonah. — Nie mogę się doczekać, kiedy go zobaczysz.

— Ale przecież zostało jeszcze tyle elementów do wstawienia.

— Ronnie i Will trochę mi pomogli — przyznał Jonah.

— Tak?

— Musiałem im pokazać, jak to się robi. Nie mieli bladego pojęcia. Ale nie martw się, nie traciłem cierpliwości, gdy robili coś nie tak.

Tata się uśmiechnął.

— Dobrze to słyszeć.

— Uhm, jestem całkiem dobrym nauczycielem.

— Nie mam co do tego wątpliwości.

Jonah zmarszczył nos.

— Śmiesznie tu pachnie, no nie?

— Trochę.

Chłopiec pokiwał głową.

— Tak mi się wydawało. — Wskazał telewizor. — Oglądasz filmy?

Tata zaprzeczył.

— Nie za wiele.

— A to do czego? — Jonah wskazał kroplówkę.

— Zawiera lekarstwo.

— Pomaga ci?

— Tak, już lepiej się czuję.

— Więc wrócisz do domu?

— Niedługo.

— Dziś?

— Może jutro. Ale wiesz, co dobrze by mi zrobiło?

— Co takiego?

— Coś do picia. Pamiętasz, gdzie jest stołówka? Trzeba pójść korytarzem i skręcić.

— Wiem. Nie jestem małym dzieckiem. Co ma być?

— Sprite albo seven-up.

— Tylko nie mam pieniędzy.

Gdy tata spojrzał na Ronnie, zorientowała się, że ma sięgnąć do kieszeni.

— Zaraz ci dam — odezwała się.

Wyjęła tyle, ile według niej potrzebował, i wręczyła mu, a on ruszył do drzwi. Gdy wyszedł, poczuła, że ojciec na nią patrzy.

— Dziś rano dzwoniła adwokatka. Przełożyli rozprawę na koniec października.

Ronnie spojrzała w okno.

— Nie chcę teraz o tym myśleć.

— Przykro mi. — Milczał przez chwilę i czuła jego wzrok na sobie. — Jak naprawdę miewa się Jonah? — zapytał.

381

Ronnie lekko wzruszyła ramionami.

— Jest zagubiony. Zdezorientowany. Przestraszony. Ledwie się trzyma.

Jak ja, miała ochotę dodać.

Ruchem ręki dał znak, żeby podeszła do niego. Zajęła miejsce na krześle, na którym siedział Jonah. Ojciec wziął ją za rękę i uścisnął.

— Przepraszam. Zabrakło mi sił i musieli wziąć mnie do szpitala. Nie chciałem, żebyście oglądali mnie w takim stanie.

Gdy mówił, zaczęła kręcić głową.

— Nigdy nie przepraszaj za coś takiego.

— Ale...

— Żadnych „ale", dobra? Musiałam się kiedyś dowiedzieć. I cieszę się, że już wiem.

Przyjął to do wiadomości. A potem ją zaskoczył.

— Chcesz porozmawiać o tym, co zaszło z Willem?

— Skąd to pytanie? — zdziwiła się.

— Bo cię znam. Bo wiem, kiedy coś cię gnębi. I wiem też, jak wiele Will dla ciebie znaczy.

Ronnie wyprostowała się na krześle. Nie chciała go okłamywać.

— Will wrócił do domu, żeby się spakować — wyjaśniła.

Przyjrzał się jej.

— Mówiłem ci, że mój ojciec grał w pokera?

— Uhm, mówiłeś. Dlaczego teraz ci się to przypomniało? Chcesz zagrać?

— Nie. Tylko wiem, że między tobą a Willem coś się wydarzyło, ale jeśli nie chcesz o tym rozmawiać, to trudno.

Ronnie się zawahała. Wiedziała, że by zrozumiał, ale nie była jeszcze gotowa do rozmowy o tym.

— Jak powiedziałam, Will wyjeżdża — zakończyła.

Ojciec kiwnął głową i nie drążył dalej tego tematu.

— Wyglądasz na zmęczoną — zauważył. — Powinnaś wrócić do domu i przespać się trochę.

— Tak zrobię. Ale chcę jeszcze posiedzieć przy tobie.

Pogładził ją po ręce.

— Dobrze.

Spojrzała na kroplówkę, o którą pytał Jonah. Ale w przeciwieństwie do brata wiedziała, że to nie lekarstwo, które pomoże ojcu.

— Boli cię? — zapytała.

Przez chwilę nie odpowiadał.

— Nie. Nie za bardzo.

— Ale bolało?

Pokręcił głową.

— Kochanie...

— Chcę wiedzieć. Czy cię bolało, zanim tu przyjechałeś? Powiedz mi prawdę, dobrze?

Podrapał się po piersi, zanim odpowiedział.

— Tak.

— Jak długo?

— Nie wiem, o co ci chodzi...

— Chcę wiedzieć, kiedy zaczęło boleć. — Ronnie oparła się o barierkę przy łóżku. Próbowała spojrzeć mu w oczy.

Znowu pokręcił głową.

— To nieważne. Czuję się lepiej. A lekarze wiedzą, co robić, żeby mi pomóc.

— Proszę. Kiedy zaczęło cię boleć?

Opuścił wzrok na ich ręce, które leżały splecione na łóżku.

— Nie pamiętam. Może w marcu albo w kwietniu. Ale nie bolało codziennie...

— A wcześniej? — ciągnęła, zdeterminowana, żeby dowiedzieć się prawdy. — Co wtedy robiłeś?

— Wcześniej nie było tak źle — odpowiedział wymijająco.

— Ale bolało, tak?

— Tak.

— I co robiłeś?

— Nie wiem — zaprotestował. — Starałem się o tym nie myśleć. Skupiałem się na czymś innym.

Czuła, że ma napięte mięśnie ramion i karku. Nie chciała znać odpowiedzi, ale musiała dowiedzieć się prawdy.

— Na czym się skupiałeś?

Wolną ręką wygładził fałdę na kołdrze.

— Dlaczego to ma dla ciebie takie znaczenie?

— Bo chcę wiedzieć, czy skupiałeś się na czymś innym dzięki muzyce, którą grałeś.

Gdy tylko to powiedziała, domyśliła się, że miała rację.

— Widziałam, jak grałeś tamtego wieczoru w kościele, wtedy gdy dopadł cię kaszel. Jonah też mówił, że wymykałeś się tam, od kiedy przywieziono fortepian.

— Kochanie...

— Pamiętasz, jak powiedziałeś, że gdy grasz, czujesz się lepiej?

Pokiwał głową. Wiedział, do czego zmierza Ronnie, i nie chciał odpowiedzieć. Ale ona się uparła.

— Chodziło ci o to, że gdy grasz, nie czujesz aż takiego bólu? Proszę, powiedz mi prawdę. Zorientuję się, jeśli skłamiesz. — Ronnie nie zamierzała dać się zbyć, nie tym razem.

Przymknął oczy na moment, a potem spojrzał na nią.

— Tak.

— Ale mimo to zbudowałeś tę ściankę, żeby ukryć fortepian?

— Tak — potwierdził znowu.

Wtedy poczuła, że zupełnie traci panowanie nad sobą. Zaczęły drżeć jej usta i opuściła głowę na pierś taty.

On ją pogłaskał.

— Nie płacz. Proszę, nie płacz...

Nie mogła się powstrzymać. Wspomnienie tego, jak się zachowywała, i świadomość, przez co musiał przechodzić, pozbawiły ją resztek sił.

— Och, tatusiu...

— Nie, maleńka... proszę, nie płacz. Nie było tak źle. Myślałem, że sobie poradzę, i chyba sobie radziłem. Do zeszłego tygodnia czy coś takiego... — Przesunął palcem po jej brodzie, a kiedy spojrzała mu w oczy, to, co zobaczyła, niemal złamało jej serce. Musiała opuścić wzrok. — Radziłem sobie — powtórzył i z tonu jego głosu zrozumiała, że mówił prawdę. — Nie kłamię. Bolało mnie, ale nie myślałem o tym, bo miałem inne sprawy. Pracowałem z Jonah nad witrażem, cieszyłem się takim latem, o jakim marzyłem, gdy prosiłem waszą mamę, żebyście do mnie przyjechali.

Jego słowa sprawiły jej ból, nie mogła znieść zwłaszcza tej wyrozumiałości.

— Przepraszam, tato...

— Spójrz na mnie — poprosił, ale nie mogła. Myślała tylko o tym, jak bardzo brakowało mu fortepianu i że to przez nią nie mógł na nim grać. Bo była skupiona wyłącznie na sobie. Bo chciała mu dokuczyć. Bo nic jej nie obchodziło. — Spójrz na mnie — ponowił prośbę. Mówił łagodnym, ale stanowczym głosem. Niechętnie uniosła głowę. — Przeżyłem najwspanialsze lato w życiu — wyszeptał. — Patrzyłem, jak ratujesz żółwie, byłem świadkiem, jak się zakochujesz, nawet jeśli to nie mogło trwać wiecznie. A przede wszystkim poznałem cię jako młodą kobietę, już nie dziewczynkę. I nie potrafię wyrazić, ile mi to sprawiło radości. Dzięki temu przetrwałem to lato.

Wiedziała, że mówił szczerze, i poczuła się jeszcze gorzej. Już miała odpowiedzieć, gdy wpadł Jonah.

— Zobacz, kogo znalazłem! — zawołał, machając puszką sprite'a.

Uniosła głowę i zobaczyła, że za Jonah stoi mama, która rzuciła do ojca:

— Cześć, kochanie.

Ronnie odwróciła się i spojrzała na niego.

Wzruszył ramionami.

— Musiałem do niej zadzwonić — wyjaśnił.

— Dobrze się czujesz? — zapytała mama.

— Dobrze — odparł.

Potraktowała to jak zaproszenie i weszła do pokoju.

— Myślę, że wszyscy musimy porozmawiać — oświadczyła.

*

Następnego rana Ronnie podjęła decyzję i czekała w swoim pokoju, gdy weszła mama.

— Spakowałaś się już? — usłyszała jej pytanie.

Popatrzyła na nią spokojnie, ale z determinacją.

— Nie wracam z wami do Nowego Jorku.

Mama oparła ręce na biodrach.

— Myślała, że już o tym rozmawiałyśmy.

— Nie. Ty rozmawiałaś — sprostowała. — Ale nie jadę z wami.

Mama zignorowała tę uwagę.

— Nie bądź śmieszna. Oczywiście, że jedziesz z nami do domu.

— Nie wracam do Nowego Jorku. — Ronnie złożyła ręce na piersiach, lecz nie podniosła głosu.

— Ronnie...

Pokręciła głową, świadoma, że nigdy w życiu nie mówiła poważniej.

— Zostaję i nie będę o tym dyskutować. Mam już osiemnaście lat i nie zmusisz mnie, żebym wróciła z wami. Jestem dorosła i mogę robić, co chcę.

Pragnąc zrozumieć jej słowa, mama niepewnie przestąpiła z nogi na nogę.

— To... — powiedziała w końcu, wskazując salon i próbując przemówić jej do rozsądku. — To nie jest twoja sprawa.

Ronnie zrobiła krok w jej stronę.

— Nie? To czyja? A kto się nim zajmie?

— Twój tata i ja zastanawialiśmy się nad tym...

— Och, masz na myśli pastora Harrisa? — zapytała Ronnie. — Uhm, jakby mógł coś zrobić, gdy tata upadnie albo znowu zacznie pluć krwią. Pastor fizycznie się do tego nie nadaje.

— Ronnie... — matka żaczęła znowu.

Dziewczyna wyrzuciła w górę ręce z frustracją i zdeterminowaniem.

— To, że ty wciąż jesteś na niego wściekła, nie znaczy, że i ja mam być, rozumiesz? Wiem, co zrobił, i przykro mi, że cię zranił, ale to mój tata. Jest chory i potrzebuje mojej pomocy. Więc zamierzam zostać tu z nim. Nie obchodzi mnie, że miał romans, że nas porzucił. Obchodzi mnie on sam.

Po raz pierwszy jej mama wydawała się naprawdę zbita z tropu. Zapytała łagodniejszym tonem:

— Co dokładnie powiedział ci tata?

Ronnie już miała zaprotestować, że to bez znaczenia, ale coś ją powstrzymało. Mama miała dziwny wyraz twarzy, jakby... pełen winy. Jakby... jakby...

Przyjrzała się jej i nagle zrozumiała.

— To nie tata miał romans, prawda? — zapytała powoli. — Tylko ty.

Mama nie drgnęła, ale wyglądała na poruszoną.

387

To spostrzeżenie uderzyło Ronnie z niemal fizyczną siłą. To mama miała romans, nie tata. I...

W pokoju jakby zabrakło powietrza, gdy nagle wszystko stało się jasne.

— To dlatego odszedł, prawda? Bo się dowiedział. Ale ty nie wyprowadzałaś mnie z przekonania, że to wyłącznie jego wina, że odszedł bez powodu. Mówił, że to przez niego, choć to wszystko było przez ciebie. Jak mogłaś? — Ronnie ledwie była w stanie złapać dech.

Mamie jakby odebrało mowę i Ronnie zaczęła się zastanawiać, czy w ogóle ją zna.

— Czy to był Brian? — zapytała nagle. — Zdradziłaś tatę z Brianem?

Mama wciąż milczała i Ronnie znowu doszła do wniosku, że jej domysły są słuszne.

Matka pozwoliła jej wierzyć, że ojciec opuścił ich bez powodu. I dlatego nie odzywałam się do niego przez trzy lata...

— Wiesz co? — warknęła. — Nie interesuje mnie to. Nie interesuje mnie, co zdarzyło się między wami dwojgiem, co zdarzyło się w przeszłości. Nie opuszczę taty i możesz mnie...

— Kto kogo nie opuści? — włączył się Jonah. Właśnie wszedł do pokoju ze szklanką mleka i przeniósł spojrzenie z matki na Ronnie. Usłyszała strach w jego głosie. — Zostajesz tutaj? — zapytał.

Ronnie próbowała opanować gniew na matkę i odpowiedziała dopiero po chwili:

— Uhm. — Miała nadzieję, że brzmiało to spokojniej, niż się czuła. — Zostaję.

Brat postawił szklankę mleka na komodzie.

— To ja też — oznajmił.

Mama nagle wydała się bezradna i choć Ronnie wciąż czuła do niej złość, nie mogła pozwolić, żeby Jonah był świadkiem śmierci ojca. Przeszła przez pokój i ukucnęła przy bracie.

— Wiem, że chciałbyś zostać, ale nie możesz — powiedziała łagodnie.

— Dlaczego nie? Ty zostajesz.

— Ja nie muszę chodzić do szkoły.

— I co z tego? Mógłbym chodzić do szkoły tutaj. Tata i ja rozmawialiśmy o tym.

Mama podeszła do nich.

— Jonah...

Chłopiec nagle cofnął się i Ronnie słyszała, że w jego głosie wzbiera histeria, gdy uświadomił sobie, że nie znajdzie wsparcia.

— Mam gdzieś szkołę! To niesprawiedliwe! Chcę tu zostać!

34
Steve

Chciał jej zrobić niespodziankę. W każdym razie tak zamierzał.

Występował w Albany; następny koncert miał w Richmond za dwa dni. Zwykle nie przyjeżdżał do domu podczas trasy; łatwiej mu było zachować rytm, gdy bezpośrednio jeździł od miasta do miasta. Ponieważ jednak miał trochę czasu i nie widział się z rodziną od dwóch tygodni, wsiadł do pociągu i przyjechał do Nowego Jorku w porze lunchu, gdy z biur w wieżowcach wypłynął tłum w poszukiwaniu czegoś do jedzenia.

To był czysty zbieg okoliczności, że w ogóle ją zobaczył. Nawet teraz prawdopodobieństwo wydawało się tak małe, że prawie nieistniejące. Nowy Jork to milionowe miasto, Steve był w pobliżu Penn Station i przechodził obok prawie już pełnej restauracji.

Gdy ją zobaczył, najpierw pomyślał, że to kobieta bardzo podobna do jego żony. Siedziała przy małym stoliku pod ścianą, naprzeciwko siwowłosego mężczyzny, kilka lat starszego od niej. Miała na sobie czarną spódnicę i czerwoną jedwabną bluzkę, przesuwała palcem po brzegu kieliszka. Dostrzegł to wszystko i spojrzał jeszcze raz, żeby się upewnić. Zdał sobie sprawę, że to była Kim: jadła lunch z mężczyzną, którego widział po raz pierwszy. Patrzył przez okno, jak się śmiała, i uświadomił sobie, że znał ten śmiech. Pamiętał go z dawnych czasów, gdy lepiej się między nimi układało. Wstała od stolika, mężczyzna też się podniósł i położył dłoń na jej plecach. Był to czuły gest, niemal familiarny, jakby wykonywał go już setki razy. Pewnie lubiła jego dotyk, pomyślał Steve, patrząc, jak mężczyzna całuję jego żonę w usta.

Nie bardzo wiedział, jak się zachować, ale teraz, gdy widział to z perspektywy czasu, nie pamiętał, żeby czuł coś szczególnego. Zdawał sobie sprawę, że oboje z Kim oddalili się od siebie, że kłócą się zbyt często. Przypuszczał, że większość mężczyzn na jego miejscu wkroczyłaby do środka i doprowadziła do konfrontacji. Może nawet urządziłaby scenę. Ale on nie był jak inni. Przełożył więc do drugiej ręki małą torbę, którą spakował poprzedniego wieczoru, odwrócił się i ruszył z powrotem w stronę Penn Station.

Dwie godziny później złapał pociąg i późnym wieczorem przyjechał do Richmond. Jak zwykle z telefonu komórkowego zadzwonił do żony, która odebrała po drugim sygnale. Gdy powiedziała „halo", usłyszał w tle dźwięk z telewizora.

— W końcu, co? — zapytała. — Właśnie się zastanawiałam, kiedy zadzwonisz.

Siedząc na łóżku, wyobraził sobie dłoń nieznajomego na jej plecach.

— Dopiero przyjechałem — wyjaśnił.

— Zdarzyło się coś ciekawego?

Znajdował się w tanim hotelu i kapa strzępiła się trochę na brzegach. Pod oknem stał klimatyzator, który szumiał, wprawiając w ruch zasłony. Steve widział warstewkę kurzu na telewizorze.

— Nie — odparł. — Zupełnie nic.

*

Przypomniał sobie te obrazy w pokoju szpitalnym z zaskakującą wyrazistością. Pewnie dlatego, że niebawem miała przyjechać Kim — razem z Ronnie i Jonah.

Ronnie zadzwoniła do niego wcześniej i powiedziała, że nie wraca do Nowego Jorku. Wiedział, że nie będzie łatwo. Pamiętał skurczoną, wychudzoną postać swojego ojca i nie chciał, żeby jego córka widziała go w takim stanie. Ale podjęła decyzję i zdawał sobie sprawę, że nie uda mu się nakłonić jej do zmiany zdania. Choć się bał.

Wszystko to napawało go lękiem.

*

W ostatnich paru tygodniach modlił się regularnie. A przynajmniej tak to kiedyś określił pastor Harris. Nie składał rąk przed sobą ani nie pochylał głowy; nie prosił o wyzdrowienie. Natomiast dzielił się z Bogiem troskami dotyczącymi dzieci.

Przypuszczał, że tak samo martwi się o dzieci większość rodziców. Były jeszcze młode, miały przed sobą całe życie i zastanawiał się, jak potoczą się ich losy. Pytał Boga, czy będą szczęśliwe, czy pozostaną w Nowym Jorku, czy zwiążą się z kimś i będą miały dzieci. Podstawowe sprawy, nic więcej, ale właśnie wtedy, w tej chwili, w końcu zrozumiał, co pastor Harris miał na myśli, mówiąc, że spaceruje i rozmawia z Bogiem.

Jednakże, w przeciwieństwie do pastora, jeszcze nie usłyszał odpowiedzi Boga ani nie dostrzegł Jego obecności w swoim życiu, a wiedział, że nie pozostało mu wiele czasu.

*

Spojrzał na zegar. Samolot Kim odlatywał za niecałe trzy godziny. Miała pojechać ze szpitala prosto na lotnisko razem z synkiem; i myśl o rozstaniu go przerażała.

Wiedział, że za chwilę przytuli syna po raz ostatni; tego dnia pożegna się z nim na zawsze.

*

Jonah rozpłakał się, gdy tylko wpadł do pokoju. Podbiegł prosto do łóżka. Steve rozłożył ramiona i chłopiec rzucił się w nie. Jego małe ramionka drżały i Steve czuł, że pęka mu serce. Skupił się na doznaniu, jakim była fizyczna bliskość synka, starając się je zapamiętać.

Bardzo kochał swoje dzieci, a poza tym zdawał sobie sprawę, że Jonah go potrzebuje, i kolejny raz uderzyła go myśl, że zawodzi jako ojciec.

Jonah wciąż płakał niepocieszenie. Steve mocno przytulił synka, nie chciał wypuścić go z ramion. Ronnie i Kim stały w drzwiach, trzymały się z daleka.

— Chcą mnie odesłać do domu, tato — łkał Jonah. — Mówiłem im, że mógłbym zostać z tobą, ale nie słuchają. Byłbym grzeczny, tato. Obiecuję. Kładłbym się spać, kiedy byś mi kazał, sprzątałbym pokój i nie jadłbym ciastek w niedozwolonych porach. Powiedz im, że mogę zostać. Obiecuję, że będę grzeczny.

— Wiem, że byłbyś — mruknął Steve. — Zawsze byłeś.

— No to powiedz im, tato! Powiedz mamie, że chcesz, abym został! Proszę! Powiedz im!

— Chciałbym, żebyś został — zapewnił go, cierpiąc podwójnie, za siebie i za syna. — Chciałbym tego bardziej niż czegokolwiek, ale mama też cię potrzebuje. Stęskniła się za tobą.

Jeśli Jonah miał jeszcze jakąś nadzieję, to teraz ją stracił i znowu się rozpłakał.

— Ale już nigdy cię nie zobaczę... to niesprawiedliwe! To po prostu niesprawiedliwe!

Steve próbował przemówić do niego mimo ściśniętego gardła.

— Hej — zaczął. — Posłuchaj mnie, dobrze? Możesz to dla mnie zrobić?

Jonah zmusił się, żeby unieść wzrok. Steve zdawał sobie sprawę, że mimo wielkiego wysiłku z trudem dobywa słowa. Za nic jednak nie chciał załamać się przy synku.

— Chcę, żebyś coś wiedział: jesteś najlepszym synem, jakiego ojciec może sobie życzyć. Zawsze byłem z ciebie bardzo dumny, wiem, że dorośniesz i dokonasz wspaniałych rzeczy. Bardzo cię kocham.

— Ja też cię kocham, tatusiu. I strasznie będzie mi cię brakowało.

Kątem oka Steve widział Ronnie i Kim; po policzkach płynęły im łzy.

— Mnie też będzie cię brakowało. Ale zawsze będę nad tobą czuwał. Obiecuję. Pamiętasz witraż, który razem zrobiliśmy?

Jonah kiwnął głową, ale drżała mu bródka.

— Nazwałem go Bożym Światłem, bo przypomina mi niebo. Za każdym razem, gdy przez to okno albo każde inne wpadnie światło, będziesz wiedział, że jestem przy tobie, dobrze? To będę ja. Będę światłem, które wpada przez okno.

Chłopiec pokiwał głową; nie próbował już nawet ocierać łez. Steve trzymał go w objęciach, żałując z całego serca, że nie udało mu się urządzić tego lepiej.

35

Ronnie

Ronnie wyszła ze szpitala z mamą i bratem, żeby ich odprowadzić. Chciała też porozmawiać z mamą na osobności i poprosić, żeby zrobiła coś dla niej po przylocie do Nowego Jorku. Potem wróciła do ojca i siedziała przy nim, czekając, aż zaśnie. Przez długi czas milczał i tylko patrzył przez okno. Trzymała go za rękę i siedzieli razem w ciszy, przyglądając się chmurom, które przepływały wolno za szybą.

Miała ochotę rozprostować nogi i odetchnąć świeżym powietrzem; pożegnanie taty z Jonah osłabiło ją i wytrąciło z równowagi. Nie chciała wyobrażać sobie brata w samolocie lub wchodzącego do mieszkania; nie chciała się zastanawiać, czy wciąż płacze.

Szła chodnikiem przed szpitalem pogrążona w myślach. Nagle usłyszała chrząknięcie. Na ławce siedział mężczyzna; mimo upału miał na sobie tę samą koszulę z długimi rękawami co zwykle.

— Cześć, Ronnie — powiedział pastor Harris.

— O, dzień dobry.

— Przyszedłem odwiedzić twojego ojca.

— Śpi teraz — wyjaśniła. — Ale może pastor iść na górę.

Postukał laską, żeby zyskać trochę czasu.

— Współczuję ci w nieszczęściu, które cię spotkało, Ronnie.

Skinęła głową; trudno jej było się skoncentrować. Nawet taka zwykła rozmowa przekraczała jej siły.

Ale nie wiadomo dlaczego nagle odniosła wrażenie, że on czuje podobnie.

— Pomodlisz się ze mną? — W jego niebieskich oczach była prośba. — Chciałbym się pomodlić, zanim pójdę do twojego taty. To mi... pomaga.

Zaskoczenie ustąpiło miejsca niespodziewanej uldze.

— Bardzo chętnie — odpowiedziała.

*

Potem modliła się już regularnie i odkryła, że pastor Harris miał rację.

Nie żeby wierzyła w wyzdrowienie taty. Rozmawiała z lekarzem, który pokazał jej zdjęcia; po tej rozmowie poszła na plażę i płakała przez godzinę, a wiatr suszył jej łzy.

Nie wierzyła w cuda. Wiedziała, że niektórzy w nie wierzą, ale nie potrafiła wmówić sobie, że tacie jakoś uda się z tego wyjść. Nie po tym, co zobaczyła, nie po wyjaśnieniach lekarza. Jak się dowiedziała, doszło do przerzutów z żołądka na trzustkę i płuca i wszelkie złudzenia były... wręcz niebezpieczne. Nie wyobrażała sobie, że miałaby po raz drugi zmierzyć się z tym, co działo się z ojcem. Już było jej dostatecznie ciężko, zwłaszcza wieczorami i w nocy, gdy w domu panowała cisza i Ronnie zostawała sama ze swoimi myślami.

Modliła się natomiast o siłę, której potrzebowała do opieki nad ojcem; modliła się o pogodę ducha w jego obecności, o to, żeby nie płakać na jego widok. Wiedziała, że ojciec chce ją widzieć roześmianą, taką, jaka była jeszcze niedawno.

Po odebraniu go ze szpitala najpierw pokazała mu witraż. Patrzyła, jak powoli podszedł do stołu, z miną pełną zdziwienia i niedowierzania objął wzrokiem całość. Wiedziała, że były takie chwile, gdy zastanawiał się, czy pożyje dostatecznie długo, aby go zobaczyć. Bardziej niż czegokolwiek pragnęła, żeby Jonah był tu z nimi, i miała świadomość, że tata myśli o tym samym. To było ich wspólne dzieło, poświęcili mu całe lato. Tata bardzo, bardzo tęsknił za Jonah i chociaż odwrócił się od niej, żeby ukryć twarz, wiedziała, że miał łzy w oczach, gdy ruszył do domu.

Zadzwonił do synka, gdy tylko wrócił do salonu. Słyszała, jak zapewniał, że czuje się lepiej, i chociaż Jonah pewnie zrozumiał to inaczej, jej zdaniem postąpił słusznie. Chciał, żeby Jonah zapamiętał wesołe chwile tego lata, a nie zastanawiał się, co będzie dalej.

Tego wieczoru, usiadłszy na kanapie, otworzył Biblię i zaczął czytać. Ronnie rozumiała teraz powody. Usiadła obok niego i zadała mu pytanie, które chodziło jej po głowie, odkąd sama ją przejrzała.

— Masz jakiś ulubiony fragment?

— Wiele — odparł. — Zawsze lubiłem psalmy. I zawsze dużo dawały mi listy świętego Pawła.

— Ale niczego nie zaznaczyłeś — powiedziała. Kiedy uniósł brew, wzruszyła ramionami. — Przerzucałam ją, gdy cię nie było, i nic nie zauważyłam.

Zastanowił się nad odpowiedzią.

— Gdybym chciał podkreślać ważne rzeczy, pewnie skończyłoby się na tym, że podkreśliłbym wszystko. Czytałem Biblię tyle razy i zawsze odnajdywałem coś nowego.

Przyjrzała mu się uważnie.

— Nie przypominam sobie, żebyś wcześniej ją czytał...

— Dlatego, że byłaś mała. Trzymałem Biblię przy łóżku i raz czy dwa razy w tygodniu czytywałem fragmenty. Zapytaj mamę. Powie ci.

— Przeczytałeś ostatnio coś, o czym chciałbyś opowiedzieć?

— A ty chciałabyś, żebym opowiedział?

Przytaknęła ruchem głowy i po minucie odnalazł fragment, którego szukał.

— To List do Galatów, rozdział piąty, wiersz dwudziesty drugi — wyjaśnił, rozkładając Biblię na kolanach. — Odchrząknął i zaczął czytać: — „Owocem zaś Ducha jest: miłość, radość, pokój, cierpliwość, uprzejmość, dobroć, wierność, łagodność, opanowanie..." *.

Patrzyła na niego, gdy czytał; przypomniała sobie, jak się zachowywała po przyjeździe i jak reagował na jej gniew. Przypomniała sobie te momenty, kiedy nie chciał kłócić się z jej matką, nawet gdy próbowała go prowokować. Ronnie widziała w tym słabość ojca i często żałowała, że nie jest inny. Ale teraz w jednej chwili pojęła, że myliła się we wszystkim.

Uświadomiła sobie, że ojciec nigdy nie był sam. Od początku jego życiem kierował Duch Święty.

*

Następnego dnia przyszła paczka z Nowego Jorku i Ronnie wiedziała, że mama spełniła jej prośbę. Zaniosła dużą kopertę do kuchni, rozdarła ją u góry, a potem wysypała jej zawartość na stół.

---

* Pismo Święte Starego i Nowego Testamentu, Biblia Tysiąclecia, Wydawnictwo Pallottinum, Poznań—Warszawa 2002.

Dziewiętnaście listów, wszystkie od taty, nieotwarte i zignorowane. Zauważyła z tyłu różne adresy zwrotne: Bloomington, Tulsa, Little Rock...

Nie mogła uwierzyć, że żadnego z tych listów nie przeczytała. Czy naprawdę była taka wściekła? Rozgoryczona? Taka... podła? Patrząc wstecz, znała odpowiedź, ale nie potrafiła dopatrzeć się w niej sensu.

Przerzucając listy, odnalazła pierwszy, który wysłał. Jak większość pozostałych napisany był czarnym atramentem, znaczek lekko już wyblakł. Ojciec stał za oknem, zwrócony twarzą do oceanu: jak pastor Harris mimo letnich upałów nosił teraz koszule z długimi rękawami.

Zaczerpnąwszy głęboko powietrza, otworzyła list i w świetle wpadającym do kuchni zaczęła go czytać.

Droga Ronnie!

Nie wiem nawet, jak zacząć taki list, poza tym, że chciałbym Cię przeprosić.

Dlatego prosiłem, żebyś spotkała się ze mną w kawiarni, i to właśnie zamierzałem Ci powiedzieć, gdy zadzwoniłem tamtego dnia wieczorem. Rozumiem, dlaczego nie przyszłaś i nie odebrałaś telefonu. Jesteś zła, zawiodłaś się na mnie i masz do mnie żal, że odszedłem. Że porzuciłem Ciebie i resztę rodziny.

Nie przeczę, że wszystko będzie inaczej, ale chciałbym, abyś wiedziała, że na Twoim miejscu pewnie czułbym to samo. Masz wszelkie prawo gniewać się na mnie. Masz wszelkie prawo być mną rozczarowana. Chyba zasłużyłem na to i nie zamierzam się tłumaczyć, zrzucać winy na nikogo ani przekonywać Cię, że kiedyś mnie zrozumiesz.

Bo może nie zrozumiesz i to byłoby dla mnie boleśniejsze, niż potrafisz sobie wyobrazić. Ty i Jonah zawsze tak wiele dla mnie znaczyliście i pragnę, abyście uwierzyli, że żadne z Was za nic nie ponosi winy. Czasami, z jakichś niejasnych powodów, małżeństwa się rozpadają. Ale pamiętaj jedno: zawsze będę kochał Ciebie i Jonah. Zawsze też będę kochał i szanował Waszą matkę. Dostałem od niej dwa najcudniejsze prezenty w życiu i myślę, że jest wspaniałą mamą. Mimo smutku, jakim napawa mnie to, że nie będziemy już razem, wciąż uważam, że pod wieloma względami małżeństwo z nią było dla mnie błogosławieństwem.

Zdaję sobie sprawę, że to niewiele i z pewnością nie wystarczy, żebyś zrozumiała, ale musisz wiedzieć, że wciąż wierzę w dar, jakim jest miłość. Pragnę, abyś i Ty w nią wierzyła. Zasługujesz na nią, bo nie można znaleźć w życiu większego spełnienia.

Mam nadzieję, że wybaczysz mi odejście. Nie musi to być teraz ani nawet w najbliższym czasie. Ale chcę, żebyś wiedziała: gdy do tego dojrzejesz, będę czekał z otwartymi ramionami i będzie to najpiękniejszy dzień mojego życia.

Kocham Cię,

Tata

*

— Mam poczucie, że powinnam zrobić dla niego coś więcej — wyznała Ronnie.

Siedziała na tylnym ganku naprzeciwko pastora Harrisa. Tata spał w środku, a pastor wpadł z półmiskiem wegetariańskiej lasagne, którą przyrządziła jego żona. Była połowa września i w ciągu dnia wciąż panował upał, choć niedawno zdarzył się wieczór, który zapowiadał jesienne chłody. Ale na tym się skończyło; rano słońce znowu przygrzało i idąc plażą, Ronnie zaczęła się zastanawiać, czy poprzedni wieczór nie był przywidzeniem.

— Robisz, co się da — zapewnił ją. — Nie wiem, co jeszcze byś mogła.

— Nie mówię o opiece nad nim. Na razie to nie jest mu specjalnie potrzebne. Upiera się, że będzie gotował, chodzimy na spacery po plaży. Wczoraj nawet puszczaliśmy latawca. Gdyby nie leki przeciwbólowe, które go osłabiają, byłby mniej więcej w takiej samej formie jak przed pobytem w szpitalu. Tylko że...

W oczach pastora malowało się zrozumienie.

— Chciałabyś zrobić coś szczególnego. Coś, co by dużo dla niego znaczyło.

Pokiwała głową zadowolona z jego obecności. W ostatnich tygodniach pastor Harris stał się nie tylko jej przyjacielem, ale także jedyną osobą, z którą mogła szczerze porozmawiać.

— Wierzę, że Bóg ci podpowie. Ale musisz zdawać sobie sprawę, że niekiedy trzeba czasu, aby zrozumieć, czego od nas oczekuje. Tak często bywa. Zwykle głos Boga to zaledwie szept i musisz bardzo uważnie słuchać, aby go pochwycić. Innym razem jednak podpowiedź jest oczywista i rozlega się głośno jak dzwon kościelny.

Uśmiechnęła się, myśląc, że polubiła te ich rozmowy.

— Wydaje mi się, że mówi pastor na podstawie własnego doświadczenia.

— Ja też kocham twojego ojca. I jak ty chciałbym zrobić dla niego coś specjalnego.

— I Bóg pastorowi odpowiedział?

— Bóg zawsze odpowiada.

— A tym razem odpowiedział szeptem czy głośno jak dzwon kościelny?

Po raz pierwszy od jakiegoś czasu dostrzegła w jego oczach ślad rozbawienia.

— Oczywiście, że głośno jak dzwon kościelny. Bóg wie, że ostatnio niedosłyszę.

— I co pastor zamierza?

Wyprostował się na krześle.

— Zamierzam zainstalować witraż w kościele — oznajmił. — W zeszłym tygodniu nie wiadomo skąd zjawił się ofiarodawca, który nie tylko wyraził chęć sfinansowania reszty budowy, ale też dostarczył całą ekipę wykonawców. Zaczynają prace od jutra rana.

*

W następnych dniach Ronnie nasłuchiwała dzwonów kościelnych, lecz dochodził do niej jedynie krzyk mew. Kiedy próbowała pochwycić szept, nie słyszała nic. To jej szczególnie nie zaskoczyło; pastor Harris też nie od razu dostał odpowiedź — ale miała nadzieję, że uzyska ją, zanim będzie za późno.

Zajmowała się tym co zwykle. Pomagała ojcu, gdy potrzebował pomocy, nie pomagała, gdy nie potrzebował, i starała się spędzać z nim jak najwięcej czasu. W ostatni weekend, ponieważ poczuł się lepiej, pojechali do Orton Plantation Gardens pod Southport, niedaleko Wilmington. Ronnie nigdy tam nie była, ale gdy zajechali żwirową drogą pod dom zbudowany w tysiąc siedemset trzydziestym piątym roku, już wiedziała, że to będzie pamiętny dzień. Znaleźli się w miejscu, które sprawiało wrażenie zagubionego w czasie. Kwiaty już przekwitły, lecz gdy szli między wielkimi dębami o niskich gałęziach porośniętych hiszpańskim mchem, Ronnie pomyślała, że nie zna piękniejszej scenerii.

Spacerując pod drzewami, ujęci pod ramię, rozmawiali o lecie. Po raz pierwszy Ronnie opowiedziała ojcu o związku z Willem; o tym, jak zabierał ją na ryby i na rajdy po błocie, jak skoczył do basenu z dachu przebieralni, jaką katastrofą zakończyło się wesele jego siostry. Nie powiedziała jednak, co stało się dzień przed wyjazdem Willa na Uniwersytet Vanderbilta ani jak się z nim pożegnała. Nie była na to jeszcze gotowa; rana wydawała się zbyt świeża. I jak zwykle, gdy mówiła, ojciec słuchał uważnie, rzadko się odzywając, nawet gdy milkła. Lubiła to w nim. Nie, poprawka, pomyślała. Uwielbiała i przychodziło jej do głowy pytanie, kim by była, gdyby nie przyjechała tu na lato.

Później pojechali do Southport i zjedli obiad w jednej z małych restauracyjek nad zatoką. Wiedziała, że tata jest już zmęczony, ale jedzenie było pyszne i na koniec wzięli wspólnie brownie z gorącym nadzieniem kajmakowym.

Był to przyjemny dzień, dzień, który miała zapamiętać. Ale siedząc samotnie w salonie, gdy tata położył się do łóżka, znowu pomyślała o tym, że mogłaby zrobić dla niego coś więcej.

*

W następnym tygodniu, trzecim tygodniu września, zauważyła, że tacie się pogarsza. Spał teraz do późna i jeszcze drzemał po południu. Choć ucinał sobie takie drzemki od dawna, stały się one dłuższe, a wieczorami wcześniej kładł się do łóżka. Gdy z braku innego zajęcia sprzątała w kuchni, uświadomiła sobie, że przesypiał ponad połowę dnia.

Potem było jeszcze gorzej. Z każdym mijającym dniem spał coraz dłużej. I prawie nic nie jadł. Grzebał widelcem w jedzeniu, udawał, że je. Wyrzucając resztki do śmieci, zauważała, że ledwie coś skubnął. Stopniowo tracił na wadze i za każdym razem, gdy na niego patrzyła, miała wrażenie, że jest coraz drobniejszy. Czasami się bała, że pewnego dnia nic z niego nie zostanie.

*

Wrzesień się skończył. Wiatry wiejące od gór we wschodniej części stanu unosiły z sobą słonawy zapach oceanu. Wciąż było gorąco, nadeszła pora huraganów, ale jak dotąd oszczędzały one wybrzeże Karoliny Północnej.

Poprzedniego dnia ojciec spał czternaście godzin. Ronnie wiedziała, że nic nie mógł na to poradzić, że jego ciało nie pozostawiało mu wyboru, ale bolała ją myśl, że tata przesypia większość czasu, który mu jeszcze pozostał. Kiedy się budził, był wyciszony, czytał Biblię albo w milczeniu szedł z Ronnie na spacer.

Zauważyła ze zdziwieniem, że coraz częściej myśli o Willu. Wciąż nosiła bransoletkę z plecionki, którą jej dał, i przesuwając palcem po skomplikowanym splocie, zastanawiała się, jakie wybrał zajęcia, z kim przechodzi po trawnikach z jednego budynku do drugiego. Była ciekawa, obok kogo siedzi w stołówce i czy myśli o niej, gdy przygotowuje się do wyjścia w piątkowe albo sobotnie wieczory. Może, przychodziło jej do głowy w najgorszych chwilach, ma już nową dziewczynę.

— Chcesz o tym porozmawiać? — zapytał ojciec któregoś dnia, gdy spacerowali plażą. Szli w stronę kościoła. Od rozpoczęcia budowy prace postępowały szybko. Ekipa była liczna: elektrycy, stolarze, murarze. Na placu znajdowało się co najmniej czterdzieści samochodów, przez budynek stale przewijali się jacyś ludzie.

— O czym? — zapytała ostrożnie.

— O Willu — odpowiedział. — O waszym zerwaniu.

Spojrzała na niego badawczo.

— Skąd wiesz, że z sobą zerwaliśmy?

Wzruszył ramionami.

— Bo w ostatnich tygodniach prawie o nim nie wspominałaś i nie rozmawiacie przez telefon. Nietrudno się domyślić, że coś się stało.

— To skomplikowana sprawa — odparła niechętnie.

Przeszli kilka kroków w milczeniu, zanim ojciec odezwał się znowu:

— Jeśli to ma dla ciebie znaczenie, uważam, że to wyjątkowy młody człowiek.

Wzięła ojca pod ramię.

— Owszem, ma znaczenie. Ja też tak uważałam.

Doszli do kościoła. Kręcili się w nim robotnicy noszący drewno i wiadra z farbą. Jej spojrzenie jak zwykle powędrowało do pustego miejsca pod wieżą. Witraża jeszcze nie wprawiono — najpierw trzeba było ukończyć roboty budowlane, żeby nie popękały kruche kawałki szkła — ale tata lubił tu przychodzić. Cieszył się z postępujących prac remontowych, i to nie tylko ze względu na okno. Wciąż mówił o tym, jak ważna jest ta świątynia dla pastora Harrisa, jak brakuje mu kazań w miejscu, które uważał za swój drugi dom.

Pastor Harris zawsze był na placu budowy i zwykle schodził na plażę, żeby spotkać się z nimi, gdy przychodzili. Rozglądając się, dostrzegła go teraz — stał na wysypanym żwirem parkingu. Rozmawiał z kimś, wskazując z ożywieniem budynek. Nawet z daleka widziała, że się uśmiechał.

Już miała pomachać, żeby zwrócić na siebie jego uwagę, gdy rozpoznała stojącego przy nim mężczyznę. Ten widok ją przestraszył. Gdy widziała go ostatnio, była zrozpaczona; nie powiedział jej nawet „do widzenia". Może Tom Blakelee po prostu przejeżdżał obok i zatrzymał się, żeby pogawędzić z pastorem o odbudowie kościoła. Może był po prostu ciekawy.

Przez resztę tygodnia wypatrywała Toma, gdy przychodziła na teren budowy, ale nigdy więcej go nie widziała. W głębi duszy odetchnęła z ulgą, że ich ścieżki już się nie przetną.

*

Po spacerze do kościoła i popołudniowej drzemce taty zwykle czytali razem. Ronnie kończyła *Annę Kareninę*, którą zaczęła przed czterema miesiącami. Z biblioteki publicznej wypożyczyła *Doktora Żywago*. Rosyjscy pisarze przemawiali do niej, może z powodu epickiego charakteru ich powieści, posępnych tragedii i skazanych na niepowodzenie miłości, tak dalekich od jej własnego, zwyczajnego życia.

Tata wciąż studiował Biblię i czasami czytał na głos jakiś fragment czy wers. Niektóre z nich były krótkie, inne długie, ale przeważnie dotyczyły znaczenia wiary. Nie była pewna dlaczego, ale niekiedy miała wrażenie, że głośne czytanie wydobywa niuanse znaczeniowe i sens, który wcześniej jej umykał.

Kolacje stały się prostsze. Na początku października sama zaczęła gotować i tata zaakceptował tę zmianę tak jak wszystko inne, co działo się tego lata. Przeważnie siedział w kuchni i rozmawiał z nią, gdy przyrządzała makaron albo ryż. Pierwszy raz od wielu lat gotowała posiłki i czuła się dziwnie, gdy nakłaniała tatę do jedzenia, postawiwszy przed nim talerz. Rzadko bywał głodny, a potrawy pozbawione były smaku, bo wszelkie przyprawy podrażniały mu żołądek. Wiedziała, że ojciec musi jeść. Nie mieli w domu wagi, ale widziała, że niknął w oczach.

Któregoś wieczoru po kolacji w końcu wyznała mu, co zaszło między nią a Willem. Opowiedziała mu wszystko: o pożarze i próbach krycia Scotta, o historii z Marcusem. Ojciec słuchał z uwagą, a kiedy wreszcie odsunął od siebie talerz, zauważyła, że zjadł tylko kilka kęsów.

— Mogę cię o coś zapytać?

— Oczywiście — odparła. — O wszystko.

— Kiedy mi powiedziałaś, że jesteś zakochana w Willu, mówiłaś prawdę?

Przypomniała sobie, że Megan zadała jej to samo pytanie.

— Tak.

— Wobec tego być może byłaś dla niego zbyt surowa.

— On ukrywał przestępstwo...

— Wiem. Ale jeśli się nad tym zastanowisz, teraz jesteś w takiej samej sytuacji jak on. Znasz prawdę tak jak on. I też nikomu nic nie powiedziałaś.

— To nie ja zrobiłam...

— Mówiłaś, że on też nie.

— Co sugerujesz? Że powinnam powiedzieć o tym pastorowi Harrisowi?

Zaprzeczył ruchem głowy.

— Nie — odparł ku jej zaskoczeniu. — Nie, wcale tak nie uważam.

— Dlaczego?

— Ronnie — wyjaśnił łagodnie — nie znamy wszystkich faktów.

— Ale...

— Nie twierdzę, że mam rację. Jako ostatni mógłbym powiedzieć, że jestem nieomylny. Ale jeśli było tak, jak mówisz, powinnaś coś wiedzieć: pastor Harris nie chce znać prawdy. Bo gdyby znał, musiałby coś z nią zrobić. A wierz mi, nie chciałby wyrządzić krzywdy Scottowi ani jego rodzinie, zwłaszcza jeśli to był wypadek. Nie należy do tego rodzaju ludzi. I jeszcze jedno. Najważniejsze ze wszystkiego.

— Co?

— Musisz nauczyć się wybaczać.

Splotła ramiona przed sobą.

— Już wybaczyłam Willowi. Zostawiłam mu kilka wiadomości.

Zanim skończyła, tata pokręcił głową.

— Nie mówię o Willu. Musisz przede wszystkim nauczyć się wybaczać sobie.

*

Tego wieczoru, na samym spodzie pliku listów, które ojciec napisał do niej, Ronnie znalazła jeszcze taki, którego dotąd nie otworzyła. Tata musiał dołączyć go niedawno, bo na kopercie nie było znaczka ani stempla.

Nie wiedziała, czy życzył sobie, żeby przeczytała go teraz, czy po jego śmierci. Pewnie mogła o to zapytać, ale wolała tego nie robić. Prawdę mówiąc, nie była pewna, czy chce przeczytać ten list. Czuła strach, trzymając kopertę w dłoni, bo wiedziała, że ojciec więcej już do niej nie napisze.

Choroba się rozwijała. Chociaż funkcjonowali jak dawnej — jedli posiłki, czytali i spacerowali po plaży — ojciec brał coraz więcej środków przeciwbólowych. Czasami miał szkliste, przymglone oczy, ale czuła, że dawki nie są jeszcze odpowiednio silne. Od czasu do czasu widziała, jak krzywił się, gdy siedział na kanapie i czytał. Przymykał wtedy oczy i odchylał się do tyłu, a jego twarz była maską bólu. W takich momentach chwytał ją za rękę; z biegiem dni zauważała jednak, że jego uścisk słabnie. Tracił siły; nikł. I wiedziała, że niebawem nic z niego nie zostanie.

Czuła, że pastor Harris też widzi zmiany zachodzące w jej ojcu. W ostatnich tygodniach przychodził prawie codziennie, zazwyczaj tuż przed kolacją. Przeważnie prowadził rozmowę w lekkim tonie; relacjonował postępy na budowie albo raczył ich zabawnymi opowieściami z dawnych czasów, tak że na twarzy taty pojawiał się nikły uśmiech. Ale były również takie chwile, gdy brakowało im tematów do rozmowy. Unikanie nawiązań do choroby męczyło wszystkich i w takich momentach w salonie jakby osiadał smutek.

Gdy czuła, że tata i pastor chcą zostać sami, wychodziła na tylny ganek i próbowała sobie wyobrazić, o czym rozmawiają. Mogła się oczywiście domyślać: rozmawiali o wierze, o rodzinie i może o jakichś swoich żalach, ale wiedziała, że też modlą się razem. Kiedyś usłyszała ich, gdy weszła do domu po szklankę wody, i pomyślała, że modlitwa pastora brzmiała bardziej jak prośba. Błagał o siłę, jakby od tego zależało jego własne życie, i słuchając, zamknęła oczy, żeby przyłączyć się do niego we własnej cichej modlitwie.

Połowa października przyniosła trzy dni stosunkowo chłodnej pogody, tak że rano trzeba było wkładać ciepłe bluzy. Po miesiącach nieustających upałów Ronnie odpowiadało to rześkie powietrze, ale tacie nie służyło. Choć wciąż spacerowali plażą, chodził coraz wolniej, zatrzymywali się więc pod kościołem tylko na chwilę, a potem wracali do domu. Gdy dochodził do drzwi, słaniał się na nogach. Przygotowywała mu wtedy ciepłą kąpiel; miała nadzieję, że to mu pomoże, a jednocześnie czuła strach, widząc następne symptomy rozprzestrzeniania się choroby.

W piątek, tydzień przez Halloween, ojciec poczuł się trochę lepiej, więc pojechali na ryby do małej przystani, do której kiedyś zabierał ją Will. Posterunkowy Pete pożyczył im wędki i resztę sprzętu. O dziwo, ojciec nigdy wcześniej nie łowił ryb i Ronnie musiała nadziać na haczyk przynętę. Dwie pierwsze ryby jednak się urwały i udało im się wyciągnąć dopiero trzecią — małego czerwonego okonia. Takiego samego Ronnie złowiła z Willem i gdy zdejmowała miotającą się rybę z haczyka, nagle zatęskniła za Willem, i to wręcz boleśnie.

Kiedy po spokojnym popołudniu na przystani wrócili do domu, na ganku czekały na nich dwie osoby. Ronnie rozpoznała Blaze i jej matkę, dopiero gdy wysiadła z samochodu.

Dziewczyna wyglądała zupełnie inaczej niż kiedyś. Ubrana była w białe szorty i bluzę z długimi rękawami w kolorze akwamaryny, a włosy spięła w kucyk. Nie miała żadnych ozdób ani makijażu.

Na jej widok Ronnie przypomniała sobie o czymś, o czym udawało jej się nie myśleć podczas opieki nad ojcem: że pod koniec miesiąca będzie musiała stanąć przed sądem. Cickawiło ją, po co Blaze się tu zjawiła.

Bez pośpiechu pomogła tacie wysiąść z samochodu i podała mu ramię, żeby mógł się na nim wesprzeć.

— Kim one są? — zapytał cicho tata.

Ronnie wyjaśniła mu i pokiwał głową. Gdy się zbliżyli, Blaze zeszła po schodach.

— Cześć, Ronnie — powiedziała, chrząknąwszy. Lekko przymrużyła oczy, bo słońce stało już nisko. — Chciałabym z tobą porozmawiać.

*

Ronnie usiadła naprzeciwko Blaze w salonie. Dziewczyna patrzyła w podłogę. Ich rodzice wycofali się do kuchni i zostawili je same.

— Naprawdę przykro mi z powodu twojego taty — zaczęła Blaze. — Jak on się czuje?

— Dobrze. — Ronnie wzruszyła ramionami. — A co u ciebie?

Blaze dotknęła przodu bluzy.

— Zawsze już będę miała tu blizny — wyjaśniła, a potem wskazała ramiona i brzuch. — Tu też. — Uśmiechnęła się smutno. — Ale i tak mam szczęście, że żyję. — Wierciła się przez chwilę na miejscu, po czym spojrzała Ronnie w oczy. — Chciałam ci podziękować, że zawieźliście mnie wtedy do szpitala.

Ronnie kiwnęła głową; wciąż nie bardzo wiedziała, dokąd zmierza ta rozmowa.

Blaze w milczeniu rozejrzała się po pokoju, niepewna, co dalej powiedzieć. Ronnie, idąc za przykładem ojca, po prostu czekała.

— Powinnam była przyjechać wcześniej, ale wiedziałam, że jesteś zajęta.

— Nie ma sprawy. Cieszę się, że wszystko u ciebie dobrze.

Blaze uniosła głowę.

— Naprawdę?

— Uhm — potwierdziła Ronnie. Uśmiechnęła się. — Mimo że wyglądasz jak pisanka wielkanocna.

Blaze obciągnęła bluzę.

— Tak, wiem. Głupie, co? Mama kupiła mi trochę ciuchów.

— Dobrze ci w nich. Chyba lepiej się już dogadujecie.

Blaze rzuciła jej smętne spojrzenie.

— Staram się. Mieszkam znowu w domu, ale jest ciężko. Zrobiłam mnóstwo głupot. I świństw. Jej, innym. Tobie.

Ronnie siedziała bez ruchu, z twarzą bez wyrazu.

— Co cię tu tak naprawdę sprowadza, Blaze? — zapytała.

Ta wykręciła dłonie w nadgarstkach, zdradzając zdenerwowanie.

— Przyjechałam, żeby cię przeprosić. Zachowałam się wobec ciebie okropnie. Wiem, że nie da się cofnąć czasu i że naraziłam cię na stres, ale chcę, żebyś coś wiedziała: rozmawiałam dziś rano z panią prokurator. Powiedziałam jej, że to ja włożyłam ci do torby te płyty, bo byłam na ciebie wściekła, i podpisałam oświadczenie, że nie miałaś pojęcia, co się dzieje. Dziś albo jutro powinni do ciebie zadzwonić. W każdym razie pani prokurator obiecała mi, że wycofa oskarżenie.

Te wszystkie słowa padły tak szybko, że Ronnie nie była

pewna, czy dobrze zrozumiała. Ale błagalne spojrzenie Blaze powiedziało jej to, co chciała wiedzieć. Po tylu miesiącach, po tak wielu dniach i nocach strachu, nagle było po wszystkim. Ronnie nie mogła ochłonąć z wrażenia.

— Naprawdę przepraszam — ciągnęła cicho Blaze. — Nie powinnam była podrzucać ci do torby tych rzeczy.

Ronnie wciąż trawiła wiadomość, że dręczący ją koszmar dobiegł końca. Przyjrzała się Blaze, która skubała nitki przy obrąbku bluzy.

— A co będzie z tobą? Teraz ty staniesz przed sądem?

— Nie — wyjaśniła dziewczyna. Zacisnęła szczęki i uniosła głowę. — Mam informacje na temat innego przestępstwa, którym się zajmują. Dużo poważniejszego przestępstwa.

— Chodzi ci o to, co zdarzyło się na molo?

— Nie. — Ronnie odniosła wrażenie, że oczy dziewczyny przybrały twardy, wyzywający wyraz. — Powiedziałam im o pożarze, skąd się wziął. — Blaze upewniła się, że Ronnie słucha uważnie, a potem mówiła dalej: — To nie Scott spowodował pożar. Rakieta butelkowa nie miała z tym nic wspólnego. Owszem, wylądowała w pobliżu kościoła. Ale już zdążyła zgasnąć.

Ronnie przyswajała tę informację z rosnącym zdumieniem. Przez chwilę patrzyły na siebie. Napięcie w powietrzu było wręcz namacalne.

— To skąd wziął się ogień?

Blaze pochyliła się, oparła łokcie na kolanach i rozłożyła ręce w geście pełnym skruchy.

— Urządziliśmy sobie imprezę na plaży... Marcus, Teddy, Lance i ja. Chwilę później pojawił się Scott, w pewnej odległości od nas. Udawaliśmy, że się nie znamy, ale widzieliśmy, że Scott zapala rakietę. Will też tam był. Scott wycelował ją w naszą stronę, ale zawiał wiatr i poleciała w kierunku kościoła. Will się zdenerwował i zaczął biec. Marcus uznał, że to zabawne, i gdy rakieta zniknęła za kościołem, popędził na cmentarz. Początkowo nie miałam pojęcia, co się dzieje, mimo że poszłam za nim i widziałam, że przytyka wiązkę płonącej trawy do ściany kościoła. Chwilę później zobaczyłam, że budynek staje w ogniu.

— Chcesz powiedzieć, że to robota Marcusa? — Ronnie ledwie wykrztusiła to pytanie.

Blaze kiwnęła głową.

— Spowodował też inne pożary. Jestem prawie pewna... zawsze uwielbiał ogień. Od początku uważałam, że to wariat, ale... — Nie dokończyła, uświadamiając sobie własne błędy. Wyprostowała się. — W każdym razie zgodziłam się zeznawać przeciwko niemu.

Ronnie odchyliła się na oparcie fotela z poczuciem, że uszło z niej całe powietrze. Przypomniała sobie to wszystko, co powiedziała Willowi. Nagle dotarło do niej, że jeśli zgodnie z jej żądaniem poszedł na policję, Scott będzie miał zrujnowane życie — całkiem niesłusznie.

Poczuła, że robi jej się słabo, podczas gdy Blaze mówiła dalej:

— Bardzo cię przepraszam za wszystko. Może to głupio brzmi, ale naprawdę uważałam cię za przyjaciółkę, zanim straciłam rozum i wszystko zepsułam. — Po raz pierwszy załamał jej się głos. — Ale ty jesteś świetna, Ronnie. Jesteś uczciwa i byłaś dla mnie dobra, chociaż wcale na to nie zasłużyłam. — Z jednego jej oka stoczyła się łza i Blaze otarła ją szybko. — Nigdy nie zapomnę tego dnia, gdy zaproponowałaś, żebym w razie czego zamieszkała u ciebie, i to po tym, co ci zrobiłam. Było mi tak strasznie... wstyd. A jednak czułam wdzięczność, wiesz? Że ktoś się mną przejmuje.

Przerwała; wyraźnie próbowała się pozbierać. Kiedy w końcu opanowała łzy, wciągnęła powietrze w płuca i spojrzała na Ronnie z determinacją.

— Gdybyś kiedykolwiek czegoś potrzebowała... czegokolwiek... daj mi znać. Rzucę wszystko, dobra? Wiem, że nie mogę odkręcić tego, co ci zrobiłam, ale mam poczucie, że mnie uratowałaś. To, co przydarzyło się twojemu tacie, jest takie niesprawiedliwe i bardzo chciałabym ci pomóc.

Ronnie pokiwała głową.

— I ostatnia rzecz — dodała Blaze. — Nie musimy być przyjaciółkami, ale jeśli jeszcze się spotkamy, mów do mnie Galadriel, dobrze? Nie znoszę imienia Blaze.

Ronnie się uśmiechnęła.

— Nie ma sprawy, Galadriel.

*

Jak zapowiedziała Blaze, po południu zadzwoniła adwokatka, z informacją, że sprawę kradzieży w sklepie umorzono.

Wieczorem, kiedy tata położył się spać w swoim pokoju, Ronnie włączyła telewizor, żeby obejrzeć lokalne wiadomości. Nie wiedziała, czy będzie o tym wzmianka, ale była: trzydziestosekundowa migawka tuż przed prognozą pogody z „aresztowania nowego podejrzanego w sprawie zeszłorocznego pożaru kościoła, którą bada policja". Kiedy pokazali zdjęcie Marcusa, informując o jego poprzednich wykroczeniach, wyłączyła telewizor. Te zimne, pozbawione uczuć oczy wciąż potrafiły wytrącić ją z równowagi.

Pomyślała o Willu i o tym, co zrobił, żeby chronić Scotta, kryć go za przestępstwo, którego ten, jak się okazało, nie popełnił. Czy to naprawdę takie straszne, że poczucie lojalności wobec przyjaciela zachwiało jego oceną? Zwłaszcza w świetle spraw, które wyszły na jaw? Ronnie nie była już pewna niczego. Tyle razy się pomyliła: co do ojca, Blaze, matki, nawet Willa. Życie było znacznie bardziej skomplikowane, niż wyobrażała to sobie jako krnąbrna nastolatka w Nowym Jorku.

Kręciła głową, wędrując po domu i kolejno wyłączając światła. Tamto życie — ciąg imprez, szkolne plotki i spięcia z mamą — należało jakby do innego świata, egzystencji, która tylko jej się śniła. Teraz istniały jedynie spacery z ojcem po plaży, nieustający szum oceanu, zapach nadchodzącej zimy.

I owoc Ducha Świętego: miłość, radość, pokój, cierpliwość, uprzejmość, dobroć, wierność, łagodność, opanowanie.

*

Halloween nadeszło i minęło, a ojciec słabł z każdym dniem. Zrezygnowali ze spacerów po plaży, ponieważ stały się dla niego zbyt męczące. Rano, ścieląc jego łóżko, widziała mnóstwo włosów na poduszce. Świadoma, że choroba nabiera tempa, przeniosła swój materac do pokoju taty, w razie gdyby potrzebował pomocy, a także po to, żeby być blisko niego, jak najdłużej się da.

Przyjmował już najwyższe dawki leków uśmierzających ból, ale wydawało się, że to wciąż za mało. W nocy, gdy spała przy nim na podłodze, wydawał jęki, które rozdzierały jej serce. Stawiała lekarstwa tuż przy jego łóżku i kiedy się budził, od razu po nie sięgał. Siedziała przy nim rano, tuliła go, gdy się trząsł, dopóki środki nie zaczęły działać.

Dawały o sobie znać także efekty uboczne. Tata nie mógł ustać na nogach i Ronnie musiała go podtrzymywać, gdy dokądś szedł, choćby na drugą stronę pokoju. Mimo utraty wagi trudno go było uchronić przed upadkiem, gdy się potykał. Choć nigdy nie zdradzał frustracji, w jego oczach widać było poczucie winy, jakby uważał, że w jakiś sposób ją zawodzi.

Sypiał teraz po siedemnaście godzin dziennie i Ronnie spędzała całe dnie sama w domu; czytała pierwszy albo kolejny raz listy, które kiedyś do niej napisał. Wciąż nie przeczytała tego ostatniego — bała się — ale czasami z upodobaniem trzymała go w palcach, jakby zbierała się na odwagę, żeby go otworzyć.

Często dzwoniła do domu, wybierając takie pory, żeby brat wrócił ze szkoły albo byli już z mamą po kolacji. Jonah wciąż wydawał się zgaszony i kiedy pytał o tatę, miała wyrzuty sumienia, że nie mówi mu prawdy. Ale nie mogła go nią obciążać, poza tym zauważyła, że ojciec, rozmawiając z nim, zawsze starał się mówić ożywionym głosem. Później często siedział w fotelu przy telefonie, wyczerpany tym wysiłkiem, zbyt słaby nawet, aby wstać. Patrzyła na niego w milczeniu, zirytowana świadomością, że na pewno mogłaby jeszcze coś dla niego zrobić, gdyby tylko wiedziała co.

*

— Jaki jest twój ulubiony kolor? — zapytała.

Siedzieli przy stole kuchennym i Ronnie miała przed sobą blok kartek.

Steve rzucił jej pytające spojrzenie.

— O to chciałaś mnie zapytać?

— To dopiero pierwsze pytanie. Mam ich jeszcze dużo.

Sięgnął po kubek z ensure, który przed nim postawiła. Prawie nie jadał już stałych pokarmów i patrzyła, jak pociąga łyk. Wiedziała, że robił to dla niej, a nie dlatego, że był głodny.

— Zielony — odparł.

Zanotowała odpowiedź i przeczytała następne pytanie.

— Ile miałeś lat, gdy pierwszy raz pocałowałeś dziewczynę?

— Pytasz serio? — Skrzywił się.

— Proszę, tato. To ważne.

Odpowiedział i znowu to zapisała. Przebrnęli przez jedną czwartą pytań, które sobie przygotowała, i w ciągu następnego tygodnia sukcesywnie odniósł się do reszty. Ronnie starannie zapisywała odpowiedzi, niekoniecznie słowo w słowo, ale na tyle szczegółowo, żeby w przyszłości móc je odtworzyć. Było to czasochłonne i niekiedy zaskakujące, lecz w końcu doszła do wniosku, że tata jest mniej więcej takim człowiekiem, jakiego poznała w ciągu tego lata.

Co było i dobre, i złe oczywiście. Dobre, ponieważ właśnie tego się spodziewała, a złe, ponieważ nie przybliżyło jej to do odpowiedzi, której cały czas szukała.

*

W drugim tygodniu listopada przyszły pierwsze jesienne deszcze, ale remont kościoła trwał bez przerwy. Może nawet nabrał tempa. Tata już jej nie towarzyszył, Ronnie jednak codziennie chodziła plażą pod kościół, żeby sprawdzić, jak postępują prace. Był to stały element jej dnia, kiedy ojciec spał. Choć pastor Harris zawsze witał ją machaniem ręki, nie schodził już do niej na plażę, żeby pogadać.

Za tydzień zamierzali wprawić witraż i pastor miał świadomość, że zrobił coś dla jej ojca, czego nikt inny nie mógł zrobić, i to coś ogromnie ważnego. Cieszyła się w jego imieniu, mimo że sama wciąż modliła się o wskazanie czegoś dla siebie.

*

Pewnego szarego listopadowego dnia tata nagle poprosił, żeby wybrali się na molo. Ronnie niepokoiło zimno i odległość, którą mieli do przebycia, ale on nie ustępował. Jak mówił, chciał zobaczyć ocean z molo. Ostatni raz — tego nie musiał dodawać.

Włożyli płaszcze i Ronnie nawet owinęła ojcu wokół szyi wełniany szalik. Wiatr niósł z sobą pierwszy wyraźny zapach zimy i było chłodniej, niż wskazywał termometr. Ronnie nalegała, żeby podjechali na miejsce, i zatrzymała samochód pastora Harrisa na pustym parkingu przy promenadzie.

Dojście na koniec molo zajęło im sporo czasu. Byli sami pod zachmurzonym niebem, stalowoszare fale przewalały się między betonowymi słupami. Szli powoli przed siebie, ojciec wspierał się na jej ramieniu i przywierał do niej, gdy powiewy wiatru szarpały połami ich płaszczy.

Kiedy wreszcie dotarli na miejsce, wyciągnął rękę, żeby przytrzymać się barierki, i prawie stracił równowagę. W srebrnym świetle jego zapadnięte policzki wydęły się z wyraźną ulgą, a oczy sprawiały wrażenie trochę szklistych, ale Ronnie wiedziała, że jest zadowolony.

Miarowy ruch fal na oceanie, który rozciągał się przed nim aż po horyzont, wyraźnie przyniósł mu ukojenie. Nie było nic innego, na co można by patrzeć — żadnych łodzi, morświnów, surferów — ale na twarzy ojca po raz pierwszy od wielu tygodni pojawił się spokój, zniknął grymas bólu. Chmury nad linią wody wydawały się niemal żywe, kłębiły się i przesuwały, gdy zimowe słońce usiłowało przebić się przez nie. Ronnie zaczęła przyglądać się im z takim samym zadziwieniem jak ojciec, ciekawa, o czym on myśli.

Wiatr się nasilił i zauważyła, że tata drży. Wiedziała, że chciał jeszcze zostać, wciąż wpatrywał się w horyzont. Pociągnęła go lekko za rękę, ale on tylko zacisnął dłoń na barierce.

Ustąpiła i stała przy nim, aż zaczął trząść się z zimna wreszcie gotów do odejścia. Puścił poręcz i odwrócił się ruszając w długą drogę powrotną do samochodu. Kącikiem oka zauważyła, że się uśmiechnął.

— Pięknie było, prawda? — zagadnęła.

Tata zrobił kilka kroków, zanim odpowiedział:

— Tak. Ale najbardziej podobało mi się, że mogłem to przeżyć z tobą.

*

Dwa dni później postanowiła w końcu przeczytać ostatni list. Chciała to zrobić, zanim ojciec odejdzie. Nie tego wieczoru, ale wkrótce, obiecała sobie. Miała za sobą najcięższy jak dotąd dzień. Lekarstwa już zupełnie tacie nie pomagały. Z oczy płynęły mu łzy, gdy ciałem wstrząsały spazmy bólu; błagała go, żeby pozwolił się zawieźć do szpitala, ale odmawiał.

— Nie — wydyszał. — Jeszcze nie.

— To kiedy? — zapytała z rozpaczą, sama bliska łez. Nie odpowiedział, tylko wstrzymał oddech, czekając, aż przejdzie fala bólu. Potem wydawał się jeszcze słabszy, jakby ból znowu uszczknął mu odrobinę życia.

— Chciałbym, żebyś coś dla mnie zrobiła — poprosił urywanym szeptem.

Ucałowała wierzch jego dłoni.

— Co tylko sobie życzysz — obiecała.

— Kiedy poznałem diagnozę, podpisałem DNR *. Wiesz, co to jest? — Spojrzał jej w twarz. — To znaczy, że nie chcę, aby podejmowano szczególne środki utrzymujące mnie przy życiu. Jeśli pójdę do szpitala.

Ze strachu skręcił jej się żołądek.

— Co zamierzasz mi powiedzieć?

---

* Do not resuscitate (ang.).

— Kiedy przyjdzie czas, pozwolisz mi odejść.

— Nie. — Zaczęła kręcić głową. — Nie mów tak.

Patrzył na nią łagodnie, ale z uporem.

— Proszę — szepnął. — Tego chcę. Kiedy pojedziemy do szpitala, weź z sobą dokumenty. Są w górnej szufladzie biurka, w beżowej kopercie.

— Nie... tato, proszę! — zawołała. — Nie każ mi. Nie mogę tego zrobić...

Wciąż patrzył jej w oczy.

— Nawet dla mnie?

Tej nocy, jęcząc, oddychał z trudem, gwałtownie, co ją przeraziło. Choć obiecała, że spełni jego prośbę, nie była pewna, czy da radę.

Jak mogła powiedzieć lekarzom, żeby go nie ratowali? Jak mogła pozwolić mu umrzeć?

*

W poniedziałek przyjechał pastor Harris i zawiózł ich do kościoła, żeby wspólnie obejrzeć wstawianie witrażu. Ponieważ ojciec był już za słaby, żeby stać, wzięli z sobą krzesło ogrodowe. Pastor pomógł jej prowadzić tatę, gdy powoli szli ku plaży. Przed kościołem zebrał się już tłum ludzi i przez kilka godzin wszyscy przyglądali się, jak robotnicy ostrożnie wprawiają okno. Było to tak spektakularne, jak Ronnie się spodziewała, i gdy zamocowano ostatnią obejmę, rozległy się wiwaty. Ronnie obróciła się, żeby zobaczyć reakcję ojca, i zauważyła, że zasnął, owinięty w koce, którymi go opatuliła.

Z pomocą pastora Harrisa zawiozła go do domu i położyła do łóżka. W drodze do wyjścia pastor zwrócił się do niej.

— Był szczęśliwy. — Chciał przekonać i ją, i siebie.

— Wiem — zapewniła go i położyła mu rękę na ramieniu. — Tego właśnie pragnął.

Tata spał przez resztę dnia i gdy za oknem pociemniało, zrozumiała, że przyszła pora przeczytać list. Wiedziała, że jeśli nie zrobi tego teraz, być może już nigdy nie znajdzie w sobie dość odwagi.

Światło w kuchni było przyćmione. Rozerwała kopertę i powoli wyjęła z niej złożoną kartkę. Charakter pisma był inny niż w poprzednich listach; nie tak płynny, czytelny. Przypominał już bazgroły. Nie chciała sobie wyobrażać, ile wysiłku kosztowało ojca napisanie tych zdań ani ile czasu mu to zajęło. Westchnęła głęboko i zaczęła czytać.

Cześć, kochanie!

Jestem z Ciebie dumny.

Nie mówiłem Ci tego tak często, jak powinienem. Mówię to teraz nie dlatego, że postanowiłaś zostać ze mną w tym strasznie trudnym czasie, ale ponieważ chcę, abyś wiedziała, że jesteś taka niezwykła, jak sobie zawsze wyobrażałem.

Dziękuję Ci, że zostałaś. Wiem, że to dla Ciebie trudne, na pewno trudniejsze, niż przypuszczałaś, i przepraszam za te godziny, które musisz w sposób nieunikniony spędzać sama. Jednakże szczególnie mi przykro, że nie zawsze byłem takim ojcem, jakiego potrzebowałaś. Wiem, że popełniałem błędy. Chciałbym zmienić wiele w swoim życiu. Przypuszczam, że to normalne, biorąc pod uwagę, co się ze mną dzieje, ale pragnę, żebyś wiedziała coś innego.

Chociaż życie bywa trudne i żałuję wielu rzeczy, były takie chwile, w których czułem się naprawdę uprzywilejowany: gdy się urodziłaś, gdy byłaś mała i zabrałem Cię do zoo, i patrzyłem, z jakim zachwytem oglądasz żyrafy. Zwykle to krótkie momenty; przychodzą i odchodzą jak morska bryza. Ale czasami zamieniają się w wieczność.

Takie było dla mnie to lato i nie tylko dlatego, że mi wybaczyłaś. To lato stało się dla mnie prawdziwym darem, bo poznałem młodą kobietę, na którą wyrosłaś. Jak powiedziałem Twojemu bratu, to było najszczęśliwsze lato w moim życiu i często zastanawiałem się podczas tych sielankowych dni, jak to się stało, że komuś takiemu jak ja trafiła się taka wspaniała córka.

Dziękuję Ci, Ronnie. Dziękuję Ci, że przyjechałaś. I za to, co mi dawałaś każdego dnia, który mogliśmy spędzić razem.

Ty i Jonah zawsze byliście dla mnie największym błogosławieństwem. Kocham Cię, Ronnie, i zawsze kochałem. I nigdy, nigdy nie zapominaj, że jestem i zawsze byłem z Ciebie dumny. Nie ma ode mnie szczęśliwszego ojca.

Tata

Minęło Święto Dziękczynienia. W domach wzdłuż plaży pojawiły się pierwsze bożonarodzeniowe dekoracje.

Ojciec ważył już dwie trzecie tego co dawniej i prawie cały czas leżał w łóżku.

Sprzątając któregoś rana dom, Ronnie natknęła się na plik kartek. Tkwiły niedbale w szufladzie stolika do kawy i kiedy je wyjęła, natychmiast rozpoznała pismo ojca wśród nut na papierze.

Była to piosenka, którą pisał, ta, którą grał pamiętnego wieczoru w kościele. Położyła kartki na stół, żeby przyjrzeć im się uważniej. Przebiegła wzrokiem po mocno pokreślonych nutach i znowu pomyślała, że ojciec był już bliski stworzenia czegoś niezwykłego. Czytając to, co skomponował, słyszała w głowie intrygujące pierwsze takty. Ale gdy doszła do drugiej i trzeciej strony, poczuła, że coś jest nie tak. Na początku szło mu dobrze, miała jednak wrażenie, że dostrzega punkt, w którym kompozycja traciła charakter. Wyjęła z szufladki ołówek i zaczęła poprawiać melodię, pisząc pospiesznie akordy i frazy tam, gdzie ojca opuszczała wena.

Zanim się zorientowała, minęły trzy godziny i usłyszała, że tata się budzi. Wsadziwszy kartki z powrotem do szuflady, ruszyła do jego pokoju, gotowa stawić czoło temu, co przyniesie dzień.

Wieczorem, gdy ojciec znowu zasnął z osłabienia, wyjęła kartki i pracowała do późnej nocy. Rano obudziła się pełna energii, chcąc pokazać mu, czego dokonała. Ale kiedy weszła do jego sypialni, nawet nie drgnął i wpadła w przerażenie, kiedy uświadomiła sobie, że prawie nie oddychał.

Ze ściśniętym żołądkiem zadzwoniła po karetkę i na uginających się nogach wróciła do ojca. Nie była gotowa, mówiła sobie, nie zdążyła pokazać mu melodii. Potrzebowała jeszcze jednego dnia. Jeszcze trochę czasu. Ale drżącymi dłońmi otworzyła górną szufladę jego biurka i wyjęła beżową kopertę.

*

Na szpitalnym łóżku ojciec wydawał się drobniejszy niż kiedykolwiek. Twarz mu się zapadła i skóra przybrała nienaturalny, szarawy odcień. Oddychał płytko i szybko jak niemowlę. Zacisnęła powieki, myśląc, że nie chce tu być. Wszędzie, tylko nie tutaj.

— Jeszcze nie, tato — szepnęła. — Daj mi jeszcze trochę czasu, dobrze?

Niebo za oknem szpitalnym było szare i zachmurzone. Z drzew opadła już większość liści i łyse gałęzie skojarzyły jej się z kośćmi. W chłodnym powietrzu panował spokój, który zapowiadał deszcz.

Koperta stała na szafce nocnej i chociaż Ronnie obiecała ojcu, że przekaże ją lekarzowi, jeszcze tego nie zrobiła.

Chciała mieć pewność, że tata już nie odzyska przytomności, że nie będzie miała okazji się z nim pożegnać. Że nic więcej nie zdoła dla niego zrobić.

Żarliwie modliła się o cud, mały cud. I zdarzył się, jakby Bóg jej wysłuchał.

Siedziała przy ojcu większość przedpołudnia. Przyzwyczaiła się do jego oddechu i miarowego dźwięku kardiomonitora, którego zmiana rytmu brzmiała jak alarm. Uniósłszy głowę, zobaczyła, że ręka taty drgnęła i jego powieki się uniosły. Zamrugał w blasku świetlówek i Ronnie impulsywnie ujęła go za rękę.

— Tato? — Wbrew rozsądkowi poczuła przypływ nadziei; wyobraziła sobie, że ojciec powoli usiądzie.

Ale tak się nie stało. Wydawało się, że nawet jej nie słyszy. Kiedy z trudem przekręcił głowę, żeby na nią spojrzeć, zobaczyła w jego oczach mrok, którego nigdy wcześniej nie widziała. Potem jednak znowu mrugnął powiekami i usłyszała, że wyrwało mu się westchnienie.

— Cześć, kochanie — szepnął ochryple.

Za sprawą płynu w płucach wydawał takie dźwięki, jakby tonął. Zmusiła się do uśmiechu.

— Jak się masz?

— Nie za dobrze. — Przerwał, jakby zbierał siły. — Gdzie jestem?

— W szpitalu. Przywieziono cię tu dziś rano. Wiem, że podpisałeś DNR, ale...

Kiedy znowu przymknął oczy, pomyślała, że już ich nie otworzy. Ale w końcu otworzył.

— W porządku — wyszeptał. Wyrozumiałość w jego głosie zraniła ją do bólu. — Rozumiem.

— Proszę, nie gniewaj się na mnie.

— Nie gniewam się.

Pocałowała go w policzek i próbowała objąć jego drobną postać. Pogładził ją ręką po plecach.

— A u ciebie... wszystko dobrze? — zapytał.

— Nie — przyznała, czując, że łzy napływają jej do oczu. — Wcale nie.

— Przepraszam — wydyszał.

— Nie, nie mów tak. — Bała się, że nie wytrzyma i się załamie. — To ja przepraszam. Nie powinnam była wtedy odsunąć się od ciebie. Tak bym chciała to wszystko odwrócić.

Posłał jej cień uśmiechu.

— Mówiłem ci już, że jesteś śliczna?

— Uhm. — Pociągnęła nosem. — Mówiłeś.

— Hm, tym razem nie żartuję.

Zaśmiała się bezradnie przez łzy.

— Dzięki. — Pochyliła się i pocałowała go w rękę.

— Pamiętasz, jak byłaś mała? — zapytał, nagle poważniejąc. — Godzinami patrzyłaś na mnie, gdy grałem na fortepianie. Któregoś razu zobaczyłem, że siedzisz przy klawiaturze i grasz melodię, którą słyszałaś w moim wykonaniu dzień wcześniej. Miałaś zaledwie cztery lata. Zawsze byłaś bardzo zdolna.

— Pamiętam.

— Chcę, żebyś coś wiedziała. — Ojciec chwycił ją za ręce z zadziwiającą siłą. — Niezależnie od tego, jakim blaskiem zajaśnieje twoja gwiazda, nigdy nie kochałem muzyki nawet w połowie tak mocno jak ciebie, moją córkę... Musisz to wiedzieć.

Pokiwała głową.

— Wiem. Ja też cię kocham, tato.

Zaczerpnął głęboko powietrza, nie spuszczając wzroku z jej twarzy.

— Więc zabierzesz mnie do domu?

Te słowa, nieuniknione i wypowiedziane wprost, uderzyły ją z całą siłą. Zerknęła na kopertę, wiedząc, o co ją prosił i co chciał usłyszeć. I w tej jednej chwili przypomniała sobie wszystko, co wydarzyło się w ostatnich pięciu miesiącach. Przed jej oczami przemknęły kolejno obrazy, a na koniec zobaczyła go w kościele, przy fortepianie, pod pustym miejscem, gdzie w końcu wstawiono witraż.

I wtedy zrozumiała, co od początku podpowiadało jej serce.

— Tak — powiedziała. — Zabiorę cię do domu. Ale też chcę, żebyś coś dla mnie zrobił.

Tata przełknął ślinę. Z najwyższym trudem odrzekł:

— Nie wiem, czy dam jeszcze radę.

Uśmiechnęła się i sięgnęła po kopertę.

— Nawet dla mnie?

*

Pastor Harris pożyczył jej samochód i jechała tak szybko, jak się dało. Zmieniając pas, zadzwoniła z telefonu komórkowego. Wyjaśniła szybko, o co jej chodzi i czego potrzebuje; Galadriel zgodziła się natychmiast. Ronnie pędziła, jakby od tego zależało życie jej ojca, dodając gazu przed każdym żółtym światłem.

Gdy przyjechała, Galadriel czekała już na nią pod domem. Obok niej na ganku leżały dwa łomy, które podniosła na widok Ronnie.

— Gotowa? — zapytała.

Ronnie tylko kiwnęła głową i razem weszły do środka.

Z pomocą dziewczyny w niecałą godzinę rozwaliła ścianę, którą wzniósł ojciec. Nie przejmowała się bałaganem, który powstał w salonie; myślała tylko o tym, że tacie zostało mało czasu, a tyle jest jeszcze do zrobienia. Kiedy padł ostatni kawałek sklejki, Galadriel odwróciła się do niej, cała spocona i zdyszana.

— Jedź po ojca. Ja posprzątam. I pomogę ci go wnieść, gdy wrócisz.

W drodze powrotnej Ronnie jechała jeszcze szybciej. Przed opuszczeniem szpitala spotkała się z lekarzem ojca i powiedziała mu, co zamierza. Z pomocą pielęgniarki szybko wypełniła wymagane formularze; kiedy z samochodu dzwoniła do szpitala, połączyła się z tą samą pielęgniarką i poprosiła ją, żeby zwiozła ojca na wózku inwalidzkim.

Z piskiem opon skręciła na parking przed szpitalem. Podjechała pod wejście pogotowia. Pielęgniarka wywiązała się z zadania.

Razem zaprowadziły tatę do samochodu i Ronnie po kilku minutach znowu znalazła się na drodze. Tata sprawiał wrażenie bardziej przytomnego niż w pokoju szpitalnym, ale wiedziała, że to może się zmienić w każdej chwili. Musiała zawieźć go do domu, zanim będzie za późno. Gdy mknęła ulicami miasteczka, które w końcu zaczęła uważać za swój dom, poczuła jednocześnie lęk i nadzieję. To wszystko wydawało się teraz takie proste, takie oczywiste. Kiedy zajechała pod dom, Galadriel już była gotowa. Wcześniej ustawiła kanapę na miejscu i razem położyły na niej ojca.

Mimo kiepskiego stanu zaczął rozumieć, co zamierza Ronnie. Zdumienie na jego twarzy powoli zastąpiło grymas bólu. Gdy spojrzał na niezasłonięty już ścianą fortepian w alkowie, wiedziała, że postąpiła słusznie. Pochyliła się i ucałowała ojca w policzek.

— Dokończyłam twoją piosenkę — wyjaśniała. — Naszą ostatnią piosenkę. I chcę ci ją zagrać.

36
Steve

Życie, uświadomił sobie, bardzo przypomina piosenkę.

Na początku jest tajemnica, na końcu — potwierdzenie, ale to w środku kryją się wszystkie emocje, dla których cała sprawa staje się warta zachodu.

Po raz pierwszy od wielu miesięcy w ogóle nie czuł bólu; i po raz pierwszy od lat wiedział, że znalazł odpowiedzi na swoje pytania. Gdy słuchał piosenki, którą dokończyła Ronnie i którą poprawiła, zamknął oczy ze świadomością, że poszukiwanie obecności Boga dobiegło kresu.

W końcu zrozumiał, że Bóg jest wszędzie, zawsze, że dostrzegają Go wszyscy, i to w tym samym czasie. Bóg był z nim w warsztacie, gdy pracował z Jonah nad witrażem; towarzyszył mu w tych tygodniach, które spędził z Ronnie. Był obecny tu i teraz, gdy córka grała mu ich ostatnią piosenkę, ostatnią piosenkę, której mieli wysłuchać razem. Z perspektywy czasu zachodził w głowę, jak mógł przeoczyć coś tak niewiarygodnie oczywistego.

Bóg, zrozumiał nagle, jest miłością w najczystszej formie i w tych ostatnich miesiącach spędzonych z dziećmi czuł Jego dotyk, tak jak słyszał muzykę, która wydobywała się spod palców Ronnie.

37

Ronnie

Ojciec zmarł niespełna tydzień później, we śnie, gdy leżała przy nim na podłodze. Nie mogła zdobyć się na to, żeby opowiedzieć mamie o szczegółach. Wiedziała, że matka czeka na zakończenie; przez trzy godziny opowiadała jej, a ona milczała tak jak dawniej tata. Jednakże te chwile, gdy Ronnie patrzyła, jak ojciec bierze ostatni oddech, były bardzo osobiste i wiedziała, że nigdy z nikim nie będzie o nich rozmawiać. Możliwość bycia przy ojcu, gdy opuszczał ten świat, była dla niej jak dar wyłącznie jej ofiarowany, i miała świadomość, że nie zapomni powagi tamtej chwili i poczucia bliskości z tatą.

Zapatrzyła się więc w marznący grudniowy deszcz i opowiedziała o swoim ostatnim recitalu, najważniejszym jak dotąd w życiu.

— Grałam dla niego, jak długo mogłam, mamo. I starałam się, żeby brzmiało pięknie, bo wiedziałam, ile to dla niego znaczy. Ale był już taki słaby — szepnęła. — Nie wiem nawet, czy pod koniec w ogóle mnie słyszał. — Potarła nos między brwiami, zastanawiając się, czy nie wypłakała już wszystkich łez.

Mama wyciągnęła do niej ręce. W jej oczach też błysnęły łzy.

— Na pewno cię słyszał, kochanie. I wiem, że to było piękne.

Ronnie padła matce w objęcia i oparła głowę na jej piersi jak kiedyś, gdy była dzieckiem.

— Nie zapominaj, ile radości sprawiliście mu z Jonah — szepnęła matka, gładząc ją po włosach.

— On też dał mi wiele szczęścia — odparła. — Tyle się od niego nauczyłam. Szkoda tylko, że mu tego nie powiedziałam. Tego i miliona innych rzeczy. — Zamknęła oczy. — Ale jest już za późno.

— On wiedział — uspokoiła ją mama. — Zawsze wiedział.

*

To była skromna uroczystość, odbyła się w kościele, który właśnie otworzono. Ojciec życzył sobie, żeby jego ciało skremowano, i tak się stało.

Pastor Harris wygłosił mowę. Była krótka, ale przepojona autentycznym cierpieniem i miłością, bo kochał jej tatę jak syna. Mimo woli Ronnie rozpłakała się razem z Jonah. Otoczyła go ramieniem, gdy rozszlochał się bezradnie jak dziecko. Starała się nie myśleć o tym, jak brat zapamięta stratę ojca, stratę tak wczesną.

Na pogrzeb przyszła tylko garstka ludzi. Wchodząc, Ronnie zauważyła Galadriel i posterunkowego Pete'a, a później, gdy zajęła miejsce, słyszała, że drzwi otworzyły się jeszcze dwa razy, ale poza tym kościół był pusty. Bolało ją, że tak niewielu ludzi wie, jak niezwykłym człowiekiem był jej ojciec i jak wiele dla niej znaczył.

*

Po nabożeństwie siedziała jeszcze w ławce z Jonah, podczas gdy mama i Brian wyszli na zewnątrz, żeby porozmawiać z pastorem Harrisem. We czwórkę za kilka godzin lecieli do Nowego Jorku i Ronnie wiedziała, że nie ma dużo czasu.

Mimo to nie chciała wyjść. Deszcz, który lał przez całe przedpołudnie, ustał wreszcie i niebo zaczęło się przejaśniać. Modliła się o to i zauważyła, że patrzy na witraż taty, pragnąc, aby chmury się rozstąpiły.

I kiedy to się stało, było tak, jak mówił tata. Słońce wpadło do środka, tworząc snopy światła w kolorach klejnotów. Fortepian zalała kaskada barw i przez chwilę Ronnie zobaczyła ojca siedzącego przy klawiaturze, z twarzą zwróconą ku światłu. Nie trwało to długo, ale w milczeniu, z przejęciem uścisnęła Jonah za rękę. Uśmiechnęła się mimo bólu i wiedziała, że Jonah pomyślał to samo.

— Cześć, tato — szepnęła. — Wiedziałam, że przyjdziesz.

*

Kiedy słońce zaszło za chmury, pożegnała się milcząco i wstała. Ale gdy się odwróciła, zobaczyła, że nie są z Jonah sami w kościele. W pobliżu drzwi w ostatniej ławce ujrzała Toma i Susan Blakelee.

Położyła rękę na ramieniu brata.

— Wyjdź na zewnątrz i powiedz mamie i Brianowi, że zaraz przyjdę, dobrze? Muszę jeszcze z kimś porozmawiać.

— Dobrze. — Jonah potarł piąstkami podpuchnięte oczy i wyszedł z kościoła. Po jego wyjściu Ronnie zbliżyła się do rodziców Willa, a oni wstali, żeby się przywitać.

Ku jej zaskoczeniu pierwsza odezwała się Susan:

— Wyrazy współczucia. Pastor Harris mówił nam, że twój ojciec był wspaniałym człowiekiem.

— Dziękuję. — Spojrzała na nich kolejno i uśmiechnęła

432

się. — To miło, że przyszliście. I chciałabym podziękować wam obojgu za to, co zrobiliście dla kościoła. To było naprawdę ważne dla mojego taty.

Zobaczyła, że na te słowa Tom Blakelee umknął wzrokiem w bok, i zorientowała się, że miała rację.

— To miało być anonimowe — mruknął.

— Wiem. I pastor Harris nic nie powiedział ani mnie, ani tacie. Ale domyśliłam się prawdy, gdy zobaczyłam pana na budowie. To piękny gest.

Skinął głową wręcz nieśmiało i zauważyła, że jego wzrok powędrował ku witrażowi. On także widział światło wpadające do kościoła.

Po chwili milczenia Susan wskazała drzwi.

— Jest jeszcze ktoś, kto chce się z tobą zobaczyć.

*

— Jesteś gotowa? — zapytała mama, gdy Ronnie wyszła z kościoła. — Robi się późno.

Prawie jej nie słyszała. Patrzyła na Willa. Był w czarnym garniturze. Miał dłuższe włosy i w pierwszej chwili pomyślała, że wydaje się doroślejszy. Rozmawiał z Galadriel, ale gdy tylko zobaczył Ronnie, uniósł palec, jakby przepraszał na chwilę.

— Jeszcze kilka minut, dobrze? — powiedziała, nie spuszczając wzroku z Willa.

Nie spodziewała się, że przyjdzie na pogrzeb, nie spodziewała się, że jeszcze go zobaczy. Nie miała pojęcia, co znaczy jego obecność, i nie bardzo wiedziała, czy się cieszyć, martwić, czy jedno i drugie. Zrobiła krok w jego stronę i zatrzymała się.

Nie potrafiła przeniknąć wyrazu jego twarzy. Gdy szedł ku niej, przypomniała sobie, jak płynnie sunął po piasku, gdy zobaczyła go po raz pierwszy; przypomniała sobie, jak się całowali na przystani w dzień wesela jego siostry. I wróciły do niej słowa, które powiedziała mu, gdy się żegnali. Targały nią wtedy sprzeczne emocje — tęsknota, żal, pragnienie, strach, ból, miłość. Tyle mieli sobie do powiedzenia, ale jak zacząć w tym dziwnym otoczeniu po tak długim czasie?

— Cześć. — Gdybym tylko umiała porozumiewać się telepatycznie, a ty czytać mi w myślach.

— Cześć. — Odniosła wrażenie, że szukał w jej twarzy czegoś, ale czego... nie wiedziała.

Nie zbliżył się do niej, ale nie wyciągnęła do niego ręki.

— Przyszedłeś — powiedziała, nie umiejąc opanować zdziwienia.

— Nie mogłem nie przyjść. I bardzo mi przykro z powodu twojego taty. Był... wspaniały. — Przez jego twarz przemknął cień. — Będzie mi go brakowało — dodał.

Przypomniały jej się wieczory, które spędzili razem w domu na plaży, zapach kolacji i wybuchy śmiechu Jonah, gdy grali w pokera kłamców. Nagle zakręciło jej się w głowie. To było takie surrealistyczne — widzieć Willa tu, w tym strasznym dniu. Chciała paść mu w ramiona i przeprosić za to, jak go odprawiła. Ale jednocześnie niema i sparaliżowana po stracie ojca zastanawiała się, czy jest jeszcze tą samą osobą, którą Will kiedyś kochał. Tyle się wydarzyło od lata.

Niezręcznie przestąpiła z nogi na nogę.

— Jak tam w college'u? — zapytała w końcu.

— Tak jak się spodziewałem.

— Tak źle czy tak dobrze?

Zamiast odpowiedzieć, wskazał wynajęty samochód.

— Jak rozumiem, wracasz do domu?

— Niedługo mamy samolot. — Zatknęła pasmo włosów za ucho, zła na siebie, że czuje skrępowanie. Jakby byli nieznajomymi. — Skończyłeś już ten semestr?

— Nie, w przyszłym tygodniu mam egzaminy, więc dziś wieczorem wracam. Zajęcia są trudniejsze, niż przypuszczałem. Chyba będę musiał zakuwać nocami.

— Niedługo przyjedziesz do domu na ferie. Kilka spacerów po plaży i będziesz jak nowo narodzony. — Ronnie przywołała na twarz uspokajający uśmiech.

— W czasie ferii rodzice zabierają mnie do Europy. Boże Narodzenie spędzimy we Francji. Uważają, że powinienem zobaczyć trochę świata.

— Brzmi nieźle.

Wzruszył ramionami.

— A ty?

Opuściła wzrok, wracając myślami do ostatnich dni z tatą.

— Chyba pójdę na przesłuchanie do szkoły Juilliarda — odparła wolno. — Zobaczymy, czy jeszcze mnie zechcą.

Uśmiechnął się po raz pierwszy i zauważyła błysk w jego oczach, który tak często widywała w letnich miesiącach. Jak jej brakowało tej radości, tego ciepła podczas długiej jesieni.

— Tak? To świetnie. Na pewno doskonale ci pójdzie.

Fatalnie się czuła, gdy tak rozmawiali o wszystkim i niczym. Wydawało jej się to... okropne po tym, co przeżyli razem tego lata. Odetchnęła głęboko, próbując zapanować nad emocjami. Ale było to takie trudne i padała z nóg. Odezwała się niemal automatycznie:

— Chcę cię przeprosić za to, co ci powiedziałam przed twoim wyjazdem. Nie myślałam tak. Po prostu za dużo się działo. Nie powinnam była zwalać tego wszystkiego na ciebie...

Podszedł do niej i wziął ją za rękę.

— W porządku. Rozumiem — odparł.

Pod wpływem jego dotyku tłumione przez cały dzień uczucia dały o sobie znać. Zaczęła tracić opanowanie i zamknęła oczy, żeby powstrzymać łzy.

— Gdybyś zrobił to, czego od ciebie oczekiwałam, Scott miałby...

Pokręcił głową.

— Scottowi nic nie jest. Możesz mi wierzyć albo nie, ale dostał to swoje stypendium. A Marcus jest w więzieniu...

— Ale nie powinnam była ci mówić tych strasznych rzeczy! — przerwała mu. — Lato mogło zakończyć się inaczej. My mogliśmy pożegnać się inaczej, a to wszystko przeze mnie. Nie masz pojęcia, jak mi przykro, że cię tak odprawiłam...

— Nie odprawiłaś mnie — wyjaśnił łagodnie. — I tak wyjeżdżałem. Wiedziałaś o tym.

— Przestaliśmy z sobą rozmawiać, nie pisaliśmy do siebie, a tak trudno było patrzeć na to, co działo się z tatą... Bardzo chciałam pogadać z tobą, ale wiedziałam, że jesteś na mnie wściekły...

Gdy zaczęła płakać, przyciągnął ją do siebie i objął. W jego ramionach poczuła się lepiej i gorzej jednocześnie.

— Ciii — szepnął — wszystko w porządku. Wcale nie byłem na ciebie wściekły.

Przywarła do niego mocniej, jakby chciała przytrzymać się tego, co ich łączyło.

— Ale zadzwoniłeś tylko dwa razy.

— Bo wiedziałem, że tata cię potrzebuje — wyjaśnił — i chciałem, żebyś myślała o nim, nie o mnie. Pamiętam, jak to było, gdy zginął Mikey, jak żałowałem, że nie spędziłem z nim więcej czasu. Nie mogłem ci tego zrobić.

Przytuliła twarz do jego ramienia, gdy ją uścisnął. Myślała tylko o tym, że go potrzebuje. Pragnęła czuć wokół siebie

436

jego ramiona, pragnęła, żeby ją przygarnął i powiedział, że znajdą sposób, aby być razem.

Poczuła, że się pochylił, i usłyszała, że szepcze jej imię. Kiedy cofnęła głowę, zobaczyła na jego twarzy uśmiech.

— Nosisz bransoletkę — zauważył cicho, dotykając jej nadgarstka.

— Na zawsze w moich myślach. — Uśmiechnęła się do niego niepewnie.

Uniósł jej podbródek i spojrzał z bliska w oczy.

— Zadzwonię do ciebie, dobrze? Po powrocie z Europy.

Skinęła głową. Wiedziała, że nic innego im nie pozostało, a jednocześnie miała świadomość, że to nie wystarczy. Ale ich życie toczyło się innymi torami. Lato dawno się skończyło i każde z nich poszło w swoją stronę.

Zamknęła oczy, przeklinając prawdę.

— Dobrze — odpowiedziała szeptem.

EPILOG

Ronnie

W tygodniach po pogrzebie ojca Ronnie przeżywała emocjonalny zamęt, ale przypuszczała, że należało się tego spodziewać. Były dni, kiedy budziła się z lękiem i przez całe godziny przeżywała na nowo te kilka miesięcy, które spędziła z ojcem, zbyt przejęta bólem i żalem, żeby płakać. Po intensywnych wspólnych przeżyciach nie mogła pogodzić się z tym, że tata tak szybko odszedł i choćby bardzo go potrzebowała, już nigdy nie będzie z nią. Była przepełniona goryczą.

Jednakże takie poranki nie zdarzały się już tak często jak w pierwszych tygodniach, jeszcze w domu taty, i zauważyła, że z czasem stają się coraz rzadsze. Pobyt z ojcem i opieka nad nim odmieniły ją i wiedziała, że da sobie radę. Tego pragnąłby tata i niemal słyszała go, jak jej przypomina, że jest silniejsza, niż jej się zdaje. Na pewno nie chciałby, żeby opłakiwała go miesiącami; wolałby, żeby żyła tak, jak sam żył w ostatnich miesiącach przed śmiercią. Bardziej niż czegokolwiek życzyłby sobie, żeby korzystała z życia i kwitła.

To samo dotyczyło Jonah. Wiedziała, że tata chciałby, aby pomogła bratu ruszyć z miejsca, więc gdy była w domu, starała się spędzać z nim jak najwięcej czasu. Niecały tydzień po powrocie z pogrzebu Jonah zaczął ferie świąteczne i Ronnie wymyślała dla niego specjalne rozrywki: zabrała go na łyżwy do Rockefeller Center i na ostatnie piętro Empire State Building; byli na wystawie poświęconej dinozaurom w Museum of Natural History i spędzili prawie całe popołudnie w FAO Schwarz *. Zawsze uważała takie miejsca za nieznośnie opatrzone atrakcje turystyczne, ale Jonah lubił te ich wspólne wyprawy i, o dziwo, sama także dobrze się podczas nich bawiła.

Dużo też przebywali z sobą, nic szczególnego nie robiąc. Ronnie siedziała przy Jonah, gdy oglądał filmy animowane, rysowała z nim przy kuchennym stole, a kiedyś, gdy o to poprosił, nawet przeniosła się do niego do pokoju i spała na podłodze przy jego łóżku. W takich chwilach na osobności wspominali czasami minione lato i ojca, co obojgu im przynosiło pociechę.

Mimo to Ronnie wiedziała, że Jonah cierpi na swój dziecięcy sposób. Miała wrażenie, że coś go gnębi, i któregoś wietrznego wieczoru, gdy po kolacji wybrali się na spacer, w końcu dowiedziała się co takiego. Wiał lodowaty wiatr i wsunęła ręce głęboko do kieszeni, kiedy Jonah odwrócił się do niej i spojrzał na nią spod nasuniętego na twarz kaptura kurtki.

— Czy mama jest chora? — zapytał. — Tak jak tata?

To pytanie tak ją zaskoczyło, że odpowiedziała dopiero po chwili. Zatrzymała się i przykucnęła, żeby spojrzeć bratu w oczy.

— Oczywiście, że nie. Skąd ci to przyszło do głowy?

— Bo wy dwie już nie drzecie z sobą kotów. Tak było z tatą, gdy przestałaś się na niego boczyć.

---

* Wielki sklep zabawkowy przy Piątej Alei w Nowym Jorku.

Dostrzegła lęk w jego oczach i zrozumiała dziecięcą logikę. Ale rzeczywiście, taka była prawda — Ronnie i jej matka przestały się z sobą kłócić od pogrzebu ojca.

— Mamie nic nie jest. Po prostu zmęczyła nas ciągła walka i dałyśmy sobie spokój.

Spojrzał jej badawczo w twarz.

— Słowo?

Przyciągnęła go do siebie i przytuliła mocno.

— Słowo.

Pobyt z ojcem wpłynął nawet na jej stosunek do rodzinnego miasta. Trochę czasu trwało, zanim znowu się do niego przyzwyczaiła. Już odwykła od nieustającego zgiełku i ciągłej obecności obcych ludzi; zapomniała, że wysokie budynki wokół niej stale zacieniają chodniki i że wszędzie panuje tłok, nawet w wąskich alejkach w sklepie spożywczym. Nie ciągnęło jej też do życia towarzyskiego; kiedy Kayla zadzwoniła z pytaniem, czy chciałaby gdzieś z nią wyskoczyć, odmówiła i dawna przyjaciółka już więcej się nie odezwała. Ronnie zdawała sobie sprawę, że choć łączyły je wspomnienia, nie byłaby to już ta sama przyjaźń co kiedyś. Ale nie martwiło jej to; między ćwiczeniami na fortepianie a chwilami spędzanymi z bratem miała niewiele wolnego czasu.

Ponieważ fortepian taty jeszcze nie wrócił do mieszkania, jeździła metrem do konserwatorium Juilliarda i tam grała. Już pierwszego dnia w Nowym Jorku zadzwoniła do szkoły i rozmawiała z dyrektorem. Przyjaźnił się dawniej z jej ojcem i przeprosił, że nie przyjechał na pogrzeb. Wydawał się zaskoczony jej telefonem — ale i ucieszony, pomyślała. Kiedy powiedziała mu, że myśli o studiach w szkole Juilliarda, załatwił jej przyspieszony program przesłuchań, a nawet pomógł w złożeniu podania.

Zaledwie trzy tygodnie po przyjeździe do Nowego Jorku

rozpoczęła swoje przesłuchanie od piosenki, którą skompo-
nowała razem z tatą. Trochę straciła wprawę w technice
klasycznej — trzy tygodnie to niewiele, żeby przygotować
się do przesłuchania wyższego stopnia — jednak gdy wychodziła z sali, pomyślała, że ojciec byłby z niej dumny. Ale
przecież zawsze był, uświadomiła sobie z uśmiechem, wsa-
dzając pod ramię jego ukochane nuty.

Od czasu przesłuchania grywała po trzy, cztery godziny
dziennie. Dyrektor umożliwił jej korzystanie ze szkolnych sal
ćwiczeń i zaczęła pracować nad pierwszymi samodzielnymi
kompozycjami. Gdy tak siedziała w pomieszczeniach, w których niegdyś siadywał jej ojciec, często o nim myślała. Czasami późnym popołudniem spomiędzy budynków wyłaniało
się słońce i rzucało promienie światła na podłogę. Wracała
wówczas myślami do witraża w kościele i światła, które
widziała w dniu pogrzebu.

Oczywiście stale też myślała o Willu.

Przeważnie wspominała wspólne lato, rzadziej krótkie spotkanie przed kościołem. Nie miała od niego żadnych wiadomości i po Bożym Narodzeniu zaczęła tracić nadzieję, że w ogóle
do niej zadzwoni. Przypomniała sobie, że mówił coś o świę-
tach za granicą, ale w miarę jak mijały kolejne dni bez znaku
życia od niego, coraz bardziej traciła wiarę, że Will wciąż ją
kocha, i wątpiła w przyszłość tego związku. Może lepiej,
żeby w ogóle nie zadzwonił, pomyślała, bo co mieli sobie
jeszcze do powiedzenia?

Uśmiechała się smutno i odsuwała od siebie refleksje. Miała
co robić i skupiwszy uwagę na swoim ostatnim pomyśle,
piosence z motywami country i popu, przypomniała sobie, że
czas patrzeć przed siebie, a nie za siebie. Nie była pewna,
czy przyjmą ją do szkoły Juilliarda, mimo że, jak powiedział
dyrektor uczelni, jej noty wyglądały obiecująco. Bez względu

jednak na to, co miało się zdarzyć, wiedziała, że jej przyszłością jest muzyka, w takim czy innym sensie, i że będzie rozwijać swoją pasję.

Leżący na fortepianie telefon komórkowy nagle zaczął drgać. Sięgnęła po niego i nie spojrzawszy na wyświetlacz, pomyślała, że dzwoni mama. Gdy jednak na niego zerknęła, zastygła w bezruchu. Wzięła głęboki oddech, otworzyła klapkę i przytknęła aparat do ucha.

— Halo?

— Cześć — rozległ się znajomy głos. — Tu Will.

Usiłowała dociec, skąd dzwonił. Wydawało jej się, że słyszy jakiś pogłos charakterystyczny dla lotniska.

— Wysiadłeś z samolotu? — zapytała.

— Nie. Wróciłem kilka dni temu. A dlaczego pytasz?

— Słyszę dziwny dźwięk — wyjaśniła, ale serce jej zamarło. Był w domu od kilku dni i dopiero teraz zadzwonił. — Jak pobyt w Europie?

— Bardzo przyjemny. Lepiej dogadywaliśmy się z mamą, niż przypuszczałem. A jak się ma Jonah?

— W porządku. Już dochodzi do siebie, ale... wciąż jest mu ciężko.

— Przykro mi. — Znowu usłyszała jakieś echo. Może był na tylnej werandzie domu. — I co poza tym?

— Byłam na przesłuchaniu w konserwatorium Juilliarda i chyba poszło mi całkiem dobrze...

— Wiem — odparł.

— Skąd wiesz?

— Bo inaczej co byś tam robiła?

Usiłowała dopatrzyć się sensu w jego odpowiedzi.

— Hm... pozwolili mi ćwiczyć, dopóki nie przyjedzie fortepian... ze względu na tatę, to, że tu uczył, i tak dalej. Dyrektor był jego przyjacielem.

— Mam nadzieję, że mimo ćwiczeń uda ci się wyrwać.

— O czym ty mówisz?

— Liczyłem, że wyskoczymy gdzieś razem w ten weekend. To znaczy, jeśli nie masz już innych planów.

Serce zabiło jej mocniej.

— Przyjeżdżasz do Nowego Jorku?

— Zatrzymam się u Megan. No wiesz, żeby sprawdzić, co u nowożeńców.

— Kiedy będziesz?

— Niech się zastanowię... — Niemal widziała go, jak patrzy na zegarek, mrużąc oczy. — Wylądowałem ponad godzinę temu.

— Jesteś już? Gdzie?

Odpowiedział dopiero po chwili i kiedy słyszała jego głos, zorientowała się, że nie dochodzi z telefonu. ale gdzieś zza jej pleców. Odwróciła się i zobaczyła w drzwiach Willa, z telefonem w ręku.

— Przepraszam. Nie mogłem sobie darować.

Mimo że stał przed nią, jeszcze nie docierało to do niej. Zacisnęła powieki i otworzyła je ponownie.

Hm, wciąż tam był. Zadziwiające.

— Dlaczego nie zadzwoniłeś, nie uprzedziłeś mnie, że przyjeżdżasz?

— Bo chciałem ci zrobić niespodziankę.

Niewątpliwie ci się udało — tylko to przychodziło jej do głowy. W dżinsach i ciemnoniebieskim swetrze z wycięciem w kształcie litery V był tak przystojny, jak zapamiętała.

— Poza tym muszę powiedzieć ci coś ważnego — oznajmił.

— Co takiego? — zapytała.

— Zanim to zrobię, chcę wiedzieć, czy jesteśmy umówieni.

— Słucham?

— Na weekend, pamiętasz? Tak czy nie?

Uśmiechnęła się.

— Tak, jesteśmy umówieni.

Kiwnął głową.

— A na następny weekend?

Tym razem się zawahała.

— Jak długo zostajesz?

Podszedł do niej powoli.

— Hm... o tym właśnie zamierzam z tobą porozmawiać. Pamiętasz, jak mówiłem, że Vanderbilt to nie był mój pierwszy typ? Że tak naprawdę chciałem pójść na uczelnię ze świetnym programem studiów o ochronie środowiska?

— Pamiętam.

— Cóż, na tę uczelnię normalnie nie przyjmuje się studentów w połowie roku, ale mama należy do zarządu Vanderbilta, przypadkiem zna kogoś z tamtej uczelni i pociągnęła za sznurki. W Europie dowiedziałem się, że zostałem przyjęty, więc się przenoszę. Zaczynam od przyszłego semestru i pomyślałem, że może cię to zainteresuje.

— Hm... cieszę się — zaczęła niepewnie. — Gdzie będziesz studiował?

— Na Uniwersytecie Columbii.

Przez chwilę nie była pewna, czy dobrze zrozumiała.

— Na Uniwersytecie Columbii, to znaczy w Nowym Jorku?

Uśmiechnął się szeroko, jakby właśnie wyciągnął królika z kapelusza.

— Tak.

— Naprawdę? — Głos jej się załamał.

Pokiwał głową.

— Zaczynam za dwa tygodnie. Wyobrażasz to sobie? Taki porządny chłopak z Południa w wielkim mieście? Chyba będę potrzebował kogoś, kto pomoże mi się tu odnaleźć, i miałem nadzieję, że to będziesz ty. Jeśli nie masz nic przeciwko temu.

Znalazł się już tak blisko niej, że mógłby ją złapać za szlufki dżinsów. Gdy przyciągnął ją do siebie, odniosła wrażenie, że wszystko wokół nich znika. Will zamierzał tu studiować. W Nowym Jorku. Razem z nią.

Zarzuciła mu ramiona na szyję i poczuła, że przywarł do niej całym ciałem. Wiedziała, że nie może być lepiej.

— Chyba nie mam nic przeciwko temu. Ale nie będzie ci łatwo. Nie ma tu gdzie łowić ryb ani urządzać rajdów po błocie.

Objął ją w pasie.

— Tak się domyślałem.

— I nie masz co liczyć na siatkówkę plażową. Zwłaszcza w styczniu.

— Chyba będę musiał ponieść pewne ofiary.

— Może, jeśli będziesz miał szczęście, znajdziemy ci jakieś inne zajęcia.

Pochylił się i pocałował ją delikatnie, najpierw w policzek, a potem w usta. Spojrzeli sobie w oczy i ujrzała młodego mężczyznę, w którym zakochała się tego lata i którego wciąż kochała.

— Nie przestałem cię kochać, Ronnie. Nie przestałem o tobie myśleć. Mimo że lato się skończyło.

Uśmiechnęła się; wiedziała, że mówił prawdę.

— Ja też cię kocham, Willu Blakelee — szepnęła i uniosła głowę, żeby znowu się z nim pocałować.

Spis treści